Stern, Adolf

Das Fraulein von Augsburg

Stern, Adolf

Das Fraulein von Augsburg

Inktank publishing, 2018

www.inktank-publishing.com

ISBN/EAN: 9783750100848

Das

Fräulein von Augsburg.

Eine

Geschichte aus dem siebzehnten Jahrhundert

von

Adolf Stern.

Leipzig

Verlagsbuchhandlung von J. J. Weber.

1868.

Das Fräulein von Augsburg.

Das Fräulein von Augsburg. 1

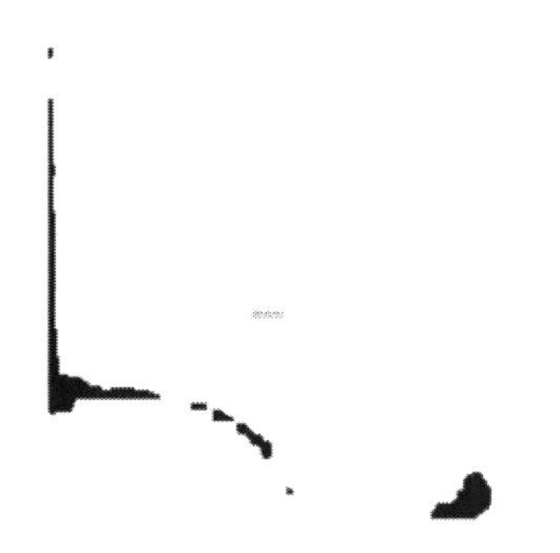

Den Weinmarkt von Augsburg herab zog in der Halbdämmerung eines Aprilabends eine Wagenreihe von bewaffneten Reitern geleitet. Wo der stattliche Bau des neuen Siegelhauses, dessen großer goldner Adler von einem letzten Lichtstrahl überglänzt ward, die prächtige Straße verengte, auch weiter hinab vom Herculesbrunnen bis zum Perlachthurm, hatte sich eine neugierige erregte Menge gesammelt und gab den Wagen, trotz der Reiter, ein unerbetenes Geleit. Es war Samstag, die Webstuben hatten Tausende von Gesellen eben auf die Straßen entlassen, am Siegelhaus wurden noch Waarenballen ab- und zugeführt, aber Geschäftige wie Müssiggänger schienen jetzt nur Augen für den Zug zu haben. Die Wagen rasselten, trotz ihres mäßigen Umfangs, schwer über das Pflaster, Köpfe und Hälse der Zuschauer streckten sich lang, als gelte es des Inhalts der schmalen eisenbeschlagenen Kästen, die auf den Achsen ruhten, gewiß zu werden. Von Zeit zu Zeit ging von den Wagen ein Klirren und Klingen aus, das jedesmal die Menge wunderbar erregte und die

1*

Reiter zu scharfen fast argwöhnischen Blicken rings umher veranlaßte. Der Führer des Zuges lenkte denselben geschickt zwischen den dichten Gruppen und den Waarenladungen hindurch und schien es kaum zu beachten, daß die folgende Menge sich in jedem Augenblick vergrößerte. In sichrer fast lässiger Haltung saß er auf dem starken braunen Rosse, ein hoher Mann, verschieden von den kecken, trotzig oder stumpf dreinschauenden Gesellen, die er befehligte. Er schien an der Grenze der Mannesjugend zu stehen, etwa dreißig Jahre zu zählen, sein Gesicht trug bei regelmäßigen Formen einen Ausdruck von Kraft und Entschlossenheit, den die dunklen Augen des Reiters bald erhöhten, bald milderten. Eben noch hatte er mit sinnendem fast träumerischem Blick vor sich hingesehen, jetzt schlug er die Wimpern empor und die Augen blitzten warnend nach der drängenden Menge, befehlend nach den Söldnern und Wagenführern. Ein kurzes Wort, ein flüchtiger Wink von ihm gaben zugleich dem ganzen Zuge die Richtung zum Rathhaus und schafften den vordersten Wagen Raum. Die Umstehenden schienen den Reiterführer zu erkennen, mehr als einmal erscholl es aus der Menge: „Gott zum Gruß, Herr Wolfgang!“ — „Willkommen in Augsburg, Wolfgang Berg!“ So oft sein Name erklang, dankte er mit lauter heller Stimme, obschon er die Mehrzahl der Begrüßenden in der Dämmerung, im Gewühl und bei der raschen Vorwärtsbewegung seines Zugs kaum wahrnahm. Nur als die Wagen in die Nähe des alten Rathhauses gelangten, von dessen steinernen Stufen gleichfalls eine begrüßende Stimme erklang, zog Wolfgang die Zügel seines Pferdes an und veranlaßte Alle, die ihm folgten, ein Gleiches zu thun. Ein stattlicher Mann in mittleren Jahren, etwa ein Jahrzehnt älter, als der Reiterführer selbst, trat von den Stufen herab, dem Kommenden die Hand reichend. Sein schmales magres Antlitz, seine faltige Stirn, von kurzem geschornen Haar dünn umrahmt, ließen ihn als einen Mann ernster Arbeit erkennen. Doch blickte er jetzt mit einer Art Freude auf den Reiter, strich sich behaglich den starken Knebelbart und sagte:

„Gottwillkommen in Augsburg, Herr Wolfgang. Ihr seid seit drei Wochen sehnlich erwartet bei den Welsern; Herr Marx, der Stadtpfleger, ward schier besorgt und unhold ob Eures Ausbleibens, ich hab' es mehr als einmal im Rath verspürt, wenn ich Rechenschaft von meinem Bau bei Sanct Anna ablegte."

„Ich hätte noch lang ausbleiben können, Meister Elias," entgegnete der Reiter. „Die Straßen von Böhmen herüber sind unsichrer als je. Hätte mir nicht der Fürst von Anhalt, des Pfälzers Statthalter zu Amberg, ein Dutzend Reiter, die er nach Neuburg sandte, untergeben, ich läge noch dort und hätte den Weg nicht wagen dürfen. —

Aber wie steht es mit Euch, den Meister Palladio's Ruhm nicht schlafen läßt, seit Ihr in Venedig gewesen? Habt Ihr wieder einen Prachtbau nach wälscher Art begonnen und sind Stadtpfleger und geheimer Rath noch nicht zu Eurem neuen Rathhaus bekehrt?"

Meister Elias Holl, der Stadtbaumeister der erlauchten Republik Augsburg, sah erst um sich, und nachdem er wahrgenommen, daß keiner aus der drängenden Menge nahe genug sei, um ihn zu hören, antwortete er halblaut:

„Herr Jacob Rembold ist meines Sinnes, auch ein paar von den edlen Herren des Raths sind mir nicht entgegen. Aber — junger Freund — mein alter, mein bester Gönner, Euer großer Patron, Herr Marcus Welser, zeigt mir ein seltsam Gesicht. Er wird ungeduldig, wenn ich ihr' vom Rathhaus und anderen Plänen zu sprechen beginne, oder er läßt mich deutlich merken, daß seine Seele bei andern Dingen ist. In verflossener Woche wartete ich ihm in seinem Gartenhaus am Gögginger Thor auf, ich hatte beim Bau von Sanct Anna römische Alterthümer ausgraben lassen. Ihr wißt selbst, daß der gelehrte Stadtpfleger für diese Dinge sonst lebte und starb. Aber diesmal hörte er meinen Bericht kaum an, und that am Ende einige Fragen, aus denen ich abnahm, daß er kein Wort davon behalten hatte. Ich fürchte, der edle Herr ist krank, an Leib oder Seele. Ihr seid ein halbes Jahr in Böhmen gewesen und werdet ihn anders finden, als Ihr ihn verlassen habt."

„Ich will es nicht fürchten und hoffe, der Verdruß über den verzögerten Rathhausbau trübt Euch die Augen, Meister Holl," entgegnete Wolfgang mit einigermaßen unsichrer Stimme. „Was sollte, was könnte dem stattlichen Herrn begegnet sein?"

Des Baumeisters Lippen öffneten und schlossen sich fast zugleich, er hielt eine Erwiedrung zurück und begnügte sich zu sagen:

„Ihr werdet ihn schauen. Aber jetzt blickt um Euch, wenn wir noch länger Zwiesprach pflegen, giebts hier einen Auflauf. Gehabt Euch wohl und reitet nicht gleich wieder aus Augsburg!"

Der Führer des Zugs sah bei den letzten Worten des Baumeisters auf. Die Volksmasse war mit jeder Minute gewachsen und hatte, während die Wagenreihe stillstand, dieselbe immer dichter, drängender umschlossen. Ringsum schwirrte und gellte es betäubend von tausend Stimmen und tausend Zahlen. Jedermann schien zu wissen, daß die Wagen Gold trugen und die Summen, die in den eisernen Kästen ruhen sollten, wuchsen mit jedem Augenblick. Das Getümmel ward lauter und immer lauter, als die Wagenreihe, von Wolfgang geführt, in die Weißmalergasse mit ihren stattlichen Patricierhäusern einlenkte. Die Masse, welche den Zug umtobte und begleitete, stieß drängend mit andern Gruppen zusammen, welche die breite Straße schon erfüllten, so daß nur vor der Häuserfront ein Raum frei blieb, die sich von der Mitte der Gasse bis zu jenem alten Bau hinzog, den man im Volke noch immer bei St. Leonhard nannte, obschon mehr als ein Jahrhundert darüber hingegangen war, seit sich die Bank der Welser in ihm befand. Vom Roß herab nahm Wolfgang wahr, daß eine Reihe von Dienern, auch Bewaffnete unter ihnen, den Raum vor den Häusern frei hielt. Die Pechpfannen, welche eben auf erhöhten Gerüsten vor den mittleren Thüren entzündet wurden, die hell erleuchteten Fenster, die in der beginnenden Dunkelheit strahlender erschienen, als wenige Augenblicke zuvor, rauschende Töne, welche aus dem hohen Hause drangen, sagten ihm, daß hier ein Fest gefeiert werde. Gleichzeitig sah er im Hintergrund, am Bankhaus selbst, unruhige Geschäftigkeit, durch die wogende Menge wanden sich einzelne von dort abgeschickte Diener, und Wolfgang Berg zweifelte nicht, daß sie zu ihm hinstrebten. Aber im Augenblick gelang es ihm kaum, seinem Zuge die Ordnung zu bewahren. Die Schaaren, welche längs der Wagenreihe standen, mischten sich mit denen, die in der Straße harrten, und trotz der bäumenden Rosse, trotz der Flüche der Söldner und

Wagenführer, war der Zug zwischen den tosenden lärmenden Massen festgehalten. Betäubendes Getümmel und wirres Durcheinanderrufen ging durch die bewegte Menge:

„Dort — dort — Seine fürstliche Gnaden der Kurfürst von Köln, der Herzog. in Bayern zeigt sich am Fenster! — Seht ihr nicht, wie er herabgrüßt! — Platz für die Goldwagen. Hier kommen hunderttausend Goldgulden und mehr! — Sie sind trunken, sie gießen Rheinwein und Malvasier aus den Fenstern! — Die Stadtherolde und des Pappenheimers breitschultrige Diener fangen den Trank auf! — Sie machen den Keller leer, damit ihre Schätze Platz drinnen finden. Halloh, Gevatter, uns thät ein Griff in die Eisentruhen hier noth und gut und die Welser würden ihn nicht verspüren! — Hört ihr nicht? sie bringen eine Gesundheit mit Trompeten und Pauken aus!“

So schallte und gellte es in Wolfgangs Nähe und mit Mühe hielt er die Andrängenden zurück. Die Müßigen, welche seinen Wagenzug von St. Ulrich bis hierher begleitet hatten, strebten jetzt nach der Thür des Hauses, in dem das Bankett gefeiert wurde. Jene aber, welche genug dort hinüber geblickt hatten, wandten sich plötzlich zu den Wagen und ihrem Reitergeleit, so daß ein völliger Kampf um den Wechsel des Platzes in dem für

Tausende zu engen Raum der Straße entstand. Vergeblich spähte der Reiterführer umher, wo er sich einen Durchweg bahnen könne, ohne die gedrängten Massen zu gefährden. Er athmete auf, als er auf den Steinstufen vor dem mittlern Hause plötzlich einige Herren in kostbaren Sammetmänteln und leuchtenden Baretten gewahr wurde und gleichzeitig den Stadtvoigt mit seinen bewaffneten Dienern erblickte, der vom Rathhaus entsendet schien. Denn die Reiter, die Wolfgang führte, waren mit seiner zögernden Schonung der Volksfreude übel zufrieden, wilde Flüche, selbst Drohworte wurden hinter ihm laut, ja sein strengster Blick hinderte einen und den andern der rohen Gesellen nicht, die Waffe blank zu ziehen. Jetzt gewannen sie schnell und friedlich Raum, vor dem Erscheinen der Herren wich die Menge bis an den Eingang der Straße zurück und hier trieben sie die Stadtdiener unter lautem Schelten gegen das prächtige Zunfthaus der Weber oder den Perlachberg hinab. Ungehindert und von den wenigen Hunderten, die ihren Platz behauptet hatten, nur angestaunt, setzte der Zug seinen Weg bis an das Bankhaus fort. Jeder Wagen, der unter den erleuchteten Fenstern des großen Hauses vor der Bank vorüberklirrte, ward von oben mit Jubelrufen begrüßt. Herabgebeugt, über einander emporragend, zeigte sich Kopf an Kopf in den Fensterbogen, großentheils Männer, die mit weingerötheten Gesichtern noch stolz und vornehm dreinblickten, schüchtern und nur auf Augenblicke auch einzelne Frauen. Die lärmenden Rufer waren eine Gruppe von Edelknaben, welche am letzten Fenster des Hauses beisammenstanden und dem auf der Straße zuschauenden Volke Muth machten, gleichfalls in das Jubelgeschrei einzustimmen. Wolfgang Berg, der an der Spitze des Zuges bis zur Bank ritt, hatte die Gäste an den Fenstern mit kriegerischem Anstand begrüßt, aber sein Gesicht drückte äußerste Verwunderung über den seltsamen Empfang aus. Es war beinahe dunkel geworden, ehe er sich aus dem Sattel schwang, um dort Meister Elsinger, dem Hausmeister, und Leopold Rehm, dem ersten Buchhalter der Welser, die Hand zu schütteln, und, während Elsinger mit weithinschallender Stimme den Wagen zu halten befahl, den weißhaarigen Buchhalter zu fragen:

„Habt Ihr mein Schreiben aus Aichach nicht erhalten? Wußten die Herren nicht, daß ich kommen würde?"

Leopold Rehm drückte nochmals die Hand des Reiterführers und sagte mit flüsterndem Tone:

„Wohl — wohl — wir erhielten den Brief — auch ist Alles zum Empfang der Gelder bereit. Das Bankett droben aber war nicht abzustellen, Seine kurfürstliche Gnaden von Köln, Herzog Ferdinand in Bayern, hat auf der Reise von München nach Bonn den Herren die Ehre gegeben und war schon geladen, als Euer Brief eintraf. Ihr hattet seit Amberg keine Nachricht von Euch gesandt, die Herren Matthäus und Paulus gaben schier die Achtmalhunderttausend und der Stadtpfleger gab Euch verloren."

„Viel fehlte denn eben nicht, daß sie Recht hatten!" entgegnete Wolfgang Berg lachend. „Ihr thut wohl, wenn Ihr das Gold, das ich Euch bringe, sobald nicht wieder auf die Landstraße schickt, sie ist schlechter als je und wimmelt von des Teufels Heergesellen. Krippenreiter, abgedankte Söldner, Zigeuner und wildes Volk hab' ich von Prag herüber nach Tausenden gezählt und meine List, daß ich unsre Wagen mit Wolle bedeckte, wollte mehr als einmal nicht verfangen!"

„Steht es so schlimm draußen?" fragte der Alte bekümmert. „Greift Kaiser Matthias nicht kräftiger in die Zügel als der todtkranke Herr Rudolf vor ihm? Wir brauchen Frieden und hellen Himmel und inzwischen zieht eine Wetterwolke nach der andern herauf! Ihr habt treulich am Haus Welser gehandelt, Müh und Gefahren nicht gescheut, wollte Gott, daß Alle so gethan hätten."

Wolfgang sah in das faltige Gesicht Rehms und glaubte einen Zug von Ermüdung wahrzunehmen, den er nie zuvor bemerkt. Doch wandte sich der Greis eben nach einigen Dienern, welche den Flur mit Wachsfackeln erhellt hatten und die Ketten an den außenstehenden Wagen zu lösen begannen.

„Laßt ein Fuhrwerk nach dem andern vor das Thor rücken. Fördert eine Truhe nach der andern in das Gewölbe, nicht mehrere auf einmal! Die leeren Wagen fahren nach der Herberge zum Eisenhut, wo auch den Reitern Quartier bestellt ist.“

„Ihr habt zu wenig Reiter, Wolfgang Berg!“ rief plötzlich eine andre Stimme von der Thür des Bankhauses her dazwischen. Ueberrascht sahen der Angerufene, sahen Rehm und Meister Elfinger auf. Die Gestalt eines hohen, hagern Mannes, im stattlichen Festkleid, den breitkrämpigen Hut tief in das erhitzte Gesicht gedrückt, war auf der Schwelle erschienen. „Herr Matthäus!“ sagte Meister Elfinger überrascht, während Wolfgang den Zügel seines Rosses, den er noch fortwährend gehalten, einem der Reiter zuwarf und die Stufen zur Pforte emporstieg. Er verbeugte sich vor dem Dortstehenden, der den kurzen schweren Sammetmantel fröstelnd um die Schultern zog und den Gruß Wolfgangs kurz erwiederte.

„Ihr hattet Vollmacht und Geld, zwei Fähnlein Reiter zu werben,“ fuhr er fort, und sein unzufriedner Blick irrte von Wolfgang nach den wilden Soldatengestalten hin, die sich jetzt der Pforte gegenüber in einem Trupp gesammelt hatten. „Ich seh ihrer kaum zwanzig.

Euren Reitermuth in Ehren, aber achtmalhunderttausend Goldgulden bleiben achtmalhunderttausend!"

„Ich habe es nicht vergessen, hochedler Herr!" entgegnete Wolfgang, der tief erglüht war, während sich die Gesichter der Reiter und einzelner Diener zu hämischem Lächeln verzogen und der greise Leopold Rehm bekümmerter als zuvor blickte. „Ich folgte Eurem Befehl, doch die Reiter, die ich in Prag versammelt, waren Gesindel, die ich mit List und Gewalt wieder entfernen mußte, oder ich hätte den schwer errungenen Schatz nicht bis Eger gebracht!"

„Und wo war Euer scharfes Auge, daß Ihr just an solche Gesellen geriethet?" forschte Herr Matthäus noch immer unzufriednen Tones.

„Just an solche, Herr Matthäus?" wiederholte Wolfgang mit einem Anflug leichten Spottes. „Sie sind eben Alle nicht besser, Ihr könntet weit im heiligen römischen Reiche suchen, um ein Dutzend ehrliche Söldner zusammenzurufen. Nun gar in Böhmen, wo die Werbetrommel jeden Monat für eine neue Fahne gerührt wird. Ist's zum Erstaunen, wenn die Reiter verwildern, wo die Herren aus Rand und Band sind? Ich war zu dreimal in Prag bei Kaiser Rudolfs Zeiten, und es war arg genug, Herr Matthäus, — aber es ist schlimmer und immer schlimmer geworden. Das Haus Welser darf von Glück sagen, daß diese Schuld heimgezahlt ist."

Wolfgang Berg sah dabei nach der Wagenreihe und so entging ihm der düstre Blick, den der stolze Herr des Hauses gleichfalls auf dieselbe warf.

„Ihr mögt Recht haben — und wir schulden Euch doppelten Dank, daß Ihr unter solchen Umständen unsern Auftrag erfüllt," hob der Patricier nach einigen Augenblicken des Schweigens wieder an. „Aber tretet ein und verschmäht oben einen Trunk nicht. Es sind mit Seiner kurfürstlichen Gnaden von Köln viel Herren am Tisch, die gern etwas von Eurem Zuge vernehmen werden."

Wolfgang warf einen Blick auf sich selbst, er verglich sein schlichtes braunes Wams, seine hohen Reiterstiefeln mit den kostbaren Gewändern, in denen Herr Matthäus prangte und die er vorhin im Vorüberreiten an allen Gästen erblickt hatte. Matthäus Welser errieth die Bedeutung seines Achselzuckens und sagte:

„Laßt Euch nicht kümmern, daß Ihr kein hochzeitlich Kleid anhabt. Wir feiern keine Hochzeit droben und Ihr kommt von einem Kriegszug und dürft vor Euren Kriegsherrn treten, wie Ihr vom Rosse springt. Hier unserm alten Leopold Rehm wird es wohl thun, wenn die Welser wieder einmal ihren reisigen Hauptmann bei sich sehen, er beklagt stets, daß die Zeiten vorüber sind, in denen wir Flotten und Heerhaufen nach Amerika sendeten und Verträge mit Kaisern und Königen schlossen."

Leopold Rehm machte sich bei diesen Worten in der Nähe der Truhen, die indeß abgeladen wurden, zu schaffen. Doch vernahm Wolfgangs feines Ohr, daß der Greis länger vor sich hinmurmelte und hörte deutlich genug die Worte: „Wären sie nie gewesen". Herr Matthäus harrte noch seiner Antwort, er sprach zögernd:

„Ich werde kommen, weil Ihr es begehrt. Meine Reiter jedoch — "

„Sagt ihnen, daß sie in der Herberge nichts sparen sollen am Wein und der Zehrung. Meister Elfinger mag sorgen, daß ihnen noch am Abend ein Fäßlein spanischen Weins gebracht wird und unsern klingenden Dank reicht Ihr ihnen morgen zusammt dem Solde."

Die Reiter hatten die lauten Worte des stolzen Kaufherrn, obwohl sie nur an Wolfgang gerichtet waren, wohl vernommen. Sie brachen in zustimmenden Beifall aus und zeigten sich plötzlich eifrig, den Wagenführern beizustehen. Die letzten Wagen standen vor der Bank, Herr Matthäus sah, ehe er in den Flur zurücktrat, die Truhen von ihnen hinwegheben. Das Volk ringsum begann sich allmälig zu verlaufen, und wären nicht in diesem Augenblick aus den erleuchteten Fenstern neue rauschende Töne herabgeklungen, so würden die letzten Schaaren mit den Reitern hinweggezogen sein, die von Wolfgang nach der Herberge entlassen wurden. Um die Wagen her ward es dunkel, eine Fackel nach der andern verschwand mit den Truhen in dem Innern des Hauses. Der Nachtwind trieb den Rauch der Feuerpfannen, die vor dem nächsten Thore loderten, gleich einer Wolke heran und hüllte Wolfgang Berg, den alten Buchhalter und Meister Elfinger dergestalt ein, daß dieselben die Gruppen in der Nähe des Hauses kaum mehr erkannten und sicher nicht wahrnahmen, daß sich unter denselben zwei Gestalten auf und ab bewegten, denen die niedern Bürger, die Gesellen und Lehrbuben ehrerbietig Raum gaben. Wolfgang Berg hatte den Arm Leopold Rehms ergriffen und zog denselben mit sanfter Gewalt in den Flur.

„Ihr müßt nun ins Haus, Herr Rehm — Eure Schätze sind unter Dach und Fach, für das Weitere wird Meister Elfinger sorgen. Auch sage ichs für mich selbst, ich möchte in Eurer Schreibstube Wams und Hut zurechtrücken, ehe ich hinaufgehe, den Herrn Stadtpfleger zu begrüßen.“

„Herrn Marx? Erwartet Ihr ihn droben zu finden?“ versetzte Rehm. „Er hat seit Wochen sein Gartenhaus am Gögginger Zwinger nur zu den Rathssitzungen verlassen und ist auch heute nicht hier erschienen. Aber er ist ungeduldig, Euch zu sehen, und wenn Ihr es vermögt, so erfreut den Herrn morgen in aller Frühe durch Euer Kommen.“

Wolfgang hatte unter diesem Gespräch den Greis endlich von der Schwelle hinweggenöthigt, auf der nur noch Meister Elfinger das Treiben der geschäftigen Diener überwachte und ab und zu einen Blick nach den müßig Lungernden vor der andern beleuchteten Pforte warf. So entgingen seinen scharfen grauen Augen, die sonst Alles sahen, auch jetzt die beiden Männer, welche mit seltner Aufmerksamkeit jede Truhe auf den Wagen betrachtet hatten und deren Blicke jeder in den Flur gefolgt waren. Sowie aber Meister Elfinger zwischen den Wagen hindurch nach den Zuschauern blickte, schlugen die Beiden den Weg zur Judengasse ein, blieben jedoch im Grunde schon am Eingang derselben wieder stehen und näherten sich der breiten Altane, die an Stelle des einstigen Thurms von St. Leonhard das Eckhaus überragte. Scharf und argwöhnisch achteten Beide auf Alles, und mit dem Ausdruck mißtrauischen Spottes sah der Eine von ihnen, der auf breiten Schultern einen mächtigen Kopf, ein plumpes rothes Antlitz zeigte, in dem unter buschigen Brauen kleine dunkle Augen fast stechend hervorblitzten, den letzten davontrottenden Reitern nach:

„Schaut nur — schaut, Herr Hannewald, wie die Burschen gleichgültig von den angeblichen Schätzen Abschied nehmen, die sie geleitet haben. Ich weiß etwas von Reiter- und Soldatenstücklein und ich wiederhole Euch:

mit dem Gelde dort, so es überhaupt Geld ist, hat's eine besondre Bewandtniß."

„Meint Ihr etwa, daß Scherben und Spinnweben in den Kästen liegen?" fragte der Andre dagegen. „Ich hörte es sattsam klingen und klirren und nichts für ungut, Herr Pömer, Ihr wißt in Eurem Haß gegen die Herren droben nicht mehr, was Ihr sprecht. Ich rathe Euch wohl, Eure Zunge besser im Zaum zu halten und Euer Thun in den nächsten Tagen zu bedenken."

„Ihr mögt vielleicht Recht haben, Herr Notar!" entgegnete Pömer mit heisrer Stimme. „Wenn die Pfauen drüben Kaiser Rudolfs Schuld wirklich in ihren Kellern haben, so werden wir in nächster Zeit groß Prunken und Radschlagen schauen. Ich glaube es aber nicht und werd' es nicht glauben, bis mir meine Venediger Wechselbriefe in vollwichtigen Goldgulden ausgezahlt sind. Geld mag in den Truhen, die Wolfgang Berg geleitet hat, wohl klingen. Doch wenn es nicht aus der Werkstätte von Heckenmünzern stammt, die aus einem kupfernen Kessel und drei silbernen Löffeln tausend Reichsgulden schlagen, soll mich's Wunder nehmen. Glaubt mir, Herr Hannewald, die Reiter hätten sich sonst auf der Landstraße ihren Sold und ein bessres Gratial verschafft, als ihnen selbst die prunkhaften Welser reichen würden. Wer hätte sie

2*

gehindert, die Wagen anzugreifen? Sie werden eben gewußt haben, daß der große Schatz eitel Lug und Trug ist."

„Gemach, gemach, Herr Daniel," sagte der Andre. „Wolfgang Berg schaut drein wie Einer, der selbst böhmische Söldner bändigen könne, Ihr wißt nicht, wie er den Zug geführt hat. Ich warne Euch als redlicher Freund, verderbt es nicht völlig mit den Welsern. All Eure geheime Kundschaft aus Venedig, Sevilla und Antwerpen kann falsch und erlogen sein, und wenn sie falsch wäre, hätten die Herren Mittel genug in Händen, Euch schwer zu schädigen."

„Sie lassen es auch jetzt nicht daran fehlen," fiel der Kaufherr grollenden Tones ein. „Wo ich einem Hinderniß begegne, fällt auch der Schatten eines Welser auf meinen Weg."

„Weil sie wissen, daß Ihr ihnen feindselig seid," unterbrach ihn der Notar.

„Weil sie ahnen, daß ich Manches weiß, was außer ihnen selbst kein Mensch in der Welt und am wenigsten in Augsburg wissen sollte," entgegnete Herr Pömer. „Weil sie Alles thun, mich von sich abzuschütteln und ich mich doch wieder und wieder an ihre Ferse hänge, weil — aber ich habe Euch das hundertmal gesagt und Ihr habt es nicht einmal mit gläubigen Ohren gehört. Kurz und rund, die Welser rühmen sich, daß ihr Geschlecht das älteste in allen Städten des heiligen römischen Reiches sei, sie haben einen Stammbaum, dessen Wurzel der griechische Feldherr Belisarius ist. Ihr seid ein Gelehrter, Herr Hannewald, und Ihr wißt vielleicht, welches Ende es mit dem großen Ahnherrn des großen Geschlechts nahm?"

„Er zog als blinder Bettler durchs Land!" sagte der Notar leise und mit einem scheuen Blick umher, ob irgend Jemand Frage und Antwort vernommen habe. „Und Ihr wähnt, Ihr denkt im Ernst es dahin zu treiben?" fügte er hinzu, indem er mit eiligen Schritten die Judengasse hinabzugehen begann und dadurch den Andern zwang, ihm zu folgen. Herrn Pömers Antwort verklang im Geräusch ihrer schallenden Schritte.

Herr Hannewald aber war nicht durch die verfänglichen Reden Pömers, sondern durch ein Gesicht so plötzlich verscheucht worden, das an dem großen eisenvergitterten Fenster auftauchte, welches sich unter dem Altan des Welserschen Hauses befand. Er glaubte trotz der Dunkelheit die schmalen gefurchten Züge und das weiße Haar Leopold Rehms zu erkennen und er irrte nicht. Der Alte stand hinter den dicken Scheiben, durch welche die Leuchten der Schreibstube ihren Schein warfen, ja er hielt seine hohe kahle Stirn an diese Scheiben gedrückt, ohne daß er die beiden Männer draußen beachtet hätte. Er vernahm offenbar nichts, als das Stöhnen des

Windes, der in raschen kurzen Stößen um die Ecke fuhr, und den Schall der rauschenden Musik zu seinen Häupten. Er trat auch alsbald ins Zimmer und an den umgitterten Tisch zurück, den Wolfgang Berg nur eben verlassen hatte. Derselbe war mit Briefen, Schriften und schweren Büchern beladen, zwei Lampen hingen in Ketten von der Decke herab und Rehms Sessel hatte den mächtigen Kamin im Rücken, in dem das Feuer hell loderte. Der Alte lauschte von Zeit zu Zeit nach den Nebenräumen, in denen unter Meister Elfingers Augen die Lasten des Wagenzugs geborgen wurden. So oft eine Truhe niedergesetzt oder gerückt ward, nickte er mit einem Ausdruck halber Zufriedenheit und murmelte dann, sich über die Zahlen seiner Bücher beugend:

„Es kann vielleicht gehen — vielleicht auch nicht. Ohne den Wolfgang Berg könnte ich den Herren aus diesen Büchern hier mit meine Nachtrunk und Nachtisch aufwarten, der noch minder willkommen wäre als der Kurfürst von Köln und der Marschall von Pappenheim uns sind. Herr Matthäus aber und Herr Paulus wissen nicht, was sie dem jungen Manne schuldig sind, und ich, der ich's weiß, darf ihm nicht einmal danken, wie ich wollte und sollte!"

Während der Alte so in Nachsinnen versank, das sich von Minute zu Minute mehr in dumpfes starres Hinbrüten wandelte, hatte sein junger Freund einen schmalen Gang durchschritten, der die Wohnhäuser Matthäus Welsers mit dem Bankhaus verband. Je näher er der Treppe kam, um so heller, blendender strahlten ihm Lichter und Wachsfackeln entgegen, um so getümmelvoller zeigte sich das Innere des Hauses. Reichgekleidete Diener lehnten auch hier entweder müßig oder flogen die Stiegen empor und herab, ein riesiger Pförtner wehrte die Andringenden von dem Aufgang zum Prunksaal des ersten Stockes zurück und zeigte eine bestürzte Miene, als Wolfgang ohne ein Wort der Erklärung an ihm vorüberschritt. Er hatte in Leopold Rehms Schreibstube wohl den Staub der Landstraße von seinem Anzug entfernen und die graue Feder auf seinem Reiterhut ein wenig zurechtbiegen können, aber sein Aussehn war doch zu schlicht und zu wenig festmäßig, die prächtige Waffe, die ihm am Gürtel hing, der einzige Schmuck, und des Pförtners Augen waren seit dem Mittag von allem Glanz, den er geschaut, so geblendet, daß er den Hauptmann Berg, wie ihn die Diener des Hauses nannten, nicht einmal erkannte. Er starrte ihm nach, ungewiß, ob er hinter dem Unberufenen dreineilen, ihn noch an der Thür des Saals zurückhalten solle. Sein Erstaunen wuchs, als er die Begegnung wahrnahm, die auf den breiten mit prächtigem Holzwerk ausgelegten Stufen stattfand, welche die reichgeschnitzte Thür des Saals trugen.

Denn auch Wolfgang Berg stand einen Augenblick wie geblendet, als ihm auf diesen Stufen eine hohe Jungfrauengestalt entgegentrat, welche eben die Thür des Saals hinter sich geschlossen hatte. Ihre Erscheinung war vom höchsten Liebreiz, das Haupt umgaben breite dunkelblonde Haarflechten, die blauen Augen leuchteten in dem feinen, von leichter Röthe überhauchten Antlitz, aller Zauber der Jugend strahlte aus ihnen, und doch lag ein Etwas in diesen Augen, auf dieser weißen Mädchenstirn, das auf höhern Ernst deutete. Ein hellblaues Gewand aus schwerer venetischer Seide, reich mit Silber gestickt, schmiegte sich dicht an die schöne schlanke Gestalt, die mit anmuthiger Haltung die Stufen herabkam und beim Anblick des Reiterführers nicht minder erfreut, wenn auch minder betroffen schien, als Wolfgang Berg, der beinahe das Knie gebeugt hatte und sich wenigstens tiefer vor dem jungen Mädchen neigte, als vorhin vor Herrn Matthäus Welser. Sie reichte ihm ihre Hand, die er ehrfurchtsvoll an seine Lippen führte und sagte dabei:

„Ihr kommt zu guter Stunde, Wolfgang Berg. Die kölnischen und bayrischen Herren begehren von Euch viel über Prag zu hören. Und vor Allem thut uns Euer Kommen Noth, Ohm Marcus ist krank und tief niedergeschlagen — Ihr sollt sein Arzt sein, wie er schon mehr als einmal gesprochen hat. Er schließt sich ab gegen

Jedermann, es gab Tage in dieser Zeit, wo ich ihn kaum begrüßen durfte, selbst die Ehre, die Seine kurfürstliche Gnaden von Köln unserm Hause erweist, hat ihn nicht aus dem Garten hierherlocken können."

„Ihr erschreckt mich, Fräulein Philippine," entgegnete der Reiterführer. „Wenn der kranke Herr wirklich Verlangen nach mir trägt, so fürcht' ich fast, ihm vor Augen zu treten. Bei der ersten Begegnung muß er ja sehn, daß er geirrt hat — was könnt' ich ihm bringen?"

„Wißt Ihr es nicht, Wolfgang?" fragte das Mädchen dagegen. „Licht, Sonnenschein bringt Ihr ihm! Der Oheim sagt, ihm sei immer zu Muthe, wenn Ihr kommt, wie an einem sonnigen Märztage, wo er draußen in den Gärten seine Glashäuser öffnet, und die Luft frei hereinströmt."

Sie stockte, als sie den Mann, der ihr gegenüberstand, erröthen sah, und schien sich zu besinnen, daß sie in allzulebhaftem Tone gesprochen habe. Wenigstens fuhr sie merklich ruhiger fort:

„Aber Ihr wißt ja selbst, wie Euch der Oheim schätzt und hochhält! Er wird bereits wissen, daß Ihr gekommen seid und Euch morgen erwarten. Wollt Ihr jetzt nicht in den Saal treten? Ohm Matthäus hat Euch den hohen Herren schon angekündigt — und ich habe über Euren Anblick bald meine Pflicht versäumt."

Wolfgang Berg schien nicht wahrzunehmen, daß Fräulein Philippine ungeduldig einen Schritt abwärts that, wohl aber sah er den feuchten Schimmer ihres Auges und ein so schmerzliches Zucken des Mundes, daß er betroffen und theilnehmend sagte:

„Ihr scheint keine heitre Pflicht zu meinen, Fräulein? Mit dem Fest drinnen hat sie nichts zu schaffen?"

Das schöne Mädchen machte eine verneinende Bewegung, aber sie antwortete nicht, da in diesem Augenblick ein ganzer Trupp von Dienern, mit den zahlreichen Schüsseln eines neuen Ganges belastet, die Treppe emporkam, und zwar ehrfurchtsvoll dem Fräulein auswich, den Reiterführer aber zum Zurücktreten von der Thür des Saales nöthigte. Wolfgang achtete nicht auf den ungeschickten Hochmuth der Diener, sondern schaute nur der schönen schlanken Gestalt nach, welche jetzt die Stiegen herab und durch den großen Flur enteilte. Er erblickte wieder den schmerzlichen Zug um den Mund, er sah die thränenschweren Wimpern. Gleichzeitig hörte er einen der ältern Diener, dessen Blick den flüchtigen Schritten des Mädchens gleichfalls folgte, seinem Nebenmann zuflüstern:

„Sie geht zu dem Kinde des Kellermeisters. Das arme Geschöpf liegt im heißen Fieber darnieder, ich habe den hochgelehrten Doctor Rembold in ihrem Namen bitten müssen, zu der Kleinen zu gehen, ehe er zur Tafel kam.

Ihr selbst hat der gestrenge Herr Paulus untersagt, einen Fuß in das Gelaß des Jacob zu setzen, und nun thut sie es gar, während die hohen Gäste noch im Saal sind."

Wie zur Bestätigung der letzten Worte des Dieners tauchte in diesem Augenblick am Eingang, dessen breite schwere Thürflügel der Thürhüter geöffnet hatte, der eben Genannte auf. Von stattlicher Gestalt, wie sein Bruder Matthäus, aber minder hager, das Gesicht in breiter behaglicher Fülle gerundet, die zur Stunde vom Anhauch des reichgenossenen Weines erhöht ward, schien Herr Paulus den Titel des Gestrengen, mit dem ihn der Diener eben geschmückt hatte, wenig zu verdienen. Er lachte Wolfgang, der vor den Dienern in den Saal trat, scheinbar behaglich entgegen, und sagte, indem der Zug der Diener an ihnen vorüber und der Tafel zuschritt:

„Sind das die Fähnlein, die Ihr befehligt? Ist Saro, unser venetischer Koch, Euer Rottenmeister, Wolfgang?"

„Vielleicht säß ich bequemer im Hause der Welser, als auf meinem Waldgut und im Sattel," entgegnete der Gefragte, den Scherz zurückweisend. „Vor der Hand will ich's aber doch noch mit meiner Art versuchen! Sobald Ihr mir Urlaub gebt, reite ich nach dem Bodensee, und ich hoffe, Ihr gebt ihn bald."

Herr Paulus Welser überhörte, mit einem andern Gedanken beschäftigt, die Worte des Reiterführers. Sein

Gesicht lächelte noch immer, aber seine Augen hefteten sich auf den Drücker der Thür und ohne Wolfgang, der seiner harrte, anzusehen, fragte er:

„Seid Ihr Fräulein Philippinen, Eurer großen Gönnerin, nicht begegnet?"

Wolfgang Berg gedachte der Worte, die er eben von dem Diener vernommen. Er erwiederte ruhig:

„Ich durfte das Fräulein begrüßen. Sie war im Begriff, auf dem Altan des Hauses einen Augenblick Kühlung zu suchen, und wahrlich, Herr Paulus, wenn ich dorthin blicke, darf ich nicht erstaunen, daß es der edlen Jungfrau hier zu schwül ward."

Herr Paulus Welser schien durch den Ton des jungen Mannes angenehm berührt, sein Blick ließ von der Thür ab und folgte dem Wolfgangs, der zwischen den Säulen, welche die umlaufende Gallerie des Saales trugen, auf die Festtafel und das bunte Getümmel um dieselbe gerichtet war. Die Wallrathkerzen auf dem schweren silbernen Kronleuchter, die man schon am Nachmittag entzündet hatte, waren beinahe herabgebrannt. Aber zwischen den Prunkschüsseln, welche die Tische bedeckten, zwischen den Flaschen und Krügen, den hohen Marcipanaufsätzen, standen Armleuchter von getriebener Arbeit und erhellten zur Genüge die Gesichter der Gesellschaft. Die Frauen hatten sich sämmtlich von der Tafel entfernt, eine Gruppe von ihnen stand in der Nähe des Kredenztisches, auf dem das Silbergeräth bis zur Last gehäuft war, eine andere schaute aus dem Zimmer, welches an den Saal stieß, auf das wilde Gelag, in welches das Bankett eben überging. Die kostbaren Speisen des letzten Ganges erfüllten fast unberührt die Tafel, nur am Tisch der Edelknaben sprach man den caponirten Fasanen zu und der Kellermeister winkte die heranziehenden Diener, welche mit einem neuen Gang aufwarten wollten, heftig zurück. Fast Niemand außer Herrn Matthäus Welser hatte die steife Würde bewahrt, mit der das Mahl begonnen hatte. Der Hausherr war soeben hinter den erhöhten Stuhl des Kurfürsten von Köln getreten, der aus einem großen goldnen Pokal den Canariensect in hastigen Zügen schlürfte. Die Edelleute, welche seine Begleitung bildeten, schienen sämmtlich trunken, Wolfgang Berg unterschied mit einem Blick die rheinischen und bayrischen Herren unter ihnen, die erstern hatte der Wein zu leichter schwatzhafter Fröhlichkeit erregt, während die andern streitsüchtig haderten und nur durch die Nähe ihres fürstlichen Gebieters und Matthäus Welsers feierliches Antlitz in Schranken gehalten wurden. Kurfürst Ferdinands Blick ruhte nicht auf ihnen, sondern auf der Gruppe der Frauen beim Kredenztisch. Die Mienen des Erzbischofs von Köln, der im kräftigsten Mannesalter stand, zeigten keinen priesterlichen Ausdruck, wohl aber hochfürstlichen Stolz, und selbst jetzt, wo volle Lebensfreude aus den dunkeln Augen blitzte und sinnliches Behagen die scharfgeschnittenen Züge überflog, saß er in gebietender Haltung. Matthäus Welser gab dem Reiterführer einen Wink, näher heranzukommen, der Marschall von Pappenheim, der neben dem Stuhle des Fürsten stand, sprach Wolfgangs Namen aus und der Kurfürst wandte sich mit gnädigem Lächeln augenblicklich nach ihm:

„Also das ist der Kriegsmann, der Eure Armada befehligt, Herr Welser? — Ihr habt einen wackern Muth gezeigt,“ fuhr er zu Wolfgang fort, „und Euer jüngstes Reiterstücklein werden Euch Wenige nachthun. Mich wundert, daß ein so stattlicher Reiter nicht im fürstlichen Dienst sein Glück sucht; draußen in Frankreich oder im Niederland würden sie einen Hauptmann gleich Euch willkommen heißen. Und auch bei uns wachsen die bösen Händel, in denen ein unverzagt Herz und eine tapfere Faust wohl zu Ansehn gelangen. Wollt Ihr dem Erzstift Köln eine Compagnie Reiter werben, so könnte ich Euch bessere Arbeit verheißen, als Geldwagen zu geleiten! — Ihr tragt Bedenken — seid Ihr ein Lutherischer oder Calviner?“

Dem Blick des scharfäugigen Wittelsbachers entging Wolfgangs verneinende Miene nicht, ehe er noch gesprochen. Weder der Kurfürst, noch der Marschall von

Pappenheim, der mit unverkennbarem Wohlgefallen auf den hohen Mann hinschaute, welcher in ritterlicher Haltung und nicht ohne Selbstgefühl in dem glänzenden Kreise stand, dachten im Augenblick ihres Wirthes. Wolfgang aber sah, wie Herr Matthäus Welser unmuthig die Lippe nagte und entgegnete:

„Dank der hohen Ehre, die Ihr mir erweist, kurfürstliche Gnaden. Aber nie bin ich für einen andern Herrn zu Pferd gestiegen, als für die edlen Welser, und mein Sinn begehrt wenig nach Reiterglück! Doch ehre ich die heilige Mutterkirche, hochwürdigster Fürst, und hoffe das Heil meiner Seele nicht zu verlieren!"

Der Kurfürst blickte schon wieder zwischen den silbernen Kannen, die vor ihm standen, hindurch, nach dem Kredenztisch hinüber. Er nahm nicht wahr, daß plötzliche dunkle Gluth in Wolfgangs Gesicht emporschlug und die wohllautende Stimme des Mannes bei seinen letzten Worten eine tiefere Erregung verrieth. Auch hatte im Augenblick Niemand auf den Reiterführer Acht, alle Augen folgten denen des Fürsten — ein Raunen und Flüstern ging durch den Saal. Herr Matthäus Welser lächelte stolz, als er wahrnahm, daß das Wiedererscheinen seiner schönen Nichte die Erregung unter den Gästen hervorrief. Wolfgang Berg mußte, als er noch vor Kurfürst Ferdinand stand, am bloßen Rauschen des seidenen Gewandes die Rückkehr

Fräulein Philippinens in den Saal errathen haben. Denn jetzt, wo alle Blicke nach der schönen strahlenden Erscheinung flogen, fand er sich schon dicht neben ihr, er wußte selbst kaum, wie er sich durch die gedrängte Reihe der Herren hindurchgewunden hatte, und stand bei Frau Barbara, Herrn Matthäus Welsers Gemahlin, die ihm einen huldvollen Gruß und einige Fragen vergönnte, während er das schöne Mädchen und ihren Oheim Paulus fest im Auge hielt. So blendenden Schein die Kerzen warfen und so täuschend das Licht über jedes Antlitz fiel, Wolfgang sah doch, daß die blauen Augen Spuren von Thränen, die lieblichen Züge mühsam beherrschte Erregung zeigten. Gleich ihm mochte es Herr Paulus Welser wahrnehmen, gedämpften Tones, aber hart und scharf sprach er zu Philippine, indem er sie einen Schritt nach seitwärts führte:

„Du hast mir heut zum andernmale widerstrebt, ich verbot Dir, die Wohnung des Kellermeisters aufzusuchen, und Du folgst Deinem trotzigen Gelüst, während sich die edeln Gäste vergebens nach Dir umschaun. Ohm Matthäus hat den besten Ehrenwein bis jetzt nicht auftragen lassen, Du sollst ihn dem Kurfürsten kredenzen und auch Herrn Melchior Bassenheim ein freundliches Wort und einen freundlichen Blick vergönnen. So wollen es Matthäus und Frau Barbara, so will ichs und Du wirst den Saal nicht wieder verlassen, bis die Herren von Köln hinwegreiten."

Herr Paulus lachte nach diesen Worten, als habe er zu seiner schönen Nichte im Scherz gesprochen und blickte wieder so behaglich und weinfröhlich umher, daß Niemand außer Wolfgang und Frau Barbara, die jeden Laut vernommen hatten, das Vorgegangene errieth. Die Augen des Reiterführers glänzten in düstrem Feuer, und wenn Frau Barbara Welser minder hochmüthig auf ihn geblickt hätte, würde sie erschreckt zurückgetreten sein. Wolfgang Berg spielte mit halbgesenktem Antlitz am Griff seines Schwerts, verhaltner Zorn schien ihn ganz zu erfüllen und Herrn Paulus, der das schöne Mädchen an den Kredenztisch führte, sandte er einen Blick nach, vor dem nicht dieser, wohl aber Fräulein Philippine leicht erbebte.

Es war gut für ihn, daß Frau Barbara Verlangen nach den edlen Frauen trug, die im Nebenzimmer vom Marcipan kosteten. Denn Wolfgang stand jetzt wie gebannt, jeder Bewegung des Mädchens, jeder Miene des Kaufherrn folgte er mit gespanntem Antheil — sonst schien er nichts zu sehn und zu vernehmen. Das Rauschen, Surren und Klingen im Saal ging allmälig in Getümmel über und die Diener eilten mit den großen silbernen Kannen stets hastiger hin und her, um die Pokale der

Gäste zu füllen. Beinahe mißtönig klangen die Fanfaren der kurfürstlichen Leibtrompeter drein, welche die Lust des Banketts erhöhen sollten und denen die aufwartenden Diener zu viel von den kostbaren Weinen des Kellers gespendet hatten. Die Edelknaben des Kurfürsten drangen im jugendlichen Uebermuth in das Gemach, wohin sich die Frauen vor der lärmenden Tafelrunde zurückgezogen hatten und Wolfgang würde mit Allen im Saal gelacht haben, wenn er einen Blick für den lustigen Kampf zwischen der trunknen Sicherheit der Edelknaben und der strengen Würde der ältern Frauen gehabt hätte. Die jungen waren größtentheils hinter die hohen Sitze ihrer Mütter und Basen geflüchtet, ihr fröhliches Lachen und ihre schelmisch verlegnen Blicke entmuthigten die kecke Hofjugend des Gebieters von Köln nicht. Aber Wolfgangs Antlitz ward nicht lichter, sein Auge ruhte fest, beinahe starr auf Paulus Welser und der reizenden Gestalt seiner Nichte. Der Kellermeister hatte dem Patricier einen hohen silbernen Krug gereicht, Fräulein Philippine einen Becher ergriffen, der für diesen Augenblick zur Seite gestellt schien, neben dem Oheim schritt sie dem Stuhle Kurfürst Ferdinands zu. Sie neigte sich leicht und anmuthig vor dem Fürsten, der ihr mit leuchtenden Augen und verheißendem Lächeln entgegensah. Er blickte auf den Becher und erhob sich:

„Noch einen Ehrentrunk, Fräulein? Und aus der

schönsten Hand in Augsburg und im heiligen römischen Reich!"

„Aus dem Becher von Ambras, wenn Ihr es vergönnt, durchlauchtigster Herr! Er ist ein Heiligthum in diesem Hause. Philippine Welser, Erzherzog Ferdinands Gemahlin, erhielt ihn von ihrem fürstlichen Gemahl am Tage, wo sie Einzug auf Schloß Ambras hielt, und Cardinal Andreas von Oestreich, ihr Sohn, hat ihn unserm Hause zu dauerndem Gedächtniß verehrt."

Herrn Matthäus' und Herrn Paulus' Mienen drückten in diesem Augenblick hohen Stolz aus, ein Abglanz desselben, verklärter, veredelter, fast unbewußt, leuchtete auf dem Antlitz des schönen Mädchens, die dem Kurfürsten den prächtigen goldnen Becher darbot, nachdem sie ihn mit ihren Lippen berührt. Ferdinand von Köln nahm die Gabe mit fester Hand:

„Solcher Ehrentrunk wird auch uns nicht oft zu Theil, schönes Fräulein. Denselben Becher, den die Lippen der herrlichen Ahnin geweiht, berührten jetzt die Euren und Ihr tragt wahrlich nicht blos den Namen, der vor fünfzig Jahren dem Hause Welser Glück und fürstliche Ehren gebracht, Ihr strahlt auch in gleicher Lieblichkeit! Ich leere den Becher auf Euer Wohl, Jungfrau Philippine!"

Vergaß der Fürst in diesem Augenblick, daß er ein Priester, daß er der Erzbischof von Köln sei und dachte nur daran, daß auch er Ferdinand heiße und in Wittelsbachs Adern nicht minder heißes Blut rolle, als in denen Habsburgs? Er leerte den Becher, den ihm Philippine gereicht, und schaute ihr so tief, so heiß in die blauen Augen, daß das schöne Mädchen erglühte, während Herr Matthäus und Herr Paulus sich lächelnd einen vielbedeutenden Blick zuwarfen. Wolfgang sah hinüber, ihm war, als ströme all sein Blut zum Herzen, als müsse er tief athmen und vermöge es nicht. Erst als Fräulein Philippine ehrfurchtsvoll vor Kurfürst Ferdinand zurücktrat, löste sich der Druck und erneuerte sich im Augenblick darauf wieder, als er Herrn Paulus die Pokale der Edelleute füllen, das schöne Mädchen aber zu einem jungen Manne mitten unter denselben treten sah. Er trug ein so kostbares Festgewand, ein so prächtiges Barett, als irgend einer der Begleiter des Fürsten, aber doch unterschied er sich in Allem von ihnen. Er zeigte nicht den kriegerisch stolzen Ausdruck der Edelleute, nicht die Würde, welche die beiden Welser zur Schau trugen. Eine lange dürre Gestalt stimmte zu dem hagren Antlitz, das von selbstgefälligem Behagen noch mehr entstellt ward, als von der mäßig hohen Stirn und den wässrig blauen Augen, die er vor den leuchtenden des Mädchens nicht einmal niederschlug. Der Reiterführer, der noch eben wie betäubt gestanden, lächelte verächtlich, als er die Mühen des

Trunknen gewahrte, mit Fräulein Philippinen zu sprechen. Er schrak jedoch leicht zusammen, als sich hinter ihm eine Hand auf seine Schulter legte und eine heisre Stimme flüsterte:

„Seht Ihr Fräulein Philippinen, Herr Wolfgang? Seid Ihr auf Euren Fahrten einer Jungfrau begegnet, die mehr einer Heiligen gleicht, als die schöne Welser? Wißt Ihr, was sie an mir, an meinem kranken Kinde thut?" —

Es war der Kellermeister, der gleich Wolfgang, zwischen den Säulen hervor, in die Mitte des Saales schaute. Sein altes Gesicht blickte enthusiastisch, ja verzückt auf die schöne lichte Gestalt und er prallte erstaunt und verletzt zurück, als Wolfgang Berg trocken entgegnete:

„Der hochfürstliche Herr von Köln und dort der Fant scheinen nicht Eurer Meinung, Meister Jacob. Saht Ihr den Gluthblick Herzog Ferdinands und die Zuversicht, mit der der junge Geck der Heiligen den Weinodem ins holde Antlitz haucht?"

„Herr Wolfgang — lernt Ihr die lästerlichen Reden in Prag?" versetzte der Alte. „Wißt Ihr nicht, daß der junge Mann dort Herr Melchior Bassenheim von Köln ist, der Sohn des alten Caspar Bassenheim, des reichsten Kaufherrn am Rheine? Im Gefolge seiner kurfürstlichen Gnaden hat er die Reise hierher angetreten — ich sag Euch im Vertrauen, daß Etwas im Werk ist! — Den gestrengen Herrn Matthäus hört ich gestern am Tisch zu Frau Barbara sagen: die Bassenheim sind keine Welser, aber sie sind auf dem Wege Welser zu werden!"

Der ehrliche Kellermeister schien zu erwarten, daß Wolfgang von seinen Worten besiegt und beschämt sei, doch der Reiterführer wandte sich kurz ab und sein Blick auf Herrn Melchior Bassenheim war nicht ehrfurchtsvoller geworden. Er schritt wieder in den Saal, um sich bei Herrn Matthäus, der im wachsenden Getümmel stets ruhig, wachsam und würdevoll stand, zu verabschieden. Vielleicht dachte er mit seiner Verbeugung Fräulein Philippine von dem Kölner Kaufherrn zu befreien, denn der sichtliche Unmuth in den Zügen Philippinens entging wohl Herrn Melchior Bassenheim, aber nicht ihm. Herr Matthäus blickte überrascht auf, als Wolfgang Berg ihn ansprach.

„Ihr wollt schon hinweg?" fragte er. „Mich dünkt, Ihr habt kaum noch einen Trunk gethan und die rheinischen Herren warten noch auf Euren Bericht aus Böheim und von der Reise! Was eilt Ihr so — warum standet Ihr abseits und stumm?"

„Die rheinischen Herren tragen nur Begehr nach Euren kostbaren Ehrenweinen," entgegnete Wolfgang Berg. „Schaut selbst, Herr Matthäus, ob Ihr den stattlichen Männern jetzt von Welthändeln und Reiterfahrten sprechen möchtet. Ich aber fühle es doch, daß ich den

Tag im Sattel gesessen und noch zwei Stunden vor Augsburg Sorge um das anvertraute Gut getragen habe. Laßt mich wissen, Herr Welser, wann ich Euch morgen Rechenschaft ablegen kann, ich spüre ein Verlangen, übermorgen mit dem Frühsten aus Augsburg zu reiten!"

„Ihr habt drängende Eile," sagte Herr Matthäus, sein Mißvergnügen hinter stolzer Gleichgültigkeit verbergend. „Wenn Ihr jedoch meint, daß Euer Geschäft schon morgen gethan sein wird, und unser Bruder, der Stadtpfleger, Euch nicht eines Bessern überredet, so thut, was Euer Herz begehrt. Ist's so lieblich am Bregenzer Wald zu dieser Jahreszeit?"

„Mich dünkt es stets lieblich!" antwortete der Reiterführer. „Ich habe meinen Waldhof, seit Ihr mich im verflossnen Herbst hierherrieft, nicht mehr gesehn, es wird Zeit, daß ich für ihn Sorge trage. Eben weil ich aus dem Tummel von Unruh und Krieg komme, weil ich schier keine Stelle im deutschen Reiche sehe, über der nicht die Wolken schwarz hängen, wird mir der stille Platz doppelt wohlthun und ich meine, daß Zeiten kommen, in denen auch Andren zu Muthe sein könnte, wie mir!"

„Wohl möglich, Wolfgang, wohl möglich!" nickte Herr Matthäus. „Wen ein großes Haus nicht schirmt, der preist sein Glück für ein stilles Dach! — Wenn Ihr durchaus verschmäht," fuhr er abbrechend fort, „von unsrem

Muscat zu kosten, so wollen wir Euch morgen um drei Uhr in Leopold Rehms Schreibstube finden! Gute Ruhe, Wolfgang — geliebt Euch ein Zimmer in diesem Hause, oder wollt Ihr bei Euren Reitern Quartier nehmen?"

„Bei den Reitern," entgegnete Wolfgang rasch. „Es sind wilde störrische Gesellen, sie könnten Euch und mir wenig Ehre bringen, wenn sie meisterlos in der Herberge hausen würden. Noch ist ihnen ihr Sold nicht gezahlt, noch haben sie Hoffnung auf Euer Gratial, — heut gehorchen sie mir noch!"

Der Marschall von Pappenheim winkte in diesem Augenblick den Patricier hinweg, noch ehe Wolfgang sich förmlich verabschiedet hatte. Sowie er sich zum Gehen wandte, sah er sich von einer Gruppe der Edelleute des Kurfürsten umringt.

„Wo seid Ihr geblieben, Hauptmann, und wo bleibt Euer Bericht? Kommt dort zum Tisch, Herr Paulus Welser hat uns fürstlich kredenzen lassen — nehmt Platz bei mir — bei uns!"

Und mit trunkner Vertraulichkeit suchten die Herren den Reiterführer zum Sitzen zu nöthigen. Wolfgang jedoch, der Fräulein Philippine mit zögernden Schritten nach dem Nebengemach, in dem die Frauen weilten, streben sah, ließ sich nicht halten. Vor der Schwelle des andern Zimmers erreichte er sie:

„Ruhet wohl, Fräulein Philippine! Ich reite in Kurzem schon von Augsburg hinweg und hätte gern noch einen Gruß von Euch auf meinen Weg genommen!"

„Ihr wollt hinweg?" fragte die Jungfrau erstaunt, „und ich hieß Euch vor zwei Stunden willkommen, wie einen Freund, der lange verweilen wird. Da hat Herr Marcus, mein Ohm, wohl auch noch ein Wörtlein dreinzusprechen."

„Ich bleibe keinen Tag länger, als ich muß," erwiederte Wolfgang. „Und ich sag Euch Lebewohl, Fräulein."

„Nicht hier und nicht heut!" unterbrach ihn Philippine. „Wenn Ihr so trotzigen Sinnes seid, daß Ihr keine Bitte vernehmt und Euch das Haus Welser nicht halten kann, so will ichs mindestens am Tag von Euch vernehmen, nicht hier, nicht am Festabend. Ihr findet mich morgen früh im Garten des Stadtpflegers, er weiß es schon durch meinen Boten, daß Ihr kommt, und ich will meinen Theil an Eurem Gespräch nicht verlieren."

Die Worte des Mädchens klangen herzlich, unbefangen. Fräulein Philippine schien eine andre Entgegnung zu erwarten, als ein ehrfurchtsvolles Neigen des Haupts. Sie zögerte noch einige Augenblicke auf der Schwelle und erst als kein Laut über Wolfgangs Lippen kam, ging sie hinweg, indem sie anmuthig zürnend sagte:

„Der Marschall von Pappenheim spricht die Wahrheit. Es giebt keine Ritterschaft mehr in der Welt, und ich merk es heute zum erstenmale: selbst Ihr würdet das Schwert nicht für mich ziehen. Glück genug, daß ich nicht bedroht bin.“

Sie verschwand in dem Kreise der Frauen, in dem sich noch immer einzelne Edelknaben des Kurfürsten umtrieben. Wolfgang Berg meinte ihr blaues Gewand zwischen den andern leuchten zu sehen, aber der zürnende Blitz ihrer Augen war das Letzte, was er von dem schönen Gesicht erblickt. Traurig blickte er noch einmal hinüber, dann schritt er der Ausgangsthür zu. Ehe ihm der Diener, welcher dort stand, geöffnet, hörte er die Stimme des Kurfürsten von Köln laut erschallen:

„Zum Aufbruch, Ihr Herren, zum Aufbruch! Ich fürchte, daß schon Mancher unter uns ist, der heute, wenns gält, nicht mehr zu Roß steigen könnte! Wir dürfen nicht tiefer in Herrn Welsers Keller schauen, die schier unergründlich sind! Herr von Hochhausen, ruft Eure Knaben zusammen. Seid bedankt, Herr Welser, wir haben in unsern Tagen noch kein Mahl gehalten, das fürstlicher gewesen wäre, als das Eure!“

Geräuschvoll erhoben sich die Begleiter des Fürsten, auch einige der Augsburger Gäste schlossen sich den Hinweggehenden an. Wolfgang sah noch, wie Frau Barbara

Welser ihren Platz im Frauengemach verließ, um an der Seite ihres stattlichen Gatten den Dank Kurfürst Ferdinands zu empfangen, dann wandte er sich rasch vom Glanz der Lichter und Gewänder hinweg. Auf der Treppe und im Flur schritt er durch die Reihen der Diener, die mit Fackeln und Windlichtern der Herren warteten, um sie zur bischöflichen Pfalz zu geleiten, in welcher der Kurfürst sein Quartier genommen. Vor dem Hause loderten die Feuerpfannen und erleuchteten einen kleinen Theil der Straße, welche sonst mit ihren hohen Häusern im Dunkel lag. Die Aprilnacht war feucht, regenschwer, — der Wind aber, der die Wolken herangetrieben, hatte sich jetzt gelegt und es herrschte tiefe Stille, in der das Geräusch der Gruppen, die noch immer vor dem Hause harrten, weithin erklang. Der Reiterführer athmete auf, als er hinaustrat, und schlug den Weg zum Obstmarkt ein, wo die Herberge seiner Söldner gelegen war. Hatte ihn droben die Schwüle des Saals, der Duft des Weines berauscht — von dem er nicht genossen? Sein Schritt war nicht fest, nicht beflügelt wie sonst, und als er in das große gewölbte Thor des „Eisenhuts“ trat, das auch zur Nachtzeit nicht geschlossen war, erwachte er gleichsam und mußte sich besinnen, was er hier gewollt. Aber rasch wandte er sich zu dem geräumigen Gemach links, aus dem ihm der Rauch der Leuchtspäne und der Dampf heißer

Getränke entgegenschlug und aus dem die Gestalt eines Mannes eilig entschlüpfte, sobald Wolfgang Berg im Kreise der zechenden Reiter stand. Die trotzigen Gesellen erhoben sich kaum von den Schemeln und Bänken, auf denen sie mehr lagen als saßen, einer und der andre rückte den Hut, den nur wenige von ihnen abgenommen, keiner sprach ein Wort der Begrüßung zum Hauptmann. Wolfgang blickte um sich und sah einzelne mit höhnischem Grinsen den Mund verziehen und andre sich gleichgültig abkehren. Es war Etwas vorgegangen mit den Reitern, seit er sie vorhin am Welserschen Hause entließ, sein Blut wallte auf, aber noch hielt er an sich:

„Habt Ihr gute Statt für Roß und Mann hier gefunden? Hat man Euch den Wein gesandt, den Herr Matthäus Welser verheißen? Seid Ihr mit dem Trunk zufrieden?"

Die wilden Gesellen blickten einander fragend an, rückten auf ihren Schemeln und schienen nach der Antwort zu suchen. Endlich sprach der älteste von ihnen, dessen braunes Antlitz Wunden aus allen Händeln trug, die seit zwanzig Jahren im heiligen römischen Reich durchgefochten worden, mit rauhem Tone:

„Die Herberge ist schlecht und recht, auf Beutebetten würden wir besser liegen, als auf Meister Enderlins Streu. Vom Wein werdet Ihr wohl beim Bankett sattsam gekostet haben. Wenn das Gold der Welser so gut ist, als ihr Trunk, wollen wirs loben, aber seht [illegible]der, Herr Wolfgang Berg, wir wissen vollwichtiges Reichsgeld von der Kipper- und Wippermünze zu unterscheiden!"

„Gut für Euch," entgegnete Wolfgang. „Aus der Bank der Welser ist noch kein Gulden gegangen, der Euch nicht schwer in die Taschen fallen würde."

Wolfgang Bergs Mienen waren dabei forschend auf die Reiter gerichtet, einer derselben, der sich breit auf der Bank streckte, gab ihm rasch und höhnisch zur Antwort:

„Gelt, Ihr wüßtet jetzt gern, welcher Vogel das neue Lied über Eure Krämerprinzen gepfiffen hat? Ihr seid just einen Glockenschlag zu spät gekommen, so hättet Ihr viel hören können! Ihr sollt uns nicht wieder werben, Herr Wolfgang, vergüldet Blech hättet Ihr allein geleiten können! Des Soldes wegen wollen wir hoffen, daß die Herren Welser noch andres Gepräg in ihren Truhen führen, als die Schätze, die wir von Prag hierher geleitet."

„Seid Ihr Strauchdiebe oder ehrliche Reiter?" versetzte Wolfgang, seinen Zorn mit Mühe beherrschend. „Noch steht Ihr im Dienst und Sold der Welser, jeden Schimpf müßtet Ihr mit dem Schwert von ihnen abwehren, statt dessen sprecht Ihr nach, was trunkner Unverstand Euch ins Ohr raunt. Die Weberbuben in jeder Werkstatt von Augsburg haben mehr Witz als Ihr — und wenn Ihr ihnen erzählt, daß die Welser falsche Münze führen, lachen sie Euch in den Bart! Die Welser! und ich soll ihren Leumund noch vor Landfahrern vertreten, von denen die Hälfte in einem Jahr den Galgen zieren wird."

Die Reiter fuhren auf, zwei sprangen selbst nach ihren Waffen, die dort im Winkel zusammengestellt waren. Der alte Söldner vertrat ihnen den Weg und wandte sich wieder an Wolfgang:

„Spart Euch die Mühe und den Athem. Mit dem Galgen mögt Ihr Recht haben, wegen der Welser braucht Ihr nicht aufzufahren. Ich war in jungen Jahren ein lateinischer Schüler in dieser Stadt und weiß Etwas von ihren Geschichten und Geschlechtern. — Wie Eure Welser haben vor Zeiten die Hochstätter, die Baumgarten und Andre gesessen! — wo sind heute ihre Sessel im Rath und der Geschlechterstube?! — Uns kümmerts nicht, ob Eure Patrone verderben oder gedeihn und wenn sie uns in gutem Golde zahlen, mögen sie Heckenmünze durchs ganze Reich fahren lassen!"

Die Gesellen des Sprechers gaben geräuschvoll ihre Zustimmung zu erkennen, der Reiterführer aber wendete sich von dem wüsten Trupp hinweg:

„Es ist gut, daß ich Euch nicht länger zu befehligen habe. Wahrt Eure Zungen — und wenn Ihr ein Stück

Geld erhalten habt, Eure eigne Treue, mit der Ihr die Schätze geleitet, herabzusetzen, so habt damit Ge[illegible]s Ihr die Thore von Augsburg im Rücken wißt, damit Ihr nicht mit dem Stadtgefängniß zu den Eisen Bekanntschaft macht."

Wolfgang Berg vernahm, indem er die Thür hinter sich zuzog, noch das rohe wiehernde Gelächter, mit dem die Reiter ihm antworteten. Der Wirth stand mit einem mächtigen Leuchtspan vor ihm, ihn zu seinem Gemach zu führen, er aber machte eine verneinende Geberde und schritt durch das Thor auf die nachtstillen Straßen hinaus. Er schlug fast denselben Weg ein, den er gekommen war, und brauchte daher kaum zu erstaunen, als er in die Weißmalergasse einbog, auf den Heimzug des Kurfürsten von Köln mit seinem zahlreichen Geleit zu treffen. Die Fackeln zu beiden Seiten der Dahinschreitenden ließen ihn deutlich Gestalten und Gesichter erkennen, — im Herankommen nahm er wahr, daß Herr Melchior Bassenheim neben dem stattlichen Kurfürsten, der das Roß zur Heimkehr verschmäht hatte, einherging, während der Marschall von Pappenheim folgte. Unwillkürlich trat er einen Schritt zurück und vernahm dennoch, was der junge Kölner zu dem Fürsten sprach:

„So befehlt Ihr, kurfürstliche Gnaden, daß ich den Versuch wage und bei den Welsern anpoche?"

„Es soll mir lieb sein, wenn Ihr Glück habt!“ entgegnete Ferdinand, und Wolfgang sah beim Scheine der Fackel, welche der kurfürstliche Leibdiener hoch vor den Herren emporhielt, daß der Kurfürst sich wandte und den Marschall von Pappenheim mit einer seltsamen Miene anblickte.

„Die Welser werden mehr fordern, als selbst Caspar Bassenheim gewähren kann,“ sagte Herr Melchior im Weitergehn.

„Wir wollen bedacht sein, Euch zu fördern und fürstliche Fürsprache einlegen!“ hörte Wolfgang den Kurfürsten noch erwiedern, dann verhallten die Stimmen, andre Laute und Rufe, weinfröhliches Gelächter und trunkener Zwist klangen mit den Tritten der Vorübereilenden an Wolfgangs Ohr. Einen Augenblick dachte er dem Zuge zu folgen, noch einmal in die Nähe des Fürsten zu gelangen. Aber er gab alsbald den Gedanken wieder auf und schritt über die Straße hinweg, die schmale Gasse am Schmiedeberg hinab.

„Ich weiß genug für mich!“ sprach er zu sich, „und was ich sonst wissen und hören könnte, frommt und ziemt mir nicht!“

Wie der stattliche Mann dahinging, erst mit zögerndem, dann mit so raschem Tritt, als ob er zu einem Entschluß gediehen sei, blickte ihm Jeder nach, der noch aus der

Thür seines Hauses schaute, oder von verbotner später Zeche heimschlich. Er schien vertraut im Gewirr der engen Gassen und Canäle, rasch gelangte er über die morsche Lechbrücke zu einem kleinen Hause, das in der Nähe des Roßmarkts gleichsam verloren zwischen Hofmauern und Hintergebäuden stand. Er sah Licht durch die geschlossnen Läden erglänzen und pochte an einen derselben. Gleich darauf ward ihm die Thür des Hauses geöffnet, eine tiefe Männerstimme drang noch heraus: „Bist Du es, Wolfgang?“ ehe der Ankommende über die Schwelle schritt. Drinnen in dem dunkeln Flur klang ihm ein andrer Gruß entgegen: „Gottwillkommen mein Sohn!“ und wie er ins Zimmer trat, umschlang eine ältre Frau, die sich freudezitternd von ihrem Sitze erhoben hatte, zärtlich seinen Hals und hing an seinen Lippen, bis der greise Mann, der neben den Beiden stand, sie mit einem strengen „Genug nun — es ist genug Katharina“ trennte. Aber auch jetzt ließ die Mutter, deren bleiches faltenreiches Gesicht von der Freude geröthet, fast verjüngt ward, die Hand ihres Sohnes nicht fahren. Selbst der Alte konnte sich einen freundlichen Blick aus den scharfen grauen Augen, die seit dem Eintritt schon Wolfgangs Gesicht, Gestalt, sein Gewand und seine Waffe gemustert hatten, nicht versagen. Die Züge Beider glichen sich auffallend, der Greis überragte beinahe noch die stattliche Gestalt des Sohnes.

In Wolfgangs Antlitz aber hatten die dunkeln Augen der Mutter Statt gefunden, all seine Züge erschienen, im Gegensatz zu dem mehr starren gebundnen Ausdruck des Vaters, freier, beweglicher. Der scharfen Prüfung des Alten setzte er ein Lächeln, dem trocknen Gruß liebreiche Frage nach dem Ergehen der Aeltern entgegen.

„Wir trugen Sorge um Dich, Wolfgang," sprach Frau Katharina mit leiser Stimme und einem ängstlichen Blick auf ihren Gatten. „Als uns Niemand im Hause der Welser zu sagen wußte, wo Du weiltest, als man dort über Dein Ausbleiben schalt —"

„Haben sie das gethan?" unterbrach Wolfgang die Sorgliche mit unwilligem Ton.

„Und warum sollten sie nicht thun, was ihr gutes Recht war?" fragte Wolfgangs Vater streng, während die Mutter den Sohn bittend ansah. „Die Herren harrten seit drei Wochen Deiner Heimkehr, Du magst Hindernisse gefunden haben, so ist's an Dir, Rechenschaft zu geben, nicht an ihnen!"

Wolfgang erstickte die Antwort auf seinen Lippen, doch stand sie deutlich genug in seinem erglühenden Antlitz geschrieben, um selbst von dem Alten nicht übersehen zu werden. Minder hart fuhr er fort:

„Ich habe schon von Wallram, dem Rathsboten, der in Aichach mit Dir und Deinem Zug zusammengetroffen ist, vernommen, weshalb Du so spät kommst. Den Herren darfst Du nicht verargen, daß sie schier ungeduldig wurden, sie haben wichtige Geschäfte, bei denen sie Deiner bedürfen!“

Wolfgang Berg blickte seinen Vater erstaunt, beinahe unsicher an, dann sagte er rasch:

„Herr Matthäus hat davon nicht zu mir gesprochen, als ich ihm vorhin meinen Wunsch kundgab, heimzureiten. Ich will nur morgen in Augsburg bleiben, Herrn Marcus, dem Stadtpfleger, aufzuwarten, er wird mir gleich Herrn Matthäus Urlaub geben und ich möchte daheim sein, ehe der letzte Schnee vom Gebhardsberge herabrinnt.“

Im Antlitz des Alten ging bei diesen Worten eine schlimme Wandlung vor. Die dünnen Lippen preßten sich zusammen, die grauen Augen blitzten drohend und bohrten sich gleichsam in die Züge des Sprechenden ein, zwischen den Falten der kahlen Stirn schwoll eine dunkle Ader an und die Hand des Alten, die auf der Lehne der geschnitzten Bank geruht hatte, ballte sich wie in seinen Reitertagen zur Faust. Wolfgang drückte beruhigend die Hand der Mutter, welche zu zittern begann.

„Ich will, ich werde — ich möchte!“ stieß Bartholomäus Berg in einem Tone hervor, der höhnisch lauten sollte, doch zornig grollend erklang. „Seit wann ist Wolfgang

4*

Berg ein Freiherr, der nach seinen Gütern geht und kommt, wie es ihm beliebt?"

„Seit Jahren, Vater," sagte der jüngre Mann, der sich erhob. „Ich habe das Waldgut wahrlich nicht erworben, es verderben und veröden zu lassen. Ihr habt niemals Gefallen daran gehabt, daß ich mich über dem See zwischen den Bergen festsetzte, doch warum laßt Ihr heut den alten Groll wieder aufleben? Eben heut, wo ich nach schweren Wochen komme Friede und Freude an Eurem Heerde zu finden?"

Frau Katharina wollte bittend zwischen den Gatten und den Sohn treten. Der Greis aber deutete ihr mit einer befehlenden Handbewegung an, das Gemach zu verlassen. Indem sie schweigend gehorchte, hob er zürnend wieder an:

„Wem verdankst Du die Hütte und die Scholle, von denen Du so trotzig sprichst? Wer hat Dir die Mittel gewährt, daß Du Dich rühmen kannst, mit dreißig Jahren frei auf Deinem Eigen zu sitzen?"

„Das Haus Welser, Herr Marcus der Stadtpfleger zumal," entgegnete Wolfgang Berg ruhig. „Ich werd' es ihm nicht vergessen, daß er meine Dienste auf seiner Fahrt durch Wälschland reich gelohnt hat — und wenn er meiner begehrt, ihm werd' ich mich nie weigern. Aber ich werde ihm sagen, weshalb ich zu meinem Hause muß und er wird mir nicht widerstreben."

„Und warum mußt Du? Was treibt Dich? Warum kannst Du des Dienstes der edlen Welser nicht warten?" brauste der Greis wieder auf. „Hast Du in Prag Haut und Seele an die meutrischen Stände verhandelt, oder hat Dir ein Fürst Handgeld geboten, der höher zu zahlen vermag, als die Welser? Ich möcht' ihn kennen, in meinen Tagen sind sie Alle dahergefahren von den Welsern zu leihen, Gastgeschenke und Bankette zu nehmen.

„Vor zwei Stunden noch trug mir Herzog Ferdinand, der Kurfürst von Köln, solche Gunst an," versetzte Wolfgang. „Ich sagte ihm, daß ich nie für einen Andern zu Roß steigen wolle, als für die Welser. Herr Matthäus stand dabei — fragt ihn, wenn Euch darnach verlangt. Ich will keinem Andern dienen — doch wenns Gott gefällt, auch den Welsern nicht mehr!"

Die Züge des alten Bartholomäus drückten stets größeres Erstaunen aus, seine Stimme klang heiserer, gedämpfter, aber nicht minder zornig als zuvor:

„Und dies Wort wirfst Du mir ins Antlitz, Wolfgang? Mir, der den Welsern fünfzig Jahre gedient, mir, der ihnen getreu gewesen ist in guter und böser Zeit? Mir sagst Du, daß Dich der giftige Hauch des niedrigen

Neides angeweht und als einen Schwächling befunden hat? Mir, daß Du den Bettlern gleichst, die getreulich unter dem Söller eines Hauses stehn, so lange es Heller regnet, aber die Flucht nehmen, sobald Steine dagegen fliegen. Untreu willst Du sein — aber schier größer als die Untreue ist Deine Thorheit. Dreimal hab' ich's erlebt, daß die Hasser, die Pflasterlungrer und Lästerzungen dem Haus Welser den Tod sannen und sagten, und dreimal sah ich sie verstieben und verschwinden, so daß Keiner zu ihnen gehört haben wollte. Und wenn Du von Prag nicht den dritten Theil von Kaiser Rudolfs Schuld heimgebracht hast, wenn sie Dir nicht einen Goldgulden gezahlt hätten, die Welser stehn und werden bestehn in Glanz und Herrlichkeit, so wahr ich Bartholomäus Berg heiße!"

Jetzt war es an Wolfgang, den Vater erstaunt, ja erschrocken anzusehen. Er achtete kaum auf die harten Scheltworte, die er vernommen, hastig stammelte er:

„Die Welser wären bedroht, gefährdet? Die Schuld Kaiser Rudolfs hab' ich ihnen von Prag hierhergeführt, zur Summe fehlte kein Kreuzer. Aber was sprecht Ihr, Vater? Nicht ein Wort hab' ich vernommen, das Eurem gleich klang, ich sollte Euch zürnen, daß Ihr glauben könnt, ich wollte solcher Gefahr die Stirn nicht bieten. Eine andre —"

„Du weißt von nichts? hast nichts vernommen?"

unterbrach ihn der Alte mit ungläubigem Blick. „Die Gerüchte, die Bubenbriefe, die heimlich umlaufen, sind nicht zu Dir gedrungen? Und Du dachtest doch daran, den Dienst der Welser zu verlassen? — Du mußt bleiben, sag ich — mehr als je bleiben. Es ist Spreu, die vor dem ersten frischen Wind verweht, und Leopold Rehm wird seine Sorgen als unnütze dereinst vor dem Herrn zu verantworten haben! Die Welser stehen fest — fest sag' ich Dir, wie die Mauern von Augsburg. Ein Haus, das es dereinst ertragen hat, den großen Plan, der ihm Königreiche und Provinzen geben sollte, scheitern zu sehen, spottet der Dinge, die ihm heute geschehen können. Doch solch Gerücht ist wie Fieberluft, wer zu stark ist, in die Krankheit zu fallen, wird doch von ihr angeweht. Und so hab' ich's mehr als einmal erfahren — es sind schwere, geschäftige, sorgenvolle Tage im Haus Welser in Anzug, wenn die Neider und Hasser wieder einmal aus ihren Löchern hervorkriechen. Wer in solchen Tagen treu und bewährt erfunden wird, steigt und steht höher im Haus als zuvor, Du wirst es nicht außer Acht lassen, Wolfgang! —"

Wolfgang Berg schien die letzte Mahnung des Vaters wiederum zu überhören. Er war auf den Sitz, von dem er sich vorhin erhoben hatte, zurückgesunken, sein Schwert lag breit über den Schenkeln und gedankenvoll hob und wog er die Waffe. Ueber sein Antlitz zuckte es wie ein plötzliches Leuchten, doch gleich darauf kehrte der ernste, beinah finstre Ausdruck zurück, mit dem er die Rede des Alten vernommen.

„Die Welser bankbrüchig — von ihrer Höhe gestürzt?“ rief er tiefathmend. „Es ist nicht zu denken — nicht zu denken — und ich darf es am wenigsten denken,“ setzte er rasch hinzu.

Bartholomäus Berg sah die heftige Erregung in den Mienen und dem seltsamen Gebahren seines Sohnes. Beifällig nickte er und sprach eindringlich:

„Freilich ists im Ernst nicht zu denken! Doch Du siehst auch, daß Du jetzt nicht zum Bodensee und in den Wald reiten darfst! Du mußt bleiben und Treue erweisen, mir wirst Du danken, daß ich Dich hielt.“

Noch einmal leuchtete es wundersam in Wolfgangs Auge, dann sah er wie erwachend um sich. Das schlichte niedre Gemach ward spärlich von der Heerdflamme erhellt, in ihrem Scheine stand der strenge Greis und blickte ihn mahnend und drängend an. Seine Stirn senkte sich, unschlüssig schwieg er einige Augenblicke, endlich begann er erst leis und zögernd, dann immer rascher und fester zu reden:

„Euch scheint, daß ich bleiben sollte — mir ist's gewiß, daß ich gehen muß! Auch jetzt, eben jetzt, wo Ihr mir das gesagt, was ich von den Welsern nie zu hören vermeint hätte. Ich muß heim reiten, Vater, ich muß daheim bleiben zwischen den Bergen! Es ist um das Fräulein — um Jungfrau Philippine, — es darf nicht länger sein!"

„Um das Fräulein? — Sprichst Du im Fieber?" eiferte der Alte. „Um ihretwillen mußt Du vor Allem bleiben. Wenn Du den Dank hinter Dich werfen wolltest, den Du den Herren schuldest, Deiner Dame darfst Du nicht abtrünnig werden. Wenn Fräulein Philippine der Dienste bedürfte, sollte sie just die Deinen entbehren, Wolfgang?"

„Im Ernst hab' ich ihr nie dienen können, im Spiel darf ich's, will ich's nicht mehr!" entgegnete der jüngere Mann heftig. „Ich hätte längst wissen sollen, was ich heute weiß — und ich könnt' es nicht länger ertragen. Jetzt weniger denn je — ich wäre meiner nicht sicher! Mein ritterlich Verehren ist Begehren geworden, ich kann den Welsern nicht mehr dienen, um einen Dank und ein Lächeln Fräulein Philippinens! Ich muß hinweg und Ihr dürft mich nicht halten!"

Bartholomäus Berg war dem Sohne einen Schritt näher getreten und sein Haupt neigte sich gegen den Mund Wolfgangs, nicht einen Laut von der dunkeln unfaßbaren Rede desselben zu verlieren. Er starrte ihm dabei in's Antlitz, als habe Wolfgang einen schweren Frevel ge=

beichtet und als sei dieser Frevel dennoch nur wieder ein Traum, müsse ein Traum sein. Mit ungläubigem Lächeln, doch zitternd, sagte er:

„Dein Verehren ist Begehren geworden? Hab' ich Dich doch nimmer als habsüchtig gekannt! Was begehrst Du, Wolfgang?"

„Ihrer Seele! Ihres Leibes!" rief der Reiterführer aufspringend. „Habt Ihr mich nicht verstanden, mein Vater? Ich seh in Fräulein Philippinen nicht mehr die fürstliche Herrin, der ich den Saum des Gewandes zu küssen habe, — ich begehre ihrer. In all' meinen Tagen und Nächten seh ich die holde Gestalt, die leuchtenden Augen vor mir, sie schrecken mich nicht und ich träume nur davon, sie zu gewinnen. Lacht nur hell auf, ich habe oft genug lauter als Ihr selbst gelacht und mich grimm verhöhnt. Doch müßte ich all mein Blut verschütten, wenn ich von dem Traume lassen sollte. Ich muß hinweg, darf Augsburg und das Haus der Welser nicht mehr sehen."

Der Greis schien aus seiner Erstarrung zu erwachen, seine Augen blitzten wieder in Zorn und Entrüstung, seine Stimme klang nicht mehr so heiser als zuvor:

„Du darfst sie, darfst Fräulein Philippinen nicht mehr sehen? Wolfgang, Bube — hab' ich Dein verwirrtes Stammeln recht gedeutet? Du wagst die Augen zu ihr zu erheben, wagst an die Hohe, Holde, Heilige zu denken, als wenn sie Nachbar Wallrams Tochter wäre? Du hättest Dein bessres Theil verloren, Du erkühnst Dich, nach ihr zu verlangen, wie der Mann nach dem Weibe verlangt?"

Wolfgang erwiederte nichts, sein Blick gab die Antwort. Bartholomäus Berg aber redete heftig, wie beschwörend weiter:

„Besinn' Dich, besinn' Dich, Wolfgang! Wir Berg tragen Alle von jung auf die Verehrung für die herrlichen Frauen des herrlichen Hauses in der Seele und noch Keiner hat sie frevelnd verloren. Dein Großvater Ambrosius war ein schlechter Reitersknecht, der mit Hauptmann Dalfinger nach Venezuela schiffte, als Herr Bartholomäus Welser gedachte, in der neuen Welt Länder zu erobern. Er kam heim, er war der erste, der Herrn Bartholomäus verkündigte, daß die große Unternehmung gescheitert sei. Dem Herrn war's nicht zu verargen, daß er mit einem Goldgeschenk den schlimmen Boten ablohnen und hinwegsenden wollte. Da war es Elsbeth Welser, seine schöne Tochter, die ihn an die Wunden, die der arme Landsknecht in Amerika für seines Hauses Glück und Ehren davongetragen, mahnte. So blieb Dein Großvater im Hause Welser und seit jener Stunde, wo Fräulein Elsbeths schöner Mund für ihn gebeten, gelobte er sich ihrem und ihrer holden Schwestern Dienst. Ich wußt' es als ein Bube von wenigen Jahren nicht anders, als daß ich ein Gleiches zu thun habe und ich habe es gethan. In den schweren Jahren, da Erzherzog Ferdinand von Oestreich um Philippine Welser warb und sich ihr heimlich vermählte, trug ich Briefe und Botschaften, als sie auf ihrem böhmischen Schlosse saßen, war ich zu ihrer Hut bestellt und wäre eher dreifachen Todes gestorben, als daß ein frevelnder Fuß der hohen Frau nahen durfte. Ich allein ritt nach Augsburg, um der Mutter und den edlen Verwandten Nachricht von ihr zu bringen, ich durfte sie geleiten, als sie endlich als Herzogin in Tyrol durch die Vaterstadt zu ihrem hohen Gemahl nach Schloß Ambras zog. Hundertmal hab' ich da verflucht, daß mein Auge und mein Schwert umsonst scharf waren, und Keiner unsern Zug gefährdete. Ich habe ihr in Verehrung fünfundzwanzig Jahre gedient und ich würde noch heute ihre Gruft behüten, wenn sie mir nicht selbst in ihren letzten Tagen gesagt: geh' zurück nach Augsburg, Bartholomäus Berg. Erzherzog Ferdinand hat viel ritterliche Vasallen und Diener, die Welser haben nur Dich. Und so bin ich im Dienst des edlen Hauses verblieben, bis Du heranwuchsest! Du solltest der holden Jungfrau, die den Namen der erlauchten Erzherzogin trägt, wieder sein, was ich ihr war, was mein Vater ihren Ahnfrauen gewesen. Thor, der ich war, als ich mich daran weidete, wie all Dein Sinn von der Lieblichkeit des schönen Kindes erfüllt war, all Dein Trachten nur ihrem Dienst galt. Thor, der ich voll Freuden sah, wie die hohe Jungfrau Dir zu vertrauen begann, der ich dahingelebt, als sei ich meines Blutes sichrer als meiner selbst! Hast Du Dir in den Wäldern am See eine Freistatt bereitet und dabei von künftigem Frevel geträumt?“

„Ich weiß es nicht zu sagen!“ gab Wolfgang zur Antwort. „Laßt all das Schelten und Wüthen, Vater, und sprecht selbst, daß ich hinweg muß! Ihr sollt Alles wissen — weil es doch zu dieser Stunde gekommen ist. Am liebsten wäre ich schweigend an meinen einsamen Heerd gekehrt, der einsam bleiben soll, so wahr mir Gott helfe. Aber Ihr habt mich ja gezwungen zu sagen, was ich scheu vor mir selbst verschwieg! Wohl denk' ich der Zeit, da ich, ein Knabe, der Schützer und Hüter des schönen Kindes sein durfte. Ich seh sie noch im Garten des Herrn Marcus, an der Seite ihrer jungen Mutter, die sie so früh verlor, ich sehe mich neben ihr. Ich weiß noch, daß ich keinen Engel auf Bildern schaute, ohne dem Maler zu zürnen, wenn jener nicht ihre Züge trug — ich weiß, daß ich kein Gebet gesprochen, ohne ihrer zu gedenken. Aber ich weiß auch noch, welcher Groll in mir erwachte, als das Mädchen in ihres Oheims Matthäus Haus gebracht ward, als Frau Barbara Welser dem jungen Kinde hart und herrisch begegnete. Ich weiß noch, wie heiß die Thränen, die sie über die Härte ihrer Sippen vergoß, auf meine Seele fielen und wie ich zürnend erkennen mußte, daß all der ritterliche Dienst nur Schein und eitles Spiel sei, daß ich keinen Stein aus ihrem Wege werfen, kein hartes Wort von ihr wenden, keinen Kummer verscheuchen könne. Ich verlor, was Ihr Euch bewahrt und mir gelehrt: die Verehrung für die, welche Ihr unsre Gebieter nanntet. Fahrt nicht auf, Vater, nicht Trotz, nicht Eigensucht war's — nur Mitleid mit dem schönen Kinde. Herrn Marcus, den Stadtpfleger, hätt' ich ausgenommen, hätt' ich stets verehrt, auch wenn er nicht gütig und günstig für mich gewesen wäre. So oft er von seinen Alterthümern, seinen griechischen Büchern empor sah fiel auch sein Blick wie eine Sonne auf die junge Philippine, ihm war sie nicht wie den Andern eine lästige Base, ihm war sie, was sie ist, die Perle, das Kleinod des ganzen Hauses Welser, trotz all seiner Pracht und all seiner Schätze. Wenn ich ihr helfen, ihr dienen wollte, so sprach ich in meiner Knabenangst Herrn Marcus an, mehr als hundertmal hab' ich's gewagt, für Philippinen gegen die Herren Matthäus und Paulus, gegen Frau Barbara und ihre Schwestern bei ihm zu klagen."

„Hätt' ich's geahnt — hätt' ich's ahnen können," fiel Bartholomäus Berg immer finstrer und grollender, aber minder heftig als zuvor ein. „Du wärst der Mann, die edlen Welser zu schelten, Du wärst der Mann, den Herren Matthäus und Paulus den Werth ihrer Nichte kennen zu lehren!“

„Gewiß, sie kennen ihn, seit Fräulein Philippine zur Jungfrau erblüht ist und leuchtend schön wie ein Gotteslenztag ward!“ sagte Wolfgang mit Bitterkeit. „Jetzt, jetzt kennen sie ihn, aber damals habt Ihr oft gemeint, mein Kissen sei schweißbedeckt, während es thränennaß vor bittrem Weh war. Damals wär' ich nicht aus Augsburg hinweggegangen und wenn mir alle Reiche der Welt hätten zufallen sollen. Und noch im ersten Jahr, da mich die Welser auf Euren Rath zu ihrem Stapelplatz am Bodensee entsendet, hatt' ich keine Stunde des Tags, in der ich nicht Philippinen, meiner holden jugendlichen Herrin, gedachte.“

„Und doch löstest Du Dich schon von den Welsern. Mit ihrem Lohn für Deine Dienste hast Du die wüsten Felder im Wald bei Bregenz erworben! Erworben — wie sich der landflüchtige Räuber eine Freistatt sichert.“

„Ich dachte nicht daran!“ entgegnete Wolfgang aufwallend. „Ich erwarb die Scholle, weil ich fühlte, daß ich nicht leben könne wie Ihr, weil die Welser meiner Reiterdienste nur selten, immer seltner bedurften und ich ihnen nicht anders dienen konnte. Noch hab' ich mich ihnen nie versagt, wenn sie mich riefen, noch wußt' ich nicht, wie mein Sinn und mein Blut sich gewandelt! Wenn ich hierher kam und das Fräulein mir entgegentrat, wie sonst das Kind, so fühlt' ich wohl Schauer von Glück und Entzücken, so befing mich daneben eine Furcht, die ich nicht zu deuten wußte. Aber ich stand vor ihr wie dereinst, am Laut ihres Mundes, am Leuchten ihres Blicks hängend — ich betete zu ihr und für sie, ich dachte nur ihrer, nie meiner!"

„Warum bliebst Du nicht dabei?" fragte der Alte. „Wann ist's anders gekommen, wann hat Dich der frevelnde Wahnwitz erfaßt, daß Du auch nur im Traume an die Tochter des stolzen Hauses, in dem Fürsten werben, zu rühren wagst?"

„Seit die Holde mit Herrn Marcus und Frau Barbara auf meinem Waldgut war!" sagte Wolfgang und über sein Antlitz flog ein Leuchten der Erinnerung. „Bis sie dahin kam, wußte ich nicht, warum mir jedesmal banger zu Muthe ward, wenn ich nach Augsburg herein-, und öder, wenn ich hinausritt. Aber wie sie kam, wie sie drei Tage unter meinem schlichten Dach verweilte, da begann mir das Herz zu pochen, da dacht' ich zuerst: wär's für immer! Und ein Tag war's, ein warmer Hochsommertag, wo die Sonne brennend über dem Wald stand und golden durch's grüne Geäst fiel, ein Tag, wo ich sie und den Stadtpfleger zu meinem Rastplatz am Waldhügel, wo man über den See blickt, geleitete. Herr Marcus blieb unten zurück, nie hätt' er's thun sollen! Und ich führte sie empor, ihr Arm ruhte auf dem meinen, ihr warmer Athem wehte mich an, vor ihren Augen vergingen meine Sinne. Als wir droben auf dem Hügel anlangten, sah sie heiter und frei hinaus auf die Berge, hin über den See, ich war's, der zitternd und blaß von dem kurzen Wege stand, als sie scherzend im Moos niedersaß. Und wie die Sonne in ihrem Goldhaar funkelte, wie ihr Antlitz vom Hauch des Waldes geröthet war, wie das Gewand sich um die schlanken Glieder schmiegte, wie die blühende, herrliche Gestalt vor mir am Hügel lehnte, da war's, als sei mein Auge mit einmal ein andres geworden. Nicht meine Heilige sah ich mehr, nur das herrliche, blühende Mädchen! Ein Schauer durchrieselte mich, als zuckte einer der glühenden Sonnenstrahlen über uns durch mein Hirn, berauscht, betäubt stand ich, und der sprach und Antwort auf ihre Fragen gab, schien mir ein Fremder. Habt Ihr das Lied vom hörnenen Siegfried behalten, das Ihr mir sonst sangt? Als ihm der Tropfen vom Drachenblut auf die Zunge sprang, verstand er aller Vögel Stimmen. Mir war der Tropfen in's Auge gesprungen und als wir herabgingen vom Hügel, zurück durch den Wald, erblickte ich bei jedem Schritt Reize, die ich sonst nie geschaut, und in mir ward der glühende Wunsch, ward die wilde Hoffnung lebendig, die mich seit jener Stunde nicht mehr verlassen haben."

„Genug, genug, ich weiß mehr als ich hören darf!" fiel Bartholomäus Berg wieder ein. „Draußen im Wald zwischen den Dornen und Büschen mag manches Unkraut gedeihen, was hier in meinem Haus und Hof nimmer aufgegangen wäre. Es war ein Unrecht von dem edlen Stadtpfleger und der hohen Jungfrau, daß sie den Fuß über die Schwelle des Dienenden setzten, ihn einen Tag vergessen ließen, wer sie sind. Doch ist Dir's nachher nicht beigefallen, nicht einmal so oft Du kamst, daß die Welser dem hohen Erzhaus Oestreich verwandt sind und hast Du Dich mit den Männern verglichen, Bursche, die kommen dürfen, um Jungfrau Philippine zu werben?"

„Spart Euren Hohn!" rief Wolfgang mit gewaltiger Stimme, während ihm das erregte Blut dunkel in's Antlitz schoß. „Wenn ich nicht um der hohen fürstlichen Jungfrau willen weichen müßte auf Nimmerwiedersehn, vor den Freiern, die ich geschaut habe, senkte ich die Stirn wahrlich nicht. Ist Herr Melchior Bassenheim von Köln einer von den Fürsten und Edlen, die daherfahren und die Perle und Blüthe für sich begehren dürfen? Dächte ich nur einen Augenblick, daß solcher Gauch die holde Gestalt in seine Arme zöge, ich wüßte Besseres zu thun, als mich für immer zwischen den Wäldern zu begraben!"

„Es ist Zeit, daß Du gehst, wenn Du es noch ohne meinen Fluch thun willst!" sagte der Greis hart. „Meinen Segen spar' ich bis zum Tage, wo Dein Gewissen erwacht, und wär's nicht um Deiner Mutter willen, so spräch' ich noch anders zu Dir! Wahnsinniger, wenn Du weißt, daß der junge Kaufherr von Köln nicht werth ist, der edlen Welser den Schuhriem zu lösen, wie kannst Du Dich an seine Stelle träumen wollen?"

Wolfgang erwiederte nichts; mit leisen, zagenden Schritten war seine Mutter wieder in's Gemach getreten und stand jetzt mit dem Ausdruck angstvoller Besorgniß in allen Zügen, mit flehend erhobnen Händen hinter den beiden Männern. Ein tiefer, stöhnender Athemzug der geängstigten Frau traf Wolfgangs Ohr, er wandte sich zu ihr und sein kräftiger Arm diente Frau Katharina in demselben Augenblick zur Stütze, wo sich die Arme, die dem Gespräch der Männer gelauscht, nicht länger aufrecht zu erhalten vermochte.

„Reiß Dich los, Wolfgang! reiß den Trug aus Deinem Herzen oder es kostet Dir Ehre und Leben!" wehklagte sie. „Laß keinen Laut über Deine Lippen gehen, der Dich verräth, nimmer würden Dir die stolzen

5*

Welser vergeben, nicht eher würden sie rasten, als bis man Deinen Leib zur Richtstätte schleifte."

„Aengstet Euch nicht, Mutter!" fiel Wolfgang ein. „Ich habe geschwiegen, wo es mir schier die Brust zersprengen wollte, und ehe viel Tage verstreichen, werd' ich das Antlitz nicht mehr sehen, das mich so verblendet. Auch seid Ihr allzubesorgt, auf's Rad flechten sie Einen nicht, der nichts verbrochen, als daß er zu tief in schöne Augen geschaut."

„Doch — doch, Wolfgang, sie thun so!" rief die bleiche Frau, die im Arme des Sohnes und trotz der zürnenden Mienen ihres Gatten einen ungewohnten Muth zu gewinnen schien. „Ich weiß, daß die Herren von den Geschlechtern Keinem verzeihn, der an ihren Stolz gerührt. Ich sah Ludwig Hindorffer zum Tode führen, den stattlichen Arzt, welcher der Stadt Arges gesonnen haben sollte. Ich aber wußte, daß er starb, weil er seine Augen zu Margaretha Fugger erhoben und bei einer Fastnachtslustbarkeit im trunknen Muthe sich gerühmt hatte, ehe das Jahr zur Rüste gehe, werde er in Ehren des Fräuleins Bett theilen. Sie fingen das Wort auf und ehe drei Tage vergingen, sandten sie das Fräulein zu ihrer Schwester, die tief in Ungarn das Gemahl eines großen Grafen war — ehe aber drei Monde verflossen, lag der Doctor hart in den Eisen und Herr Marx Fugger, der damals Stadtpfleger war, wußte von verrätherischen Briefen, die Herr Ludwig dem Herzog in Bayern geschrieben haben sollte. Sie befragten ihn peinlich, sie brachten ihn zum schmählichen Tod; hätte er niemals eine Tochter der Fugger erblickt, er lebte noch heut und weidete sein Auge an Kindern und Enkeln. Wolfgang, mein Einziger, nimm die Angst, daß sie Dich so sterben lassen, von mir und ich will nimmer wieder weinen, wenn Du auf Reiterfahrten hinausziehst."

„Faßt ein Herz, Mutter, trocknet Eure Thränen," entgegnete Wolfgang mit sichtlicher Rührung. „Ihr sollt nicht um das eine noch um das andere erblinden und schon Euretwillen würd' ich thun, was ich thun muß. Ich will hinweg und Herr Marcus mag lieber meinen, ich sei des Dankes vergessen, als daß ich noch einen Fuß dahin setze, wo ich meiner selbst nicht sicher bin. An Reiterfahrten denk' ich nicht mehr, nur um der Welser willen hab' ich sie noch gethan. Wir sehen uns am Morgen, jetzt muß ich hinweg, zurück zu den Reitern, die ich hierher geführt. Zürnt mir nicht zu hart, Vater, so Ihr's vermögt, und träumt nicht zu bang, herzliebe Mutter, — Gott wird mir schweigen helfen, wie er Andern reden hilft!"

Der Alte stieß rauh die dargebotne Hand des Sohnes zurück, der in ehrerbietiger Haltung vor ihm stand, Frau

Katharina aber trotzte zum zweitenmal seinem Groll, schloß Wolfgang in ihre Arme und legte ihre welke bleiche Wange innig an die bärtige des stattlichen Sohnes, der ihr noch einmal liebende Worte zuflüsterte und dann das Gemach und das Haus verließ, um den Weg, den er zuletzt gekommen, zurückzumessen.

—

Am folgenden Tage war's, durch die Gassen von Augsburg hallte schon seit Stunden das Geräusch des Lebens und tausendfacher Thätigkeit, während es zwischen den Gärten, die theils an den Stadtmauern, theils vor denselben sich hinzogen, morgenstill blieb. Der Himmel hing grau über Stadt und Land, aber im warmen, rieselnden Regen hatten sich über Nacht die Blüthen der Bäume erschlossen und schimmerten weiß und röthlich in üppiger Fülle aus allen Gärten. Den Herankommenden quollen die Düfte mit dem weichen Südhauch, der die Luft schwellte, entgegen und hätte Herr Leopold Rehm, welcher von St. Annens Gasse durch das Gögginger Thor schritt, nur Acht darauf haben wollen, er würde vermerkt haben, daß der vollste Blüthenduft über die lange hohe Mauer des Welser'schen Gartens fluthete. Doch schien ihn der Lenzwind nicht zu berühren, über seinem schwarzen Kleide lag noch der winterliche Mantel und seine Mienen waren so gemessen und gebunden wie drinnen in seiner düstern Schreibstube. Auch als er das Pförtchen öffnete, das in einer tiefen Mauernische den Eingang zum Garten bildete und sein Auge unwillkürlich auf die Frühlingspracht der Glashäuser und Frühbeete fiel, schüttelte er nur leise, kaum merklich das Haupt und ging dann etwas rascher dem stattlichen Haus im Hintergrunde zu. Ein italienischer Meister hatte dasselbe erbaut, in schönen Rundbogen wölbten sich Portal und Fenster, die breite Vortreppe führte wohlgegliedert aus den Gemächern zum Garten herab und zu beiden Seiten des Aufgangs sandten Springbrunnen ihren vollen Strahl bis zur Höhe des einstöckigen Hauses. Der Herr dieser anmuthigen Wohnung stand auf den untern Stufen der Treppe, die Blumenpracht musternd, die sich in kunstreich eingegitterten Rundbeeten zu seinen Füßen dehnte. Von Zeit zu Zeit warf er einen Blick rückwärts nach dem Portal des Hauses, als erwarte er von daher Jemand. Den heranschreitenden Leopold Rehm gewahrte er nicht und derselbe hatte Zeit genug, sich zu einer Anrede zu sammeln. Sie mochte ihm schwer werden, denn so unachtsam der Alte für die leuchtende und grünende Herrlichkeit des Gartens gewesen war, so sorglich und theilnehmend blickte er nach dem Gesicht des Hausherrn. Und in diesem Gesicht, so ernst dasselbe war, sprach sich im Augenblicke volle Befriedigung aus.

Der schmeichelnde Lenzwind schien viele Falten geglättet und die streng geschlossenen Lippen zu einem behaglichen Lächeln gekräuselt zu haben. Das Antlitz des gelehrten Stadtpflegers, sonst von gelblicher Blässe, war eben mit einem frischen Roth angehaucht und seine Brust hob sich sichtlich beim langen Einathmen der Morgenluft. Herr Leopold Rehm hustete ein paar Mal vernehmlich, doch Herr Marcus Welser sah den zur Seite Herankommenden nicht und der Buchhalter wußte jetzt, daß er nicht der Erwartete sei. Er glaubte endlich seine Anrede zur Miene des Stadtpflegers stimmen zu müssen und indem er mit soviel Geräusch, als ihm möglich war, näher trat, sagte er:

„Ein rechter Gottesmorgen, Herr. Gras und Kraut stehn grün und wollen schier in den Himmel hineinwachsen.“

„Bist Du's, mein Alter?“ fragte der Herr des Gartens, der des Redenden nicht vor den letzten Worten ansichtig geworden war. „Du sprichst in so fremden Zungen, daß ich erst Dein Antlitz sehen mußte. Willst Du wirklich den Morgen loben helfen und Deine Augen im Grün hier baden?“

„Wer seine Pflicht thut, lobt jeden Tag!“ entgegnete Leopold Rehm. „Es ist wahr, ich hätte längst verlernt, wie die Bäume ausschaun, wenn Ihr es nicht vorzögt, hier im Garten zu wohnen, statt drinnen im Hause Eures

Geschlechts. Ich muß Euch nun hier mit den Dingen beschwerlich fallen, die hinein gehören."

„Du meinst das Gold, das Wolfgang Berg von Prag glücklich heimgeführt hat," sagte Herr Marcus in gleichgültigem Ton. „Gut, daß diese Sorge von Deinem Herzen ist, ich habe Aufträge für Dich. Mein Buchdrucker zu Venedig bedarf zehntausend Goldgulden, die griechischen Autoren und mein Buch von den augsburgischen Alterthümern neu in Druck zu legen. Sende auch zehntausend Goldgulden an unsern Faktor zu Antwerpen, er hat Bücher und römische Münzen für mich gekauft und ich bedarf deren mehr. Und sorge, daß ich selbst eine Summe im Hause habe — ich hätte bei St. Ulrich gestern einen fahrenden Doctor, der von Tübingen nach Wien zog, ohne ein Goldstück wegsenden müssen, wenn mir der Münzer nicht die ersten von den neuen Schauthalern gebracht hätte, die Augsburg in diesem Jahr prägen läßt."

Der Buchhalter unterbrach seinen Herrn nicht, hätte jedoch Marcus Welser mehr auf die Mienen des Alten als auf die blauen Crocusblüthen zu Füßen geblickt, seine Rede wäre ihm sicher vor dem Ende abgeschnitten worden. Der Alte hörte ihn halb unmuthig, halb verlegen an und sagte nach einer Pause, die den Stadtpfleger zu verwundertem Aufblick veranlaßte:

„Ihr haltet meine Sorgen für leichter oder meine

Schultern für stärker als sie sind, gestrenger Herr! Eure Brüder und Vettern bedürfen von Kaiser Rudolfs Schuld keinen kleinern Theil als Ihr, und seit Monaten hab' ich alle die Summen, die begehrt wurden, nur mühsam gefunden. Herr, verzeiht, wenn die Woche nicht zu Ende geht, die uns die Hunderttausende in's Haus geführt, ohne daß der kleine Theil, der davon uns gehört, wieder hinausstiebt, wenn all' meine schlaflosen Nächte zu nicht mehr als ein paar fröhlichen Tagen führen sollen —"

Er hielt inne, Herr Marcus Welser stand ihm jetzt wirklich gegenüber, Auge in Auge, mit veränderten Zügen, die halb Erstaunen, halb verhaltnen Zorn ausdrückten. Es war gleichsam, als rufe sich der Stadtpfleger die Worte Rehms zurück und wisse nicht, ob sie der Alte auch wirklich gesprochen habe.

„Wie ist mir denn, Leopold?" hob er endlich an, „wie ist mir denn, hab' ich Dich in den dreißig Jahren daher gekannt oder kenne ich Dich erst heute? Seit wann wirfst Du uns die fröhlichen Tage vor und rechnest Dir wie ein ungetreuer Haushalter die schlaflosen Nächte an? Oder was verstört Deinen Sinn, daß Dir solche Worte über die Lippen kommen? Warum gehört uns nur ein kleiner Theil der Schuld Kaiser Rudolfs, und was nimmst Du Anstoß, wenn wir die Summen heben, die uns noth und nöthig sind? Ist's jemals anders gehalten worden, seit die Welser die Welser sind?"

„Nein, Herr — doch wird's anders gehalten werden müssen, wenn die Welser die Welser bleiben sollen!" entgegnete Leopold Rehm mit einem so tiefen Athemzuge, als wolle er seine Brust mit einmal von allem Druck des Winters befreien. „Herr, seit fünf Jahren hab' ich vor einer Stunde wie dieser gebangt, seit fünf Jahren begehrt ich hundertmal mit Euch zu reden wie heute, doch stets habt Ihr mir mit Blicken und Worten Schweigen geboten. Herr, schreitet ein — hört mich, oder die Welser fallen, wohin die Höchstätter gefallen sind: in Verderben und Dunkelheit."

Beide Männer traten sich noch näher, beider Wesen zeigte gewaltige Erregung, der Buchhalter, der die herbe Wahrheit gesprochen, schien selbst mehr erschüttert, als der Stadtpfleger, der sie vernommen hatte. Das frische Roth, mit dem der Lenzwind Herrn Marcus Welsers Antlitz angehaucht, wich aschfarbner Blässe, die dunkeln Augen schlossen sich einen Moment wie geblendet und drückten dann deutlich eine wilde Spannung aus.

„Rede verständlicher, Leopold!" sagte Herr Marcus mit gepreßtem Ton. „Wenn es so steht, wenn Deine Sorgen schwerer sind als sie ehedem waren, was sprichst Du nicht zu meinen Brüdern, was hast Du nicht längst zu ihnen gesprochen. Sie sind die Kaufherren, sie würden vielleicht zu all Deinen Befürchtungen lachen —"

„Gewiß würden sie lachen!" fiel Leopold Rehm mit einer gewissen Bitterkeit ein. „Wenn ich bei Herrn Matthäus und Paulus Gehör gefunden hätte, würde ich Eure Lenzfreude mit meinem Eulengekrächz gestört haben? Ich mußte kommen, Herr — und ich glaubte, Ihr hättet seit langem meine Sorgen getheilt. Ihr waret so düster, so weltscheu, Ihr miedet die Euren — Ihr spracht oft von kommenden trüben Tagen."

„Ich sah die Wetter heraufziehn," entgegnete der Stadtpfleger, „die Wetter, die all' unsre Herrlichkeit treffen werden! Ich sehe seit Jahren die Schale des Lebens und der Hoffnung sinken, die des Todes, der Verzweiflung steigen — ich gedachte auch unsres Geschicks dabei, daß wir wanken, während die Welt umher noch festzustehn meint, daß uns das kommende Elend vor den Andern trifft, hab' ich nie gemeint. Du mußt Dich täuschen — Leopold — Du mußt! Warum eben jetzt, eben nun, wo Kaiser Rudolfs Schuld wider Erwarten und Verhoffen zurückgezahlt ward? Wir haben jahrelang darauf gehofft und es ertragen, daß sie nicht einging, — was kann jetzt geschehn sein?"

„Auch ich hatte Hoffnung darauf gesetzt — meine letzte," sprach der Alte stets leiser, tonloser. Es kommt anders, Herr. Seit Jahren hat uns Verlust auf Verlust getroffen, und wenn sonst die Bürger von Augsburg, die Kaufleute aller Orts glücklich waren, einen Antheil in den Unternehmungen der Welsergesellschaft zu haben, so werden seit vielen Jahren die Gelder stets spärlicher und spärlicher eingezahlt. Wir haben seit dreißig Jahren nur selten einen Gewinn auswerfen können, Herr, und es ist gut, daß nur in meinen Büchern geschrieben steht, wie unglücklich all' unsre Unternehmungen endeten. Auf den Eingang der kaiserlichen Schuld harrten wir, harrten unsre Faktoreien in Sevilla und Venedig. Und nun, Herr Marcus, ist's zweifelhaft, ob auch nur ein Goldgulden dorthin gelangen kann. Heut am Morgen erschien Herr Daniel Pömer auf unsrer Schreibstube, für mehr als fünfmalhunderttausend Goldgulden Wechselbriefe wies er auf —"

„So gieb ihm dergleichen auf unsre Kassen zu Antwerpen oder Sevilla," warf der Stadtpfleger ein, der gespannt gelauscht hatte.

„Die Wechselbriefe kamen von dort!" sagte Leopold Rehm. „Es muß schlimm stehen, sie sind auf unser Haus zu Augsburg gestellt und Herr Pömer begehrt Zahlung nicht in neuen Briefen, sondern in klingendem Gold. Mehr noch, Herr, — als mir ein verdrießlich Wort entschlüpfte, sah ich den Pömer höhnisch lachen und er warf den Wunsch hin, daß zu seiner Befriedigung andres Geld in unsern Kellern liegen möge, als jenes, das wir mit Reitern von Prag hierher geleitet. Herr Marcus, es ist weit gekommen, wenn die Wechselbriefe der Welser von Augsburg zurückgewiesen werden, wenn Heckenmünze und Truggeld aus ihren Kassen gefürchtet wird. Seht wohl zu, Herr Pömer muß schweren Argwohn hegen, sonst würde er nicht wagen, uns so entgegenzutreten."

„Sicher wagte er's nicht!" rief der Stadtpfleger erglühend. „Daniel Pömer, der neben den Welsern und Fuggern nie genannt ward! Wirf ihm das Geld vor die Füße, Leopold, und bedent' ihn, daß sein Name in den Büchern des Hauses Welser auf immer gelöscht sei!"

„So wird und muß es geschehen!" erwiederte der Buchhalter. „Doch, Herr Marcus, vergeßt nicht, daß, wenn wir Ehre und Ruf des Hauses vor Pömer und denen, die etwa hinter ihm stehn, aufrecht erhalten, jede Hoffnung dahinfällt, die wir auf Wolfgang Bergs Eintreffen setzten!"

„Jede Hoffnung?" wiederholte der Stadtpfleger eintönig. „Steht es schon so —"

„Ihr mißversteht mich, Herr," fiel ihm Leopold Rehm in die Rede. „Nur meine Hoffnung, daß ich mit den Geldern von Prag alles schlichten und im Gleis halten könnte, hat Herr Pömer, wie er vorhin so trotzig aus meiner Schreibstube schritt, davongetragen. Was zur Rettung des edlen Hauses, des alten Glanzes und Ruhmes geschehen muß, wollte ich Euch an's Herz legen. Ihr werdet mit Euren Brüdern nicht säumen, wenn Ihr mir glaubt und die Herren Matthäus und Paulus mir glauben macht. Auch kann all' meine Furcht thörigt sein, ich rathe und grüble nur über die Dinge,. die in Antwerpen und Sevilla vorgehen — ich habe seit zehn Jahren keinen Abschluß aus Venedig erblickt und die letzten großen Darlehn an Fürsten und Herren hat Herr Matthäus allein geordnet!" — —

Er wollte offenbar mehr und noch Manches sprechen, was nur schwer über seine Lippen ging und für das er nach unverfänglichen Worten rang. Doch gab ihm in diesem Augenblick der Stadtpfleger einen hastigen Wink und mit rascher Wendung gewahrte der Alte, daß jeder weitere Laut des Gesprächs drei Zeugen haben müßte. Aus dem Hause trat Fräulein Philippine, die Langerwartete, mit ihr die ritterliche Gestalt des Marschalls von Pappenheim, der ihr ehrerbietig zur Seite schritt. Durch die Pforte aber und den Gang, der vorhin Leopold Rehm in den Garten geführt, näherte sich mit raschen Tritten Wolfgang Berg. Der Stadtpfleger sah auf und rief dem Herankommenden lebhaft entgegen:

„Gottwillkommen, Wolfgang Berg! Ich habe auf

Euer Eintreffen wochenlang und heut wieder seit Stunden gewartet. · Habt Ihr bis zum Augenblick gezögert, in dem das Fräulein den Garten betritt und zürnt jetzt dem Marschall von Pappenheim, der Euch hindert, Philippine noch früher als mich zu begrüßen?"

Der Reiterführer, dessen stattliche Gestalt heute von reicherer Tracht als am Tage zuvor gehoben wurde, stand jetzt dicht vor dem Stadtpfleger und sagte, indem er sich tief verneigte:

„Erlaubt, Herr Marcus, daß ich mich Eures Scherzes erfreue. Ich sehe, daß Ihr minder krank seid, als ich seit gestern gefürchtet —"

„Ich bin kränker, als Ihr meint, Wolfgang," fiel ihm der Stadtpfleger ins Wort, und sein Auge streifte flüchtig Leopold Rehms faltiges Antlitz. „Ich habe — doch davon ein andermal, nachher, nachher, Wolfgang, wenn sich der Pappenheimer verabschiedet hat!"

Der Genannte und Fräulein Philippine traten in diesem Augenblicke heran. Das schöne Mädchen beugte sich anmuthig, die Hand des Oheims zu küssen, dessen mattes gezwungenes Lächeln sich bei ihrem Anblick in ein freudig stolzes verwandelte. Herr von Pappenheim schaute mit Theilnahme die Begrüßung, mit Verwundrung aber die Weise, in der Fräulein Philippine den Reiterführer willkommen hieß, der zurückhaltend an dem steinernen Becken des Springbrunnens lehnte.

„Ich muß Euch einen frohen Morgen entbieten, Wolfgang, da Ihr es versäumt!"

„Ihr seid allzumild, schöne Herrin," erwiederte Wolfgang. „Doch thut Ihr nicht Unrecht, meines Wunsches bedürft Ihr nicht, der Eure aber kann mir den frohen Morgen geben."

Fräulein Philippine sah überrascht in Wolfgangs Antlitz, seine Stimme hatte einen fast fremden Klang, seine Mienen zeigten eine Rückhaltung, die sie nie wahrgenommen hatte. Selbst der Stadtpfleger, dem der Marschall von Pappenheim wortreich die Pracht seines Hauses rühmte, blickte erstaunt nach Wolfgang hinüber, auch ihm fiel der fremde Ton ins Ohr. Philippine aber, nachdem sie einige Augenblicke erwartend gestanden, wendete sich zu ihrem Oheim zurück:

„Hat Ambrogio die Glashäuser aufgedeckt, Ohm Marcus? Darf ich Herrn von Pappenheim ein Reis aus denselben bieten?"

„Geh nur, Kind, geh nur. Laß auch Wolfgang Berg etwas von der Pracht sehen, er liebte sie sonst und war Ambrogio's Günstling, wie der meine! Folgt dem Fräulein, Wolfgang, ich führe den edlen Herrn!"

Es bedurfte der Aufforderung des Stadtpflegers, ehe

Wolfgang der Voraneilenden nachschritt. Sie hatte das schöne Haupt mit leichtem Trotz zurückgeworfen und schien nicht auf ihn zu achten. Der Marschall von Pappenheim mit dem Stadtpfleger folgten Beiden in gemessener Entfernung, Leopold Rehm hatte sich schweigend entfernen wollen — ein Wink von Herrn Marcus Welser hielt ihn zurück. Doch blieb er unbeweglich auf seiner Stelle und schaute dem Reiterführer nicht allzufreundlich nach:

„Ein trefflicher junger Gesell der Wolfgang," sprach er zu sich selbst. „Doch wird es Zeit, auch die fürstlichen Launen enden zu lassen, das Haus Welser braucht Freunde, braucht Stützen, nicht Günstlinge. Dem bayrischen Herrn fiel es in die Augen, daß der junge Mann fast zu hoch in Gunst steht."

Währenddeß hatte Fräulein Philippine die langgestreckten Glashäuser beinahe erreicht. Wolfgang Berg blieb stets einige Schritte hinter ihr zurück, sie brach sein Schweigen mit der plötzlichen Frage:

„Wolltet Ihr mich höhnen, als Ihr spracht, der frohe Morgen sei mir gewiß?"

„Euch höhnen, Herrin? Euch?" fragte Wolfgang aufwallend zurück. „Meint Ihr denn, daß ich von Prag in voller Tollheit hierher gekehrt bin? Habt Ihr nicht ein Recht, daß jeder Morgen, jeder Tag froh für Euch sei und bedürft Ihr meines Wunsches dazu, Fräulein?"

„Nun höhnt Ihr mich doch," sagte sie mit leiser klagender Stimme. „Wißt Ihr nicht, was mich bedrückt, und habt Ihr für meinen Kummer kein Gedächtniß von gestern bis heute? Ich zittre um meinen kleinen Liebling, um Meister Jacobs Elsbeth, das Fieber wird mit jeder Stunde heftiger, Doctor Rembold giebt mir keine Hoffnung mehr und ich kann, ich darf dem armen süßen Kinde nur auf kurze Stunden zur Seite sein! Wenn Gott mir diese Freude, diesen Trost nähme, wenn in dem ganzen großen Hause kein Auge mehr wäre, das mich freundlich anlachte, dann mögt Ihr von meinem Glück sprechen."

Sie trat bei den letzten Worten rasch in die Thür des Glashauses und schien ihre Thränen den Blicken Wolfgangs und des herankommenden Oheims mit seinem edlen Begleiter verbergen zu wollen. Doch hörte der Reiterführer nur zu gut, wie sie drinnen in krampfhaftes Schluchzen ausbrach und sich erst bezwang, als die Stimme des alten Gärtners Ambrogio laut ward. Fräulein Philippine erwiederte seinen Gruß in italienischer Sprache, der Reiterführer lauschte den weichen Lauten, in denen der Schmerz noch nachzitterte. Wie aus einem Traum erweckten ihn die Stimmen des Stadtpflegers und des Marschalls von Pappenheim:

„Ich will ihn selbst mahnen, Eurem Herrn zu folgen!" hörte er Herrn Marcus Welser sagen. „Kommt, kommt,

6*

Herr von Pappenheim, wer weiß es, ob Ihr noch ein zweites Mal Lust empfindet, meine Gärten zu schauen, oder ob ich sie Euch ein zweites Mal zeigen kann."

Es war etwas im Ton des stattlichen Herrn, das Wolfgang Berg tief ergriff, während der Marschall kaum die Worte vernommen zu haben schien.

„Ihr seid hier, Wolfgang?" fuhr Marcus Welser im Herankommen fort. „Eben hat mir der Marschall von Pappenheim erzählt, daß Seine Gnaden von Köln Euch in Ihren Dienst zu ziehen wünschen. Bei St. Ulrich, warum habt Ihr nicht eingeschlagen, Wolfgang? Die Welser werden keine Heere und Flotten mehr aussenden, alle deutschen Kaufherren werden es nimmermehr! An der Spitze unsrer Armada bleibt Ihr der Hauptmann Berg und könntet in Bonn als der General des Kurfürsten sterben. Und noch eins, Wolfgang: Die Zeiten sind trüb und drohend, wie leicht kann ein Tag kommen, an dem unser Haus selbst keines Hauptmanns mehr bedarf!"

„Sprecht Ihr das im Ernst, edler Herr?" antwortete Wolfgang. „Ihr nähmt mir eine Last von der Seele, ich meine zwar nicht in den Dienst des Erzbischofs von Köln zu treten, aber ich möchte alsbald daheim reiten und wenn es sein kann, lange daheim bleiben! —"

Der Marschall von Pappenheim entfernte sich in diesem Augenblick, um zwischen den hochragenden und üppigen Südpflanzen des Glashauses der schönen Welser zu begegnen. Marcus Welser aber schaute den Sprecher scharf, minder freundlich als zuvor an und sagte:

„Steht Ihr im Vertrauen unsres Alten? Leopold Rehms mein' ich?"

„Ich will es hoffen," entgegnete Wolfgang unbefangen, „mindestens hab' ich gesucht, sein Vertrauen zu erwerben!"

„So scheint es!" murmelte der Stadtpfleger für Wolfgang unhörbar und die Bewegung seiner Züge erstarrte wieder zu einer gemessenen Ruhe, doch blieb ein düster verschlossner, fast feindseliger Ausdruck zurück. Und ohne ein Wort weiter an den jungen Mann zu richten, schritt er ihm voran und schien nur noch ein Auge für seine Blumen und Gewächse zu haben, die in prächtiger Fülle die Wände des Glashauses schmückten. Wolfgang Berg wiederum gönnte den Lieblingen des alten lombardischen Gärtners kaum einen Blick. Er war in tiefer Erregung und all seine Vorsätze gemessen, gleichgültig zu scheinen und zu scheiden, drohten dahinzusinken. Noch zitterten die Klagelaute Philippinens in seinem Herzen nach, und nun bewegte ihn der plötzliche Wechsel in des Stadtpflegers Stimmung, der ihm nicht entgehen konnte. Einen Augenblick, nur einen, glaubte er Licht zu sehn — glaubte er zu errathen, was in der Seele des stolzen Patriciers vorging, er fühlte einen schweren Druck beim

Gedanken, daß Marcus Welser ihn des niedern Undanks zeihen könne. Im nächsten Moment jedoch wies er die innre Mahnung zurück. „Wen bedürfen sie zuletzt — wer wäre ihnen mehr werth, als er auf dem Markt und der Welt gilt?“ sagte er bitter zu sich, und begegnete dem verfinsterten Antlitz des Stadtpflegers mit trotziger Fassung, während er den Blicken Philippinens auswich.

Alle Vier standen jetzt in der Mitte des Hauses, ihre Augen maßen die mächtigen, breitkronigen Orangenbäume, die der Stolz Ambrogio's waren, ihre Lippen priesen die goldnen Früchte, und jedes von ihnen war von andern Gedanken bewegt. Der Stadtpfleger stieg auf einen Tritt, um von den schwerreifen Früchten zu pflücken, in diesem Augenblicke aber erklang ein hastiger Schritt vom Eingang her, Leopold Rehm, der vorhin zurückgeblieben war, trat jetzt rasch heran und rief:

„Verzeiht, Herr — ich muß an diesem Morgen all Euer Thun stören. Herr Daniel Pömer, sammt dem kaiserlichen Notar und Gewalthaber Herrn Hannewald, begehren Euch zu sprechen, und zu gleicher Zeit hat sich Herr Jacob Rembold, Euer Genosse im Stadtpflegeramt, eingefunden, den edlen Herrn von Pappenheim aufzusuchen!“

„Wir kommen, wir kommen,“ entgegnete Herr Marcus, dem das heiße Blut dunkel ins Antlitz schoß. „Habt Ihr dem Stadtpfleger den untern Gartensaal öffnen lassen, Leopold? Schickt mir Herrn Pömer sammt seinem Notar in mein Schreibgemach — komm mit mir, Leopold!"

Das Aussehn des stattlichen Herrn war ein fast kriegerisches, seine Befehle klangen so kurz und so rasch, daß sowohl Fräulein Philippine, als Herr von Pappenheim und Wolfgang Berg dem Hinausschreitenden verwundert nachsahen. Der Marschall folgte ihm fast auf dem Fuße, Leopold Rehm blieb zögernd zurück, da er Wolfgang nicht gehen sah. Von draußen her aber klang alsbald die Stimme des Stadtpflegers:

„Komm, komm, Leopold, ich wünsche die Herren nicht länger unter meinem Dache zu haben, als es nöthig ist."

„Säumt auch Ihr nicht zu lange, Wolfgang," sagte der Buchhalter, indem er sich, Verdruß in jeder Falte seines Gesichts, zum Gehen anschickte. „Der Duft hier im Glashaus ist betäubend und ich weiß nicht, ob der edle Herr nicht alsbald einen Ritt oder sonst einen Auftrag für Euch hat. Gott befohlen, Fräulein, wär' ich ein Ritter oder Reiter, ich würde glücklich sein, Eure schöne Hand zu küssen!"

Er verschwand, nicht ohne nochmals einen sorglichen Blick zurückzuwerfen und zufrieden zu nicken, als er den alten Gärtner Ambrogio im vordern Theil des langen Glashauses zwischen seinen Gewächsen schalten sah. Philippine Welser und Wolfgang Berg waren allein in dem Raume, den die

fruchtschweren Orangenbäume umgaben. Das schöne Mädchen hatte mit ihrem Arm den kräftigsten Stamm umschlungen und stand in anmuthiger Haltung vor Wolfgang, der trotz all seiner Vorsätze die dunkeln Augen vor ihren blauen strahlenden niederschlug. Sie athmete auf, als ob ihr die Frage schwer falle und sagte endlich, da kein Laut über seine Lippen kam:

„War es Euer Ernst, Wolfgang, mit dem Gehen? Wollt Ihr aus Euren Waldbergen heraus Augsburg, den Euren und uns keinen Blick mehr gönnen? Was ist Euch auf der Prager Fahrt begegnet, was zwingt Euch, daß Ihr mir und dem Oheim so herb Eure Heimkehr ankündigt? Ihr habt ja auch sonst auf Monde Abschied genommen, — aber diesmal sieht es aus, als wolltet Ihr Heimfahrt auf Nimmerwiederkehr halten!“

„Ich meine es auch so, Fräulein, — ich will mich zwischen den Bergen begraben,“ entgegnete Wolfgang, dessen Stimme rauh und fest klang, während er bebte und fort und fort dem Blick der Jungfrau auswich. „Ihr scheltet meine Worte herb, schöne Herrin, ich aber das Geschick, das die Worte auf meine Lippen zwingt. Auch wißt Ihr wohl, daß meine Seele mehr, als sie sollte, hier weilen wird, indeß mir von hier kein Auge nachblickt, als das meiner armen Mutter, von der ich noch hoffe, daß sie ihr Haupt unter meinem Dache zur Ruhe legt!“

„Kein Auge nachblickt, Wolfgang — keines — was faßt Euch denn an, wie kommen so fremde Worte in Euren Mund, was ist Euch widerfahren? Waren Ohm Matthäus oder Paulus unhold, wie sie oft sind, was laßt Ihr es uns entgelten?“ fragte Philippine und eine leichte Entrüstung zeigte sich in ihren Mienen.

„Ich habe Recht und ich habe Unrecht, Herrin!“ rief Wolfgang aus, „es ist hart, daß Ihr fragt, wo ich nicht antworten darf! Denkt, ich sei von dem Zuge nach Prag als ein Reiter zurückgekommen, der die Kraft vor dem Feinde gelassen hat, der mit gebrochnen Gliedern heimschleicht zu seinem Heerde, der kindisch stammelt und spricht — aber laßt mich ziehn, lieber in dieser Stunde, als in der nächsten — und haltet mich nicht für undankbar!“

„Ihr seid krank, Wolfgang?“ fragte das schöne Mädchen, die aus der Dunkelheit seiner Worte nur das eine erfaßt hatte. „Und warum wollt Ihr nicht hier Pflege und Genesung suchen, warum erst noch zum Bodensee reiten?“

„Ich bin krank; heimzureiten aber vermag ich, und besser wird mir werden, sobald ich nur erst zu Roß sitze!“ erwiederte der Reiterführer. „Achtet nicht zu sehr auf meine Worte, edles Fräulein, — behaltet nur, daß ich hinweg will, hinweg muß, und Gottes und aller Heiligen

Segen auf Euer Haupt und Haus herabrufe! Ihr würdet wohl thun, wenn Ihr mich gehen hießet — lebt wohl, lebt wohl, Herrin!"

Er wollte hinwegeilen und schien dennoch von der schönen Gestalt, die ihm näher trat, festgebannt. Philippinens Mienen verriethen deutlich die innere Verwirrung, die sie bei den dunkeln und verhalten leidenschaftlichen Worten des ritterlichen Mannes erfaßt hatte. Sie stammelte mehr als sie sprach:

„Warum müßt Ihr aber hinweg — Wolfgang? Was treibt Euch davon, wo Alles Euch halten will? Fragt Ohm Marcus, ob er — ob wir uns ein Leben geträumt haben, in dem Ihr fehlen solltet — ob wir je gemeint haben, daß Ihr uns fremd werden könntet —"

Sie erstickte mit einem tiefen Athemzuge alle Worte, die sich nach ihren Lippen drängten. Denn indem sie gesprochen hatte, traf sie aus Wolfgangs Augen ein Blick, so bitter schmerzlich, so heiß und verlangend zugleich, daß sie erschrocken davor zurückwich. Sie hätte im Augenblick gern den alten Lombarden, der kein Wort des Gesprächs verstand, aber dem Mienenspiel der Beiden gespannt lauschte, herangerufen. Und doch sollte ihr kein Wort aus Wolfgangs Munde verloren gehen, Angst, daß er schweigen, Furcht, daß er sprechen werde, schien die Bestürzte zugleich zu erfüllen. Wolfgang sah ihre Hände erhoben, bittend und abwehrend: er trat ihr nicht näher, aber der leidenschaftliche Klang seiner Worte, die Gluth seines Blickes wurden nur durch ein bittres Lächeln gemildert, indem er ausrief:

„Ihr habt an kein Leben ohne mich gedacht! Ich könnte Euch ein Gleiches sagen, und eben weil das ist, muß ich hinweg auf Nimmerwiederkehr! Eure und meine Träume wollen nicht eins werden, Herrin! Ihr habt den Knaben nicht vergessen, der nie stolzer, nie glücklicher war, als wenn er der Beschützer des holden Kindes sein durfte, das in diesem Garten spielte, Ihr denkt des halbwüchsigen Burschen, der Euch den Bügel gehalten und den Zaum geführt hat, als Ihr zum erstenmal ein Roß bestiegt!"

„Ich habe es nicht vergessen, Wolfgang," fiel die Jungfrau ein und ihre Stimme zitterte. „Wollt Ihr aber sagen, daß ich nur dessen denke und alles Andern nicht? Meint Ihr, ich sei so kindisch, daß ich nur für das, was Ihr dem Kinde waret, ein Gedächtniß hätte?"

„Nein, Herrin, keines Dienstes, den ich so glücklich war Euch zu leisten, — wollte Gott es wären ihrer mehr und größre gewesen — keines Dienstes vergeßt Ihr!" rief Wolfgang, das Wort Dienst bitter betonend. „Aber träumtet Ihr je, daß Ihr einen Diener haben könntet, dem Euer wärmster Dank wenig und nichts gilt? Träumtet

Ihr davon, daß der Knabe, der unglücklich war, wenn ein Tag kam, an dem Ihr seines Dienstes nicht bedurftet, ein Mann werden könne, der um keinen Lohn der Welt der Hausmeister oder Stallmeister — Eures künftigen erlauchten Gemahls sein möchte?"

„Meines Gemahls?" sagte Fräulein Philippine, während heiße Röthe ihr Antlitz überflog. „Ihr kennt ihn besser, als ich — ich weiß nichts von einem Gemahl!"

„Ich weiß nicht, wer der Beglückte sein wird," fuhr der Reiterführer unbeirrt fort, und seine Stimme klang stets bewegter, leidenschaftlicher. „Ich weiß es nicht — aber Ihr, Herrin, habt doch von ihm geträumt, Ihr habt ihn doch vor Euch gesehn, den Prinzen oder Herrn, der Euch gleich Eurer herrlichen Ahnin auf sein Schloß führen wird? Träumtet Ihr je, daß er ein Reiterwams trug und den Ritterschlag auf der Heerstraße im Gefecht mit Dieben und Diebsgesellen empfangen hätte? Träumtet Ihr, daß Euer Gemahl als Freibauer am See säße und sein hölzern Schloß nur mit dem geschnitzten Giebel über den Wald ragte? Schaut mich nicht so erschrocken an, ich weiß ja, daß Gott den Mann, der solches träumt, mit Irrsinn geschlagen hat! Aber der Mann lebt, er hat Euch, der er nicht an den Saum des Gewandes rühren darf, Euch, die ihm nicht die Hand reichen sollte, in trunknem Wahn vieltausendmal in die Arme geschlossen, vieltausendmal Euren rothen Mund geküßt! Ihr würdet ihn zurückstoßen wie den letzten Knecht, Euch würde jeder milde Blick, jedes freundliche Wort, das Ihr an den Frevler verschwendet, reuen und der Thor begehrt, was ihm nimmer werden kann."

„Haltet ein, Wolfgang, haltet ein!" rief Philippine, deren ganzes Antlitz in süßer Gluth der Scham flammte. „Schmäht Euch nicht — ich kann und will es nicht hören, daß Ihr Euch gering achtet, Euch einen Knecht scheltet! Wißt Ihr es nicht, daß ich Euch vor allen Männern geehrt habe, wißt Ihr nicht, daß der Fürst, von dem mein thörigter Sinn geträumt hat, Euer Antlitz trug! — Wißt Ihr nicht, daß ich Alles und mich selbst darum geben wollte, Euch reich, Euch geehrt, Euch glücklich zu wissen!"

Wolfgang lauschte den Worten des Mädchens, die im heiligen Selbstvergessen gesprochen wurden, mit verhaltenem Athem, mit flammenden Augen. An der Gluth seines Blicks, am jauchzenden Laut, der sich seinen Lippen entrang, ermaß Philippine erst, was sie gesprochen, und im selben Augenblick, wo er ihr stürmisch näher trat, erblaßte sie und wich mit einer Bewegung, einem Ausdruck von ihm hinweg, bei denen ihm das erregte Blut zum Herzen zurückströmte:

„Was habt Ihr — Herrin?! Was erschreckt Euch, Philippine?!" fragte er drängend.

Ueber ihr bleiches Antlitz leuchtete es, als er ihren Namen sprach, dann aber zuckte sie abermals zusammen und indem sie wie vorhin den Stamm des Baumes erfaßte, richtete sie sich hoch auf und wie aus einer Betäubung erwachend sagte sie:

„Nichts, nichts, Wolfgang Berg! Bat ich Euch nicht, daß Ihr nicht gehen, Euch vom Haus Welser nicht scheiden möchtet? Wollt Ihr meine Stimme hören?“

„Nein, so will ich nicht, so darf ich nicht!“ flammte Wolfgang auf. „Ihr habt mich in einem Augenblick höher erhoben und stürzt mich tiefer hinab, als es mein Herz zu tragen vermag. Ich frag' Euch, wenn Euch zu Muth ist, wie Ihr sprecht, wenn ich bin, der ich sein möchte, ob Ihr Alles dahinten lassen, mir folgen könnt? Ihr vergeßt, wer ich war, Ihr müßt mehr thun — Ihr müßt auch vergessen, wer Ihr seid —“

Er hielt inne, er sah Philippine zitternd, dem Zusammenbrechen nahe, und doch stieß ihn ihre Hand zurück, als er sie stützen wollte. Todtenblaß, aber mit einem Zug im Antlitz, den er nie zuvor erblickt, stand sie ihm jetzt gegenüber. Der Schimmer der blauen Augen schien erloschen, starr und streng blickten sie ihn an, selbst ihre Stimme war verwandelt und hart sagte sie:

„Ich bin eine Welser! Wenn Ihr nicht wißt, was mir allein ziemt, so vergaß ich's nicht! — Ich sollte den

Namen meiner Ahnfrau tragen und als landesflüchtige Bettlerin in dunkler Nacht fliehn?! Marcus Welsers Liebling soll eine Reiterdirne heißen? — schütze mich Gott vor Euch und mir!"

Der Reiterführer war Schritt um Schritt vor der stolz Zürnenden zurückgewichen. Er hatte sich abgekehrt, sie sollte die Thränen nicht sehen, die jetzt aus den Augen des erschütterten Mannes brachen.

„Ihr habt Euch das Rechte gefunden, ich finde es mir," sprach er dumpf. „Vergebt — vergebt — Gott schütz' Euch vor den Euren!"

Und er warf sich zu ihren Füßen, seine Lippen berührten den Saum ihres Gewands, er sprang heftig empor, daß das Dach über ihnen klirrend erklang, — noch ein Blick fiel auf das erstarrte schöne Antlitz, dann stürmte er hinweg und hinaus. Nicht er, nicht Philippine vernahmen den Schreckruf, mit dem der alte Ambrogio die letzte heftige Bewegung schaute — die Jungfrau aber, die dem Enteilenden einen Augenblick starr und unbeweglich nachgeschaut hatte, rief unter Schluchzen und Thränen:

„Bleibt, Wolfgang, bleibt — laßt mich das thörigte Wort nicht entgelten!"

Aber ihre Stimme verhallte zwischen den Wänden, Niemand hörte den Ruf, als der alte Ambrogio, der die Wankende stützte und mit verwundert erschrockenem Gesicht neben ihr stand, Niemand als er und der Mann, der draußen vor dem Glashaus in lauschender Stellung schon seit einigen Minuten harrte und weder von der Erregten drinnen, noch von dem hinausstürmenden Wolfgang Berg erblickt worden war, obschon der Reiterführer hart an dem Lauscher vorüberstreifte. Der Marschall von Pappenheim aber sah dem Enteilenden kopfschüttelnd und mit unverhohlenem Staunen nach. Dabei lag auf seinem Antlitz ein eigenthümlicher Ausdruck von Befriedigung und Heiterkeit, mit leichten Schritten wandte er sich nach dem Wohnhaus Herrn Marcus Welsers zurück, wo er vorhin nur kurze Augenblicke verweilt hatte.

Von der Treppe her kamen ihm die seltsam verschiedenen Gestalten Herrn Daniel Pömers und Herrn Andreas Hannewalds, des kaiserlichen Notars, entgegen. Der breitgebaute Kaufherr, mit dem mächtigen rothen Antlitz, das zur Stunde in doppelter Gluth strahlte, und der lange hagre Notar, dessen schmales blasses Gesicht deutlich Verdruß und schlecht verhohlnen Ingrimm zeigte, grüßten reichsstädtisch trotzig den bayrischen Herrn mit karger Verbeugung und waren kaum vorüber, als sie ihren lauten Hader vernehmlich wieder aufnahmen.

„Ich hab's Euch zuvor gesagt, Herr Daniel, aber Euch treiben Gift und Groll das Blut zu Häupten und Ihr wißt nicht, was Ihr thut," eiferte der Notar. „Wenn

Ihr schon Eure Wechselbriefe aufzeigen und dem alten Leopold Rehm mit unholden Reden begegnen mußtet, warum trieb's Euch noch hierher? Ihr wißt nun, daß Ihr Euer Gold erhalten werdet, daß Ihr, nichts für ungut, ein Narr seid und Eurer Handlung schweren Schaden angethan habt, den vielleicht Euer Sohn und Enkel noch zu tragen hat."

„Sie werden es leichter tragen, als wenn ich die Dinge beim Alten gelassen hätte," entgegnete Herr Pömer mit dem Blick und Ausdruck eines störrischen Pferdes. „Ich mußte zum Stadtpfleger, die stolzen Herren mußten gewiß sein, daß es mir Ernst ist, ihr Gold und nicht ihre Handschrift zu gewahren. Ich sag' Euch, Herr Hannewald, ich glaube selbst jetzt noch nicht, daß sie die Summe zahlen, und wenn's auch geschieht, so bin ich noch immer nicht außer Sorgen. Ich habe Tausende und aber Tausende in den Unternehmungen dieser Welser gewagt, vor zwei, drei Jahren glaubte ich mein Haus nicht besser fördern zu können, als wenn ich blind an den tollen Wagnissen Theil nähme. Ich muß damals mit Thorheit geschlagen gewesen sein."

„Oder Ihr seid es jetzt," murrte Herr Hannewald dagegen. „Seht wohl zu, was geschehen wird. Sie werfen Euch Euer Geld wie einem Bettler vor die Füße, aber die Weise, in der Ihr's gefordert habt, vergessen sie mit nichten." —

Er brach ab, Herr Daniel Pömer hatte wahrgenommen, daß der Marschall von Pappenheim auf den obern Stufen der Freitreppe ebenso zögernd stillstand, als er selbst und sein Begleiter auf den untern. Mit plumpem Stoß erinnerte er den warnend scheltenden Notar an den Aufbruch, Beide verschwanden zwischen den grünenden Gesträuchen des oberen Gartens. Der Marschall aber, dessen lächelndes Gesicht bei dem halbvernommenen Gespräch sehr ernst geworden war, eilte jetzt rasch in das Haus. Aus den offnen Fenstern des obern Stocks schollen wiederum laute Worte herab und der Marschall schien es müde, wider seinen Willen den Lauscher zu spielen.

Es würde ihm freilich wenig genug ins Ohr geklungen sein, denn im gleichen Augenblick, wo er unter das Portal trat, schritt im hohen Mittelzimmer droben Herr Leopold Rehm nach dem Fenster und schloß dasselbe mit einer Heftigkeit, die ihm sonst fremd war. Er mochte etwas vom Gespräch der Herren Pömer und Hannewald vernommen haben, welche die dunkeln geschnitzten Stühle, die in die Mitte des Gemachs gerückt waren, erst vor kurzem verlassen hatten. Außer dem alten Buchhalter befand sich nur noch Herr Marcus Welser im Zimmer, dessen Auge unruhig über die Gegenstände hinglitt, die die Wände bedeckten. Hohe braune Schränke mit kostbar verzierten Thüren schienen tausende von Büchern zu bergen. Wo die Thüren derselben geöffnet waren, sah man Pergamentbände und Schriftrollen, dazwischen den Schmuck römischer Bildwerke, Waffen, Urnen und Münzen, über dem Schreibschrank hingen Bilder Reuchlins und Erasmus' von Rotterdam, über dem Polster, auf dem Herr Marcus lehnte, Familienbilder in dunkeln Rahmen. Christof und Bartholomäus Welser, die Ahnherren des Hauses, prangten hier neben den Brüdern des Stadtpflegers; einem trefflichen Bilde Philippine Welsers, der Erzherzogin von Tyrol, gegenüber, schaute ein jüngst gemaltes Bildniß der lebenden Philippine in leuchtender Schönheit und Farbenfrische herab. Die Tische trugen hunderte von bunt gehäuften Büchern und Kupfern, vom schweren Folianten bis zum leichten Blatt; jedes Geräth, jedes Buch gab Zeugniß, daß in diesem Raum sonst Andres gesprochen und gesonnen werde, als eben jetzt. Herr Marcus Welser, dessen Stirn die finstersten Falten zeigte, blickte trüb und sehnsüchtig nach den Pergamentbänden, die auf der Marmorplatte vor ihm aufgeblättert lagen, und sprach endlich mit beinahe grollendem Ton:

„Ich werde thun, was Du räthst! Ich werde Abschied nehmen von diesem Raum, werde die Ehren, mit denen mich Augsburg geschmückt hat, von mir werfen,

7*

werde vergessen, was mein Streben und Stolz war! Du aber magst mir zur Seite stehn, wenn aus meinem Thun harte Zwietracht mit den Brüdern erwächst."

Leopold Rehms Mienen zeigten Unbehagen und Sorge. „Nicht die Herren hab' ich anklagen, nicht Zwist und Groll säen wollen. Ich legte Euch nur dar, wie es um uns steht — ich sagte nicht, daß Herr Matthäus oder Paulus Schuld trügen. Und Ihr, Herr, nehmt zu gewaltsamen Anlauf — Gott behüte mich, daß ich der Mann sein sollte, der die Stadt Augsburg ihres edlen Hauptes und Euch Eurer Muse beraubte! Wenn Ihr nur —"

Er konnte nicht aussprechen, der gelehrte Stadtpfleger unterbrach ihn mit einer ungeduldigen Handbewegung. „Spare die Worte, Leopold, mein Entschluß ist gefaßt! Was mit dem Pömer geschehn ist, hätte nie kommen dürfen, wenn meine Brüder ganz ohne Schuld wären! Auch Du, Leopold, hättest eben nicht bis heute warten sollen, Du mußtest mich früher aus meiner müßigen Ruhe aufschrecken. Wenn die Alten hier" — er zeigte auf die Bilder Christofs und Bartholomäus' Welser — „vom Himmel herab schauen konnten, was Herr Daniel Pömer ihrem Enkel im eignen Gemach geboten hat, so wird ihnen die Seligkeit arg vergällt sein. Ich will das Schreiben an den Rat der Stadt, in dem ich um Entlassung vom Stadtpflegeramt bitte, noch heut in Deine Hände legen, Alter. Und morgen mit dem Frühsten siehst Du mich in Deiner Schreibstube, halte Deine Bücher und Briefschaften bereit! Ich hoffte zwar," fügte er wie selbstvergessen und mit neuem trüben Blick auf die aufgeschlagnen Blätter der Handschriften hinzu, „meine Arbeit über Reuchlinus noch zu beenden. Doch ein Tag wie dieser kostet ja mit Recht ganz andre Dinge und liebere Hoffnungen."

„Herr — Herr, ich wollte ich hätte Euch nicht aufgesucht!" rief der Buchhalter. „Ihr sprecht, als ob schon geschehn sei, was ich erst verhüten wollte, Ihr seht allzu muthlos und freudlos drein!"

„Muthlos? Verhüt' es Gott! Freudlos — gewiß!" entgegnete Herr Marcus. „Hättest Du, wie ich, seit Jahren Dein Auge auf den Weltlauf gewandt und sähst das Verhängniß nahen, ehern, unerbittlich, unabwendbar, Dir wäre wie mir zu Muth, auch wenn im eignen Haus Alles wohl stünde. Trügst Du so feste Gewißheit in Dir, daß Alles, woran Dein Herz hängt, dahinfahren muß, daß Verderben und Elend hereinbricht über Alle, die Du liebst, Dein spärliches Lächeln läge längst dort, wo Du das fröhliche Lachen Deiner Jugend gelassen hast! Ich sage Dir, Leopold, daß es in Gottes Rathschluß geschrieben steht, diese Stadt und alles deutsche

Land und die Reiche weit umher mit Krieg und Pest zu schlagen, daß in Hunger und Elend aller Glanz, alles Glück, aller stolze Muth vergehen sollen. So seh ich's kommen, Ihr wollt mir nicht glauben und lebt in thörichter Sicherheit, wenn Ihr für das Nächste Rath geschafft habt!"

„Gott kann das Ferne wenden, Herr — um das Nächste zu sorgen ist unsre Pflicht!" gab Leopold Rehm unerschütterlich zurück.

„Wir wollen so thuen — gewiß, gewiß," murmelte der Stadtpfleger. „Doch ich sage Dir, wir schöpfen Wasser ins Sieb, wir tragen Licht in ein Grab, auch wenn uns glückt, was uns jetzt obliegt. Und wäre nicht eins, ich wüßte nicht, ob ich Hand anlegen möchte! Aber Philippine, mein armes Kind, die so frisch, so hoffend ins Leben blickt, deren Glück allein mich sicher dünkte — ihr will und muß ich eine andre Pforte aufthun, dem drohenden Unheil zu entrinnen! — — Hättest Du solch feigen Undank in Wolfgang Berg gesucht, mein Alter?!"

Leopold Rehm erschrak mächtig und sichtlich bei der plötzlichen Frage, die aus den verschlossensten Tiefen der Seele des Stadtpflegers hervorzubrechen schien. Er antwortete verwirrt und zögernd:

„Herr, schon längst hat mir Eure und des Fräuleins übergroße Güte bang gemacht!"

„Kanntest Du ihn anders als wir?“ fuhr Herr Marcus Welser auf. „Ich hatte auf ihn meine beste Hoffnung gebaut. Wenn ich tausend und abertausend Mal das Schicksal Philippinens in den kommenden Zeiten überdachte, wenn ich Umschau im Kreise aller Werber gehalten hatte, fiel mein Auge doch stets wieder auf ihn! Wenn die Tage hereinbrechen, von denen geschrieben steht sie gefallen mir nicht, wenn Blut und Gräuel, Hunger und Seuche die Welt erfüllen, dann sei gewiß, Leopold, daß nicht Reichthum und Sippen, nicht Glanz und Ehren ein Weib vor dem äußersten Elend schützen werden! Wenn es Jemand mit Gottes Hülfe vermag, Alter, so ist's ein Mann, kein windiger Gesell wie die Jungherren von unsrer Geschlechterstube und kein prahlender und zechender Freiherr, wie sie draußen im Reich sitzen. Die Prinzen werben nicht mehr um die Töchter von Augsburg und thäten sie es auch, bis vor wenig Stunden hätte ich doch geglaubt, einen bessern Hort und Schutz für Philippine zu haben, als einen Fürstensohn! Nur wer die eigne Kraft gegen die Welt gesetzt, wer den Boden, darin sein Leben wurzelt, selbst errungen hat, ist in Zeiten, wie sie kommen, ein Mann!“

„Und Ihr — Ihr hättet Wolfgang Berg für diesen Mann gehalten?“ fragte Leopold Rehm, seine Bestürzung schlecht verhehlend, die der Stadtpfleger, welcher grollend vor sich hinstarrte, gar nicht wahrzunehmen schien.

„Er ist ein Solcher oder war es!“ erwiederte er mit wachsender Heftigkeit. „Schon vor Jahren kam mir der erste Gedanke und, als ich ihn verscheuchte, der andre! Was hab ich damals gesonnen, dem Jüngling einen Weg zu dem, was Ihr Ehre und Güter nennt, zu bahnen. Als ich aber sah, wie er selbst seinen Pfad schritt, wie die Aufsicht an unsrer Landestelle bei Bregenz, mit der ihn Matthäus betraut, ihm Sporn und Anlaß ward, sich eignen Grund zu erwerben, als ich wahrnahm, daß unter seinen Händen das Geringe gedieh und zum Großen wuchs, da nahm ich's als einen Wink Gottes, ihm den eignen Weg nicht zu verrücken! Wenn ich ihn sah, wie er fest, unverzagt und ohne Prunk sich das Leben nach seinem Sinne schuf, so jauchzte ich im Stillen und zitterte dem Tage entgegen, wo er von mir die Krone dieses Lebens begehren würde. Wenn ich ihn sah, glaubte ich mein Kind gerettet und geborgen! Wie Wolfgang Berg, Alter, mögen Alle gewesen sein, die edle Geschlechter gegründet haben, — auf ihn hatte ich meine Hoffnung gesetzt.“

„Herr, so mag es gewesen sein in heidnischen Römerzeiten, ehe die Welt Schick und Fug hatte!“ rief Leopold Rehm dazwischen, der mehr als einmal Blicke nach der

Thür warf, als ob es ihm gerathen dünke, dem Studiengemach des Stadtpflegers zu entfliehen.

„So wär' es noch heut und es sollte und müßte so sein, wenn ich nicht schwer geirrt hätte!“ entgegnete Marcus Welser, von seinem Sitz aufstehend und mit großen Schritten das Zimmer durchmessend. „Mein Auge ist blöd geworden über den Büchern, sonst hätt' ich doch einmal den Teufel wahrgenommen, der auch in seiner Seele Wohnstatt hat. Sage selbst, Alter, ließest Du Dir jemals von Wolfgang Berg träumen, daß er nur unter der Fahne des Glücks reite? Hättest Du in Deiner schlimmsten Stunde so schlimm von ihm gedacht, just von ihm, der so eisern treu, so zuverlässig, so fest schien? Greift Dir's nicht auch ans Herz, daß beim ersten Windstoß der Stamm zusammenbricht, der Dir sicher für den Sturm dünkte?! — Kalt sagt er sich von mir los, begehrt Urlaub auf Nimmerwiederkehr, und der mir für einen Helden galt, sinkt zum gemeinen Glücksjäger herab! Jetzt — jetzt von uns zu lassen, wo er zeigen müßte, was an ihm und in ihm war, jetzt, wo der Preis ihm näher winkte, als je zuvor! Noch faß ich's nicht! Wäre denn Philippine nicht werth, daß ein ganzer Mann jeden Blutstropfen um sie einsetzte und wenn er sie als Bettlerin erhielte? Und er denkt an nichts — nicht an mich, nicht an sie, sobald er Unheil über unsern Häuptern sieht! Und er war der Mann, den ich für stark genug hielt, mein Kind wider Noth und Tod zu schützen!! Was sagst Du, Alter, — was blickst Du mich an als ob ich Unrecht hätte!"

„Ich sage nichts, Herr!" gab der alte Buchhalter mit mühsam bezwungener Ungeduld zurück. „Was Gottes Wille nicht ist, sollen wir nicht bedenken! Wollt Ihr nicht lieber der Ruhe pflegen, — das Schreiben an den Rath, von dem Ihr spracht, hat wohl noch einen Tag Zeit!"

Wenn der Stadtpfleger in diesem Augenblick Leopold Rehms Züge geschaut hätte: er würde alle Zeichen eines bedrängten Gewissens wahrgenommen haben. Zwei- und dreimal während der Klage über Wolfgang Bergs Untreue wechselte der alte Diener die Farbe, seine Lippen bewegten sich zum raschen Widerspruch, gewaltsam schloß er sie. Herr Marcus Welser achtete in seinem Groll und Schmerz nicht auf das seltsame Mienenspiel des Alten, sondern fing nur dessen letztes Wort auf. Er schien sich gleichsam daran zu klammern.

„Nein, Leopold!" sagte er bestimmt, „kein Zögern mehr! Nimm dort den Sessel und harre noch einen Augenblick. Ich kann mich kurz fassen, wenn wir nur zum Zwecke kommen! Gieb das Schreiben noch heut in der Kanzlei des geheimen Rathes ab und sprich zu meinen

Brüdern nicht eher ein Wort davon, als bis wir des Ausgangs gewiß sind."

Leopold Rehm machte eine verneinende Bewegung, erwiederte aber nichts. Der Stadtpfleger trat an den Schreibschrank, in hastigen großen Zügen flog sein Kiel über das Blatt, das er ergriffen hatte. Nach wenigen Minuten durchlas er das Geschriebne, faltete es sorgfältig und schloß es mit rothem Siegelwachs. Seine Hand zitterte, als er die Schrift in die des alten Dieners legte, und Leopold Rehm sagte hastig:

„Herr, nehmt es zurück, nehmt es lieber zurück!"

Der Stadtpfleger machte eine verneinende Geberde. Im nächsten Augenblick pochte es leis an die Thür des Gemachs und Fräulein Philippinens schöne schlanke Gestalt zeigte sich auf der Schwelle, wo sie zögernd verweilte. Ihr bleiches Gesicht, ihre fiebrisch gerötheten Augen ließen den Oheim und Leopold Rehm zugleich aufblicken, der Buchhalter machte eine rasche Bewegung, sich zu entfernen. Weder Herr Marcus Welser, noch das schöne Mädchen achteten sonderlich auf dieselbe, der Erstere schritt seiner Nichte entgegen und schloß sie in die Arme:

„Du hast geweint, Kind, — bist bewegt?"

Philippine kämpfte sichtlich mit sich, dann sagte sie leis:

„Wolfgang Berg hat Abschied genommen — auf Nimmerwiederkehr!"

Ueber das Antlitz Marcus Welsers breitete sich finstrer Grimm, aus Philippinens Augen stürzten Thränen, die Hand des Stadtpflegers ruhte auf ihrem Haupte und strich über das üppige blonde Haar. „Fasse Dich, mein Kind, fasse Dich! Sei stolz und denke es mußte so sein!" Leopold Rehm schaute weniger mit Theilnahme, als mit wachsender Angst auf das Paar und athmete auf, als es ihm endlich gelang, unbemerkt die Thür zu erreichen. Erst jetzt, wie er hinaustrat, löste sich gleichsam eine Maske von seinen Zügen, die tiefste Bestürzung und ein Ausdruck von Grauen wurden sichtbar.

„Verzeih mir Gott!" sprach er zu sich selbst, indem er die Treppe hinab, den Ausgängen des Hauses und Gartens zuschritt. „Verzeih mir Gott — ich meinte das Haus Welser zu retten und hätte es in meiner Thorheit und Vermessenheit verderben können. Herr Marcus ist über dem Grübeln und Lesen von Sinnen gekommen, er ist nicht mehr der Mann, der er war! Gott erbarme sich seiner, ein Wahnsinniger stützt das wankende Haus noch minder als ein Verschwender. Es ist eine harte Strafe und Lehre für mich, zum erstenmal in vierzig Jahren wagte ich einen Schritt wider meine Herren und muß jetzt reuig hingehn und ihnen bekennen, was ich gethan! Herr Matthäus muß wissen, wie es hier steht, Fräulein Philippine darf nicht länger der Liebling des armen Herrn sein! Wer hätte gedacht, daß die blinde Furcht vor Krieg und Elend dem stattlichen klaren Mann so den Sinn berücken könnte! Wolfgang Berg, der Reitersmann, der Gemahl der fürstlichen Jungfrau! Es fehlte wenig und er hätte den Burschen, der aus irgend einem Narrengrund davongeht — denn undankbar ist er nicht! — wieder herzugerufen. Es that ihm bitter weh, daß derselbe nicht um Fräulein Philippine geworben hat, und am Stadtpfleger und ihr selbst liegt es wahrlich nicht, wenn ihm der Kamm dazu nicht geschwollen ist. Allmächtiger Gott — ein Welser und eben er, der Stolz und Ruhm des Hauses, von Sinnen! Die Welt darf es nicht erfahren — Herr Matthäus muß es wissen!"

Der Buchhalter legte in solcher Hast, nur mit seinen leidvollen Gedanken beschäftigt, den Weg durch die nächsten Gassen zurück, daß er den Gruß des Marschalls von Pappenheim nicht erwiederte, der vor ihm den Welserschen Garten verlassen hatte und jetzt nach der bischöflichen Pfalz schritt, wo der Kurfürst von Köln Hof hielt. Auch der Marschall schien Eile zu haben, wennschon dieselbe mit der fliegenden Hast Leopold Rehms nicht Schritt hielt. Er sah den Alten im großen Thore des Rathhauses verschwinden und jener Ausdruck von Heiterkeit, den er vorhin im Garten des Stadtpflegers gezeigt, kehrte auf seinem Antlitz wieder.

Es war Mittag geworden, ehe Herr von Pappenheim zum Domplatz gelangte. Im Gange vor den Gemächern des Kurfürsten traf er mit Melchior Bassenheim, dem jungen Kaufherrn von Köln, zusammen, der in seiner Prunktracht von erbsfarbner Seide noch hagrer und gelber erschien als sonst.

„Euer Gebieter sitzt beim Mahle!“ sprach der junge Kölner den Edelmann an, der mit kurzem Gruß vorübergehen wollte. „Er hat auf Euch gewartet, Herr Marschall, bis Ihr ihm zu lang ausbliebt!“

„Da Seine kurfürstliche Gnaden Euch nicht statt meiner zu seiner Tafel geladen hat,“ entgegnete der Pappenheimer, „so verzeiht, wenn ich eile, meinen Platz einzunehmen.“

Und ohne dem Betroffenen einen Blick oder ein Wort mehr zu gönnen, ging er der Thür zu, vor welcher zwei riesige Schweizer, Hellebardiere des Kurfürsten, Wacht hielten. „Verdammter Geck!“ murrte er dabei, „mit ihm möcht ich an Seiner Gnaden Stelle nicht theilen, mit ihm zuletzt! Und es soll auch nicht geschehn, so wahr ich Hans von Pappenheim heiße.“

Er trat ein, Kurfürst Ferdinand saß mit zwei Domherren von Augsburg, mit seinem Caplan und einem Edelmann seines Gefolgs bei Tisch, sein Hausgewand gab ihm ein geistlicheres Ansehn, als die kriegerische Tracht, in der er beim Bankett der Welser erschienen war. Sein Blick suchte das Auge des Marschalls; sobald er demselben begegnet war, röthete sich sein Antlitz lebhaft und ehe noch der Pappenheimer an der Tafel Platz genommen, verschwand der schweigsame Ernst, der bis dahin über dem fürstlichen Mahle gewaltet hatte. Die geistlichen Herren von Augsburg, welche den fürstlichen Erzbischof nicht kannten, sahen erstaunt drein, als er zu lachen, zu plaudern und seinen Pokal häufiger zu leeren begann. Hans von Pappenheim sprach lebhaft von den fürstlichen Gärten des Stadtpflegers, der Kurfürst lauschte seiner Schilderung und sagte dann rasch:

„Wir wollen sie besuchen, Pappenheim, und sind sie wirklich so prächtig, so wird uns irgend ein Italiener in Brühl oder Poppelsdorf etwas dergleichen zu schaffen wissen, obschon unsre Fürstlichkeit im Vergleich mit den Herren von Augsburg schier arm und dürftig ist."

Trotz des angeschlagnen heitren Tones ward die Tafel früh aufgehoben, der Kurfürst zog sich in ein Nebenzimmer zurück, wohin ihm der Marschall von Pappenheim alsbald folgte. Der Letztre erwartete in ehrerbietiger Haltung die Anrede Ferdinands, der beinahe verlegen an das hohe gothische Fenster trat und hinaus auf den stillen Platz blickte.

„Nun, wie ist's, Hans, hast Du mit der schönen Welser

sprechen und ein Wörtlein für unsern getreuen Melcher Bassenheim anbringen können?"

„Das eine gewiß, Herr, das andre mußte ich unterlassen," gab der Marschall mit einem schlauen Lächeln zur Antwort.

Kurfürst Ferdinand wandte sich rasch zu ihm, seine Mienen drückten deutlich Ueberraschung und Unmuth aus:

„Was trittst Du dann herein mit einem Antlitz, als hättest Du Sieg zu verkünden? Daß Du die Jungfrau sprachst, ist trefflich für Dich, hilft aber Melchior Bassenheim und uns Allen wenig. Mir wär es lieb, wenn dem jungen Fant die Werbung glückte, wir sind am Rhein nicht reich an schönen anmuthigen Gestalten und es stünde dem alten Köln und unserm Bonn gut zu Gesicht, wenn die schöne Philippine Welser in ihnen verweilte."

„Und sind Euer Gnaden gewiß, daß die glückliche Werbung nicht blos dem alten Köln zu gute kommen wird?" fragte der Pappenheimer dagegen. „Mir scheint, daß Herr Melchior Euch gern für seinen Fürsten erkennt, so lang Euer fürstlich Wort in die Waagschale seiner Wünsche fällt, und sich plötzlich besinnen wird, daß er ein Bürger des freien Köln ist, sobald ihm die Braut zu Theil ward. Euer Bonn, Herr, würde die Schöne kaum erblicken, und ich sollte meinen, es müßte andre Wege geben, Euren Wunsch erfüllt zu sehen!"

„Andre Wege?“ sagte der Kurfürst, in dessen Mienen sich das äußerste Erstaunen malte. „Hast Du meinen Auftrag nicht verstanden — oder meinst Du, daß Ferdinand von Bayern auf dem Erzstuhl von Köln verlernt hat, die rechten Wege zum Ziele zu gehen? Ich will nicht mehr, nicht minder, als ich Dir gesagt; ich will die holde Gestalt nicht nur einen Abend erschaut haben, ich gönne meinen Landen die Perle lieber als Augsburg! Nenn's eine Grille, Hans, einen launischen Vorsatz —“

„Ich glaubte, es wäre mehr, gnädigster Herr!“ entgegnete der Marschall vorsichtig tastend.

„Nein, Hans, nein!“ rief der Kurfürst, mit einer gewissen Hast seinen Blick wieder dem Fenster zuwendend. „Unser heißes Blut ist verkühlt, ich bin längst nicht mehr der, den Du in München gekannt. Unter der Inful von Köln kommen ernste Gedanken, meine beiden Vorgänger haben den Kurhut und Land und Leute einem schönen Weibe geopfert. Ich weiß nicht, ob den Isenburger sein Stammhalter und Kurfürst Gebhard das schöne Gesicht seiner Agnes so beglückt hat, ihre Fürstlichkeit darüber vergessen zu können. Ich aber möchte nicht der Mann sein, der ihnen nachfolgte und um Philippine Welsers willen verlöre, was Gebhard von Waldburg für die Gräfin von Mansfeld geopfert hat! — Gott sei vor, — die Sünde wäre schwer, die Thorheit noch schwerer! Ich habe es gemeint, wie ich sprach, und nur an den jungen Bassenheim gedacht."

Es war gut, daß der Fürst den Eindruck dieser Worte auf seinen Diener nicht wahrnahm. Ein Gemisch von ernster Aufmerksamkeit und spöttischem Zweifel, beinahe von Hohn, stand dem Marschall seltsam zu Gesicht — doch trat nichts davon im Ton seiner Stimme zu Tage.

„Ihr habt Recht, gnädigster Herr, aber wenn Euch just daran und nur daran liegt, die schöne Welser in der Nähe Eures Hofes zu wissen, so dünkt mich Herr Melchior nicht der rechte Gemahl für sie. Schiene Euch nicht ein Mann besser, der mehr als der Kaufherr an Euren Hof gefesselt wäre, der nicht ohne Euren Willen andre Wohnstatt nehmen könnte —"

„Willst Du für einen Deiner Vettern bei den Welsern werben und ihn zugleich in unsern Dienst bringen?" unterbrach der Kurfürst den Sprecher.

„Ich glaube, ich kenne den rechten Mann, den Gemahl, der der schönen Welser lieber ist, als der große Pfeffer- und Ingwerhändler von Köln!" antwortete Pappenheim ruhig. „Ich hab' ihn noch heut, Ihr habt ihn gestern gesehn, kurfürstliche Gnaden! Herr Wolfgang Berg wird Euren Dienst nicht zum zweitenmal ausschlagen, Herr, wenn er Schutz und Schirm für seine Liebe bei Euch finden kann."

„Wolfgang Berg? der Reiterführer!“ rief Ferdinand von Köln erstaunt. „Und Du meinst, daß er kühn und waglich genug gewesen, seine Augen zum Kleinod von Augsburg zu erheben? Du meinst, daß er ihren Augen wohlgefällt!“

„So sah ich und weiß ich,“ entgegnete der Marschall. „Schaut nicht so ungläubig drein, Herr, Ihr habt wohl Dinge erlebt, die erstaunlicher und seltsamer sind, als ein Minnespiel zwischen der schönen Welser und dem stattlichen Manne. Er ist neben ihr aufgewachsen und sie hat ihn geliebt, ehe sie wußte, was Minne war! Hättet Ihr das Lied vernommen, das der gelehrte Marcus Welser zum Lobe des Reiters sang, Ihr würdet schier glauben, daß er nur an die Pforten der Welser zu klopfen brauche, um als Eidam aufgenommen zu werden! Eins weiß ich gewiß: das holde Fräulein würde Herrn Melchiors Haus und Bett nur mit Widerstreben theilen, dem Reiter aber gern unter sein Dach folgen, wenn es nicht gar zu arm und niedrig wäre.“

„Ich kann doch für den Lanzknecht nicht als Freiwerber bei den Welsern anpochen oder ihn zu meinem Statthalter im Herzogthum Westphalen machen,“ sagte der Kurfürst, unmuthig die Lippe nagend.

„Vielleicht wär' es Euch und dem Lande nicht zum Schaden,“ antwortete der Marschall trocken. „Ich habe

8*

mir künden lassen, daß Wolfgang Berg ein selten tüchtiger Mann nicht blos auf dem Gaul und mit dem Schwert ist. Er hat den Welsern manch schwierigen Handel geschlichtet und sich selbst früh auf die eignen Füße gestellt. Ich höre Wunderdinge, wie ihn die Herren zum Bodensee gesendet und wie er dort im wüsten Land am Arlberg ihres Vortheils wahrgenommen und sich selbst ein Erbe geschaffen hat! Doch rede ich nicht davon. Ihr sollt ihm Ehre in Eurem Dienst und könnt ihm Schutz geben, wenn er die schöne Welser freien will, auch ohne daß all ihre Vettern Ja und Amen dazu gesprochen haben!"

Der Marschall sah mit Lauerblicken nach dem Antlitz des Kurfürsten und diesmal vermochte Ferdinand die Gluth, die ihm ins Antlitz stieg, nicht zu verbergen.

„War das Eure Meinung?" fragte er zögernd. „Und wollt Ihr mir zu diesem Wege rathen?"

„Ich rathe nichts, kurfürstliche Gnaden," erwiederte Hans von Pappenheim rasch. „Ihr selbst müßt wissen, wie viel Euch Euer Wunsch am Herzen liegt, ich zeige Euch nur, was der Weg ist, ihn zur Erfüllung zu bringen. Ein Paar, wie Herr Wolfgang Berg mit der schönen Augsburgerin, hätte keine andre Stütze und Heimath als die ihm Eure Gnade am Hof zu Bonn geben wird."

„Du spottest der Thorheit und hast Recht, Hans!" rief der Kurfürst. „Und dennoch — dennoch — es ist ein einsam freudlos Leben und zu gönnen wär's uns, daß ein Strahl von Holdseligkeit und Schönheit hineinfiele. Am Ende hast Du nicht recht gesehen und dem jungen Reiter liegt die Kühnheit fern, die Du ihm ansinnst! — —"

„So erlaubt, daß ich ihn versuche," sprach der Marschall. „Legt indeß immer Euer Fürwort für Herrn Melchior Bassenheim ein, wenn's Euch fürstliche Pflicht dünkt, gnädiger Herr! Ihr werdet erfahren, wer besser zum Ziel kommt! —"

Der Kurfürst athmete auf, als ihm sein Kämmerer Herrn Jacob Rembold den Stadtpfleger meldete, ehe er dem Pappenheimer eine Antwort gab. Doch fiel aus seinen Augen ein Blick, den sich der Marschall auf seine Weise deutete und der ihn nach der Thür schreiten ließ, indem das zweite Haupt der Stadt Augsburg ins Gemach trat. Herr Rembold schien in seltner Aufregung, er verbeugte sich tief vor dem Kurfürsten, aber er wartete die gnädige Anrede nicht ab.

„Verzeiht, kurfürstliche Gnaden, daß ich nicht eine Stunde früher erschien, wie ich wohl gesollt. Als die Stunde des Raths schon abgelaufen war, kam uns ein Schreiben zu Händen, an dem Wohl und Weh der Stadt hängt. Herr Marcus Welser begehrt von Rath und Bürgerschaft, seines Amtes als Stadtpfleger enthoben zu sein, er fühlt sich krank und leibesschwach und meint die Würde der Ehre nicht länger tragen zu sollen."

„Er hat uns nicht krank geschienen, als er uns am ersten Tage seinen Anblick gönnte," sagte der Kurfürst. „Und was beschließt die Stadt auf solch seltsamen Wunsch?"

„Seltsam ist er fürwahr!" rief Herr Rembolt. „Wenn der wackre Herr nicht auf seinem Verlangen besteht, so werden wir ihm treulich unser Beileid mit seiner Krankheit ausdrücken, ihn aber dringend bitten, seines Amtes zu Nutz und Ehre der Stadt auch ferner zu warten!"

Der Marschall glaubte genug vernommen zu haben, er stand schon wieder im Vorzimmer und ließ die Thür desselben geräuschlos hinter sich ins Schloß fallen. Dann schlug er den Weg zum Roßmarkt ein, wo er Wolfgang Berg, den Reiterführer, zu finden hoffte. Sobald er die bischöfliche Pfalz verließ, fand er Straßen und Gassen von dichtgedrängten Gruppen erfüllt. Bürger und Gesellen standen beisammen, selbst einzelne Patricier hatten sich hinzugesellt und aus allen Gruppen scholl dem Vorübereilenden der Name und das Lob Marcus Welsers entgegen. Er wand sich achtlos durch die sprechenden und streitenden Gruppen, nur einmal, beinah schon am Ziel seines Gangs, hielt er an. Die Gestalt des Kaufherrn, dem er diesen Morgen im Welserschen Garten begegnet war, fiel ihm in die Augen und wie eine Fortsetzung des Gesprächs, das er dort belauscht, klangen die Worte, die Herr Daniel Pömer zu einer umgebenden Schaar kleiner Krämer und Handwerker sprach:

„Die Welser und wieder die Welser und immer die Welser. Ihr stellt Euch an, als ob sie sammt den Fuggern die Grundsäulen, die Bau- und Ecksteine der Stadt wären. Ich möchte Eure Gesichter schauen, wenn Ihr eines Tags doch erführt, daß Augsburg ohne sie bestehn kann, ohne sie leben und sterben muß!“

Der Marschall vernahm nicht mehr, was die Betroffenen erwiederten, er sah nur noch, daß sich die meisten Hörer scheu von dem zürnenden Kaufherrn zurückzogen. In seiner Seele aber klang das Wort nach und er sprach halb vergnügt, halb murrend vor sich hin:

„Fürstenlaune führt ihre Diener seltsame Straßen. Hätte all mein Tage nicht geglaubt, daß mich Wohl und Wehe der Pfefferprinzen von Augsburg kümmern sollte und nun schau ich nach jedem Narren, der ihnen Leid verheißt, als hätte er eine frohe Botschaft verkündet.“

Rechts vom Jacober Thor, längs des Lech, lagen die stillsten und ödesten Gassen der geschäftigen Reichsstadt. Schmale niedrige Häuser, dichtgedrängt, hinter den hochaufragenden Wällen und Innenwerken der Stadt versteckt, mit kleinen düstern und feuchten Höfen, boten kein verlockendes Bild, zumal wenn der Himmel regenschwer und neblig über ihnen hing. Zwei Tage waren seit dem Morgen in Herrn Marcus Welsers Garten verstrichen und in beiden hatte der April launisch getobt und dem Lenz, dessen Nahen in allen Lüften zu spüren war, jeden Sonnenblick auf Stadt und Gefild verleidet. In den schmalen Gassen, hinter den kleinen düstern Fenstern herrschte daher schon am Nachmittag Dämmerung und die alte Frau, welche eben in das einzige Gemach des niedersten dieser Häuser eintrat, erkannte ihren Sohn nur am Gruß. Die Gestalt des stattlichen Reiterführers Wolfgang Berg saß fast zusammengedrückt auf einem der Holzschemel, die das dürftige Geräth bildeten, das Haupt des kräftigen Mannes ruhte in den Händen und wie er jetzt emporsprang, seiner Mutter die Hand zu reichen, war es gut, daß ihr die Dunkelheit im Gemach den Anblick seines Gesichts raubte. Quälende Unruhe drückte sich in jedem Zug desselben aus und mit erkämpfter Festigkeit sagte er:

„Grüß Gott, Mutter. Was thut Ihr daheim, was treibt der Vater, was wißt Ihr sonst?"

„Das Letzte wirst Du vor Allem zu wissen verlangen," antwortete Frau Katharina mit tiefem Seufzer. „Ich war abermals bei Herrn Rehm: er sagt, daß Herr Marcus der Stadtpfleger krank an Leib und Seele, Fräulein Philippine in schwerer Betrübniß über die Krankheit ihres kleinen Pfleglings sei. Er fragte wiederum nach Dir, Wolfgang, ich fürchte, ihm ahnt, daß Du noch in Augsburg geblieben bist, denn schier höhnisch sagte er mir heut: Euer Sohn, Frau Katharina, wird sobald nicht wieder zur Stadt kommen. Die heilige Jungfrau schütze Dich, Unglückskind, daß sie bei den Welsern nicht erfahren, wessen Du Dich im Herzen unterfängst! Es hat doch Niemand Deine Rückkehr hierher gesehen?"

Wolfgang lachte, doch blieb es ein trübes Lachen:

„Ich bin nicht als Mörder aus Augsburg flüchtig geworden, ich bin frei hinweggeritten, weil es so sein muß, Mutter. Ich bin heimlich zurückgekehrt, weil ichs nicht trug, ohne alle Kunde und Kenntniß zu bleiben. Ich muß wissen, was geschieht, ich will bleiben, bis die Kölner hinweg sind!"

„Was kümmern Dich der Kurfürst und seine Ritter," wehklagte Frau Katharina. „Sieh Dich wohl vor, Dir droht Gefahr und wieder Gefahr. Der stolze Marschall von Pappenheim hat zweimal bei uns angepocht, zweimal nach dem Vater gesandt, ihn noch heut gefragt, ob es auch sicher sei, daß Du nach Deinem Hofe am See geritten. Wenn er wüßte, daß Du Dich hier versteckt hältst —"

„Ich weiß nicht, was der Marschall von mir will,"

unterbrach sie Wolfgang. „Ihm verberg ich mich nicht, auch scheue ich keines Menschen Auge, eines ausgenommen, ein blaues strahlendes Auge, das mir nicht wieder leuchten soll und nach dem michs doch gewaltsam hinzieht! — Seid jedoch ruhig, Mutter, Niemand hat mich zurückkehren sehen. Mein Roß ließ ich draußen und hier, just hier bei Muhme Brigitta sucht mich Niemand."

Er warf einen Blick in dem engen, düstern und dürftigen Gemach umher und nach dem großen Ofen, hinter dem eine andre alte Frau am Spinnrad eingenickt, und selbst durch Frau Katharinens Eintritt und das laute Gespräch nicht erweckt war.

„Und was soll nun werden — wie lange willst Du hier harren und lauern? wie solls enden?"

„Ihr fragt viel, Mutter, mehr als ich selbst weiß," gab der Reiterführer zur Antwort. „Ich will, ich möchte sie noch einmal sehen, wenns geschehen kann, und ich muß wissen, ob die Kölner Herren hinwegfahren, ohne daß zuvor etwas geschieht."

„Der hochwürdigste Kurfürst von Köln will morgen hinweg, unser edler Rath hat ihm bereits die Abschiedsverehrung in seiner Herberge überbracht," sagte die alte Frau.

„Der Kurfürst kümmert mich nicht!" gab Wolfgang zurück. „Den Gecken mein ich, den frechen Fant, den

Melchior Bassenheim von Köln. Er wird nicht mit aufbrechen, er wird bleiben, seine Reise und sein Geschäft enden am Haus Welser. Habt Ihr ihn nicht erblickt, von ihm nichts wahrgenommen?"

„Wohl, wohl, ich sah ihn erst vorhin!" entgegnete Frau Katharina eifrig. „Er ist Herrn Matthäus' und Frau Barbara's Gast und sie thun ihm Ehren an, die sonst im Welserschen Haus nur für die fürstlichen Verwandten und die höchsten Herrschaften aufgespart wurden. Herr Paulus ist gestern mit dem Jungherrn bei Marx Fugger am Weinmarkt vorgeritten und sie sind dann zusammen von der Geschlechterstube nach Herrn Fuggers Reithaus gezogen, wo ein prächtiges Ringelrennen stattfand. Der Vater war dort und ganz erfüllt von der Pracht ihrer Waffen und Rosse."

„Möchten sie prunken und spielen," sagte Wolfgang mit düstrer Miene. „Ich gönn' ihnen den Glanz und die Lust und Melchior Bassenheim die Ehre, die ihm alle Rathsherren und Jungherren von Augsburg anthun — nur eins nicht, nur die Perle nicht, die er mit Geld kaufen will, mit Geld, dessen sie selbst genug und nie genug haben!"

„Kümmre Dich nicht um ihr Thun!" bat Frau Katharina mit ängstlichen Blicken. „Laß Dir nicht beifallen, einem von ihnen den Weg zu kreuzen: sie sind stolz, grausam und unversöhnlich! Ich muß heimgehen, Wolfgang, der Vater schilt sonst oder faßt Verdacht. Wie lang willst Du noch hier weilen? Bedarfst und begehrst Du nichts — gar nichts?"

„Nichts, nichts, liebste Mutter!" sagte der Reiterführer. „Ein Stück Brod und einen Schluck Wein giebt mir Muhme Brigitte. Gute Nacht, Mutter — vergeßt nicht, mir morgen Nachricht zu bringen."

Frau Katharina ging, wie sie gekommen war, mit bekümmertem Gesicht. Wolfgang blieb in dem einsamen Gemach zurück, er war wieder auf den harten Schemel in der Nähe des einzigen Fensters gesunken. Es ward früh dunkel, die Schatten, die immer schwerer in diese düstern Winkel fielen, schienen ihm drückend zu werden.

„Warum bleibe ich?" sprach er vor sich hin. „Was ich wissen will, kann sich wochenlang hinziehn, aber wochenlang hielt ich hier nicht aus. Ist mir doch jetzt schon, als ob sich das niedre Dach und die Dunkelheit auf meine Brust legten. Und wozu auch? Ich wiege mich in den Liebesworten, die ihre Lippen stammelten, und möchte vergessen, was ihr Mund gleich darauf sprach! Sie hätte es nicht vermocht, mich so zurückzustoßen, nicht so, — wäre der Stolz und der Hochmuth ihrer Sippen nicht stärker in ihr, als ihre Liebe. Den Weg zu ihren Augen hab ich gefunden, zu ihrem Herzen nicht, oder ists umgekehrt? Und doch verlangt michs, sie noch einmal zu sehen, ohne daß sie mich erblickt, und doch kann ich nicht hinweg!"

Er sah schweigend auf die dunkle Gasse und lauschte dem Regen, der langsam auf die Dächer und das Pflaster niederrauschte. Wer in der Dunkelheit sein Gesicht erblickt hätte, würde wahrgenommen haben, daß er mit einem Entschluß rang, und wie er sich jetzt von dem Schemel erhob und dem Hintergrund des Zimmers zuging, fuhr die Alte erschreckt auf.

„Was begehrst Du, Wolfgang — willst Du hinweg?"

„Einen Gang nur — ich komme bald zurück. Pflegt Eurer Ruhe und seid unbekümmert um mich, Muhme Brigitte," gab er zur Antwort, den dunkeln Reitermantel und sein Schwert von einem Pflocke nehmend. Er trat, das Haupt beugend, aus der niedern Thür des Gemachs und des Hauses, und ohne sich umzusehen, mit raschen Schritten, verfolgte er seinen Weg durch die Stadt, die bereits am frühen Abend nachtstill geworden war. Er ging der Weißmalergasse zu, ohne sich selbst Rechenschaft zu geben, was er am Hause der Welser wolle. Fräulein Philippine hatte an schönen Sommerabenden ihren Platz im großen Erker, aber heut durfte er sie dort nicht zu sehen hoffen. Die Straßen um das Rathhaus waren lebendiger, als alle, die er vom Jacober Thor her durchschritten hatte, jeden Augenblick erkannte er eine oder die andre der vorübereilenden Gestalten, mußte fürchten, selbst erkannt zu werden. Eben jetzt traten zwei Männer aus dem großen Flur des Welserschen Hauses, der eine von ihnen im Hut und im schützenden Mantel, der andre barhäuptig, den Ersten ehrerbietig auf die Straße geleitend. Wolfgang drückte sich fest, pochenden Herzens an die Wand des gegenüberliegenden Hauses, er hatte den gelehrten Doctor Rembold, den Vetter des Stadtpflegers, und Jacob, den Kellermeister der Welser, erkannt. Er hörte den Arzt mit lauter Stimme sagen:

„Nun tröstet Euch — tröstet Euch, Meister Jacob. Dem Kinde ist wohl und Gott wird Euch Ersatz geben. Ich habe gewiß gethan, was ich vermocht, doch gegen die Gewalt solchen Fiebers und Gottes Rathschluß reicht keine Menschenkunst aus!"

„Ich glaub' Euch ja gern — ich dank' Euch tausendmal," entgegnete mit zitternder Stimme der Kellermeister. „Ich will nicht wider die Schickung Gottes murren, aber hart ists, Herr Doctor, hart und bitter, wenn die Hand kalt wird, die uns einst die Augen fromm zudrücken sollte. Und mich jammert des Fräuleins, sie hat Elsbeth lieb gehabt und kann sich nicht fassen. Herr Paulus und Matthäus haben ihr streng geboten, meine arme Wohnung zu meiden und doch ist sie seit gestern nicht mehr hinweggekommen."

„Ich weiß, ich weiß," sagte der Arzt in der hastigen Weise eines Mannes, der einen bedenklichen Gegenstand nicht weiter zu berühren wünscht. „Sorgt nur jetzt dafür, daß das Fräulein nicht bei der kleinen Todten verweilt, zuletzt trifft Euch der Zorn der Herren!"

Wolfgang hatte diese Worte, die Doctor Rembold im Weggehen sprach, schon nicht mehr vernommen. Sowie er wußte, daß Philippine Welser sich in der Wohnung des Kellermeisters befand, stand der Schauplatz seiner Knabenspiele deutlich vor seinen Augen! — Wenn nicht alles seitdem anders geworden war, mußte er zu diesem Hintergebäude auf einem Seitenweg gelangen können. Er trat durch die Thür und in den Flur des Bankhauses, er stieg selten betretene Treppen empor, schritt durch öde Gänge, in denen seine leisen Tritte widerhallten. Zwei-, dreimal stand er still, mit verhaltenem Athem lauschend, ob sich Jemand nähere — er mußte selbst darüber lächeln, als er seinen Weg weiter verfolgte:

„Gleich einem Räuber schreck ich zusammen! Ein Räuber, der im schätzereichen Haus der Welser nichts will und begehrt, als ein holdes Antlitz und ein schimmerndes Auge noch einmal zu erblicken!"

Jetzt war er in jenen Theil des großen Hauses gelangt, in dem sich die Wohnungen aller Welserschen Diener mit eignem Hausstand befanden. Er glaubte sich zu erinnern, daß ein völlig dunkler Gang der Thür des Kellermeisters gegenüberliege, und wenn ihm das Glück günstig war, hoffte er dort, von Philippine ungesehen, sie erblicken, ihr mit den Augen bis zum breiten Flur des Vorderhauses folgen zu können. Erst wie er fast bis zur Thür gelangt, an der er vorüber mußte, und aus welcher sie hervortreten sollte, nahm er wahr, daß diese Thür weit geöffnet stand, daß Lichtschein aus ihr auf den Gang, den er durchschritt, und jenen, der ihn verbergen sollte, fiel. Sein Herz schlug hörbar, er that wenige Schritte zurück, dann aber trieb ihn sein innerstes Verlangen wieder vor. Er hob zögernd den Fuß, er faßte sein Schwert krampfhaft fest, damit es nicht verrätherisch klirre. Und jetzt trat er in den vollen Lichtschein, der über die Schwelle glänzte, jetzt blickte er, gebannt, unfähig einen Schritt weiter zu thun, in das kerzenhelle Gemach.

Drinnen leuchteten vom dunkeln geschnitzten Schrein, dessen Thür ein Muttergottesbild zierte, die Lichter. Vor den Schrein war ein kleines Bett gerückt, weiße Kissen schienen eben frisch auf dasselbe gelegt — auf den Kissen lag ein Kind, ein vierjähriges Mädchen, anscheinend friedlich schlummernd, wenn es nicht das Todtenhemd und die Händchen, die starr über die Brust gekreuzt lagen, anders bezeugt hätten. Am Lager des Kindes aber kniete Fräulein Philippine, ihr Haupt, dessen reiches blondes Haar aufgelöst war, ruhte auf dem Rande des Betts, ihr Antlitz war leicht in die Kissen gedrückt, — Wolfgang hörte ihre schluchzenden Klagelaute und stand tief ergriffen. Noch zu rechter Zeit besann er sich, daß sie plötzlich emporsehend bei seinem Anblick erschrecken müsse, er wich in den Gang, den er vorhin im Auge gehabt. Einige Augenblicke noch währte die feierliche Stille — dann erklangen hastige Tritte, Meister Jacob der Kellermeister kehrte zurück, und nachdem er stumm neben der Leiche seines Töchterchens ein Gebet gesprochen, sah ihn Wolfgang flüsternd und sanft drängend zu Philippinen reden. Er vernahm kein Wort des Gesprächs — er nahm nur wahr, daß die Jungfrau lange nicht von ihrem Platze wich und mehr als einmal das Haupt schüttelte. Sie erhob sich endlich, sie beugte sich noch einmal auf die kleine Todte herab und sagte mit brechender, thränenerstickter Stimme:

„Leb wohl, Elsbeth, leb wohl, mein süßes Kind! Vergiß mich da drunten und droben im Himmel nicht ganz, ich werde Dein nie vergessen!“ — —

Meister Jacob stützte, mit angstvollem Blick auf das tieftraurige thränenüberströmte schöne Antlitz, die wankende Gestalt Philippinens. Sie kehrte noch einmal nach dem kleinen Bett zurück und sagte mit einer Art Heftigkeit:

„So arm — so bloß wollt Ihr meinen Liebling da in den Sarg legen, Meister Jacob? Nur im Todtenhemdchen?

Nein, nein, lieb Elsbeth, Du sollst weicher und schöner liegen."

Ihr Auge glitt an der eignen Gestalt hinab, mit raschem Entschluß raffte sie das kostbare blauseidene Oberkleid, das in reichen Falten über ihr schlichtes Untergewand wogte, zusammen, einen Augenblick später hatte sie das Kleid zu einer reichen, prachtvollen Decke gefaltet, in die sie die kleine Entschlafene einhüllte. Dann wandte sie sich rasch mit neu hervorbrechenden Thränen hinweg und zur Schwelle:

„Alles — alles, was mir lieb ist, verläßt mich und muß mich verlassen!"

Wolfgang vernahm den halberstickten Ausruf nicht, ihn hatte die Weise, in der das schöne Mädchen das todte Kind schmückte, mächtig ergriffen. War es doch, als habe er einen tiefen Blick in die Seele Philippinens gethan.

„Das ists — das ists!" sprach er gepreßt vor sich hin. „Sie liebt, wo ihr Herz es gebietet, doch sie kann selbst den Tod ohne den fürstlichen Glanz und all seinen Schmuck und Schimmer nicht denken. Verzeih mir Gott, daß ich ihr Unrecht that, aber weil es so ist, ist meines Bleibens hier nicht. Ich habe sie gesehn — und so gesehn, daß es lohnt, durch das Leben und in der Sterbestunde dran zu denken. Ich will hinweg, noch in dieser Stunde!"

Ungesehen von dem Kellermeister, der die Thür seiner Wohnung geschlossen hatte, sowie er Fräulein Philippine ehrfurchtsvoll über die Schwelle geleitet, erreichte der Reiterführer die Gänge und Treppen, über welche er hierher gelangt war. Er wähnte die Jungfrau bereits in der Stille ihres Gemachs und konnte nicht ahnen, daß sie dasselbe trotz der flüchtigen Schritte, mit denen er sie entschwinden sah, nicht erreicht hatte.

Philippine Welser blickte, als sie das Zimmer Meister Jacobs verließ, nicht zurück und nicht vor sich. Mechanisch verfolgte sie ihren Weg, dort sah sie den breiten prächtigen Flur des Vorderhauses, dort die Thür ihres eignen Gemachs. Aber plötzlich schrak sie zusammen, die thränenschweren Wimpern zuckten, ihr Auge fiel auf eine Gruppe von Männern, die ihr den Weg vertraten, und hinter denen Frau Barbara Welsers breite Gestalt sichtbar ward. Neben Herrn Matthäus und Herrn Paulus, von denen des Einen Antlitz zürnend bleich, des Andern zürnend roth war, nahm das erbebende Mädchen Herrn Melchior, den Kölner, wahr, der erst verlegen schien und dann, als er die schöne Gestalt im enganschmiegenden Unterkleid, mit bloßen Armen gewahrte, das Antlitz zu behaglichem Grinsen verzog. Herr Matthäus aber ergriff den Arm seiner Nichte im Augenblick, wo sie mit einem zürnenden Blitz aus den blauen Augen vorübereilen wollte, und sagte:

„Wohin — wohin so eilig, Fräulein? Hast Du nur für die Diener im Haus und nicht für Deine Verwandten Zeit? Du kommst einen Weg daher, den Du nie selbst gehen, auf den Du nur Deine Zofe senden solltest. Hast Du wiederum meinem Verbot getrotzt, warst Du wiederum bei Meister Jacob?“

„Gewiß war ich, Ohm Matthäus,“ entgegnete Philippine. „Und Ihr wußtet, daß ich Euch nicht gehorchen würde — Ihr wußtet es, als Ihr das Verbot spracht. — Laßt mich, ich erröthe vor den Blicken des fremden Mannes,“ fügte sie leiser und mit bezeichnendem Blick hinzu.

„Wer trägt die Schuld — wer vergißt sich soweit, dem Kinde des Dieners die eignen theuren Gewänder in die Gruft nachzuwerfen?“ fiel Herr Paulus ein. „Spare Dir die Widerrede: ich sah Dich vorhin aus Deinem Gemach kommen und Du warst anders angethan, als eben jetzt!“

„Ohm Paulus — Ihr scheltet mich — im Angesicht des fremden Junhgerrn?“ fragte Philippine entrüstet.

„Er wird Dir nicht fremd sein, er soll Dir nicht fremd

sein!" rief Frau Barbara. „Gut, wenn es Dir leid ist, daß Du vor Andern erröthen mußt und wenn Du Reue trägst. Ist das Kind, um das Du zum Gespött des Hauses und der Stadt wirst, noch nicht begraben, und wie lange wird dies Wesen noch währen?"

Philippine antwortete nichts — der Blick, der auf Frau Barbara und die beiden Oheime fiel, sagte ihnen genugsam, was in ihr vorging. Sie entwand sich Herrn Matthäus und schritt nach ihrem Zimmer, dessen Thür sich hinter ihr schloß, ohne daß eines aus der Gruppe sie aufhielt. Der junge Patricier von Köln schaute ihr offnen Mundes nach, er war offenbar betroffen und hob mit unsicherer Stimme an:

„Das edle Fräulein hat ihren eignen Willen und geht ihren eignen Weg, der künftige Gemahl mag wohl Acht haben, daß es kein Irrweg ist!"

„Meint Ihr, Herr Bassenheim?" erwiederte Herr Matthäus mit verstecktem Hohn. „Soviel ich weiß, hat die Jungfrau noch keinen andern Willen gehabt, als den meinen und den meines Bruders. In kindischen Launen, in Einfällen, wie sie Mädchen hegen, bevor sie einen Mann haben, hat ihr der Stadtpfleger das Wort geredet, und wie ein Bürgerkind, die der Schürze Acht hat, ist sie nicht erzogen worden. Wenn Euch das in Köln zu einer guten Ehefrau nothwendig dünkt —"

„Ihr müßt sie besser kennen, als ich, ich habe von ihr noch kein andres als ein finstres Gesicht erblickt,“ unterbrach Herr Melchior den Sprecher. „Zeit wird es, daß Ihr Abrede mit dem edlen Stadtpfleger nehmt! Da Ihr meint, daß er keinen Einspruch erheben und Euren Willen gutheißen wird, so darf ich bald hoffen, daß mich die Jungfrau ein wenig holdseliger ansieht.“

„Der Stadtpfleger wird meinen Willen ehren, verlaßt Euch darauf!“ sprach Herr Matthäus mit einem Ausdruck, den der junge Kölner nicht verstand und den selbst Frau Barbara mit Ueberraschung sah. „Was das Haus und sein Gedeihen anlangt, so galt meine Stimme und wills Gott, wird sie auch ferner gelten. Um des Hauses willen bedenkt aber noch einmal, Herr Melchior, was Ihr zusagt. Ich täusche Euch nicht: will Euer Vater, wollt Ihr zu unsrer Sevillaflotte und dem Darlehn an den Herzog von Savoyen dreimalhunderttausend Ducaten einschießen, so sollen sich die Häuser Bassenheim und Welser verbinden. Dünkts Euch zuviel gewagt, oder müßt Ihr es noch bedenken, so laßt mich nicht eher mit dem Stadtpfleger sprechen, als bis es Zeit ist!“

„Wollt Ihr solch Gespräch auf dem Flur führen?“ mischte sich Frau Barbara ein. „Ich hoffe, daß die Herren mein Gemach nicht verschmähn — hier könnten die Diener der Abrede lauschen.“

„Es braucht keiner Abrede,“ sagte Melchior Bassenheim, der nach dem Zimmer Frau Barbaras wenig Sehnsucht zu empfinden schien. „Wie Ihrs fordert, gelob ichs, und sage Euch noch einmal, daß mein Vater um der Verbindung mit Euch willen thuen wird, was Ihr begehrt. Am Tage, wo wir das Verlöbniß feiern, sollt Ihr die Handschrift darüber erhalten, und wenn Euch der Kurfürst dafür bürgt, daß sie von Caspar Bassenheim zu Köln eingelöst wird, so nehmt Ihr wohl Abrede mit dem Stadtpfleger?“

Die Hände der Männer legten sich nach diesen Worten kräftig zusammen, doch war es Frau Barbara, als ob sie einander dabei nicht in die Augen sähen. Sie verließ die Drei mit steifem Gruß und stolzem Gewandrauschen, als ihr Gatte wieder das Wort nahm: „Ihr begleitet meinen Bruder Paulus vielleicht zur Geschlechterstube oder wohin Euch sonst das Herz zieht, Herr Melchior! Ich will noch diesen Abend zum Stadtpfleger, Philippine soll schon morgen bestimmt wissen, daß Euer Wunsch unser Wille ist. Den trotzigen Sinn des Fräuleins dürft Ihr nicht scheuen, Verlöbniß und Hochzeit brechen ihn, und wenn sie Euch nicht früher anlacht, so thut sie's sicher, sobald sie den ersten Buben von Euch auf dem Schooße hält!“

Herr Paulus Welser lachte nach seiner Weise hellauf, der Jungherr von Köln zog ein saures Gesicht und warf einen halb zweifelnden, halb drohenden Blick nach der Thür, hinter welcher die schöne Philippine vorhin verschwunden war. Herr Matthäus hatte weder des einen noch des andern Acht, er ging, nachdem er Bassenheim flüchtig den Vortritt angeboten hatte, die Treppe hinab und stieg drunten vor dem Hause in die bereitstehende Sänfte. Die Träger schritten mit derselben langsamen Würde durch die nachtdunkeln Straßen, als ob sie ihn zur Rathsversammlung trügen. Ein paar Mal wollte er sie ungeduldig antreiben, doch besann er sich stets eines Bessern und bewahrte auf dem Wege bis zum Gögginger Thor und zum Garten des Stadtpflegers seine ruhige Haltung.

Er zog die Glocke am Gartenpförtchen, der alte Ambrogio öffnete rasch. Das Haus des Stadtpflegers lag dunkel zwischen den Bäumen, nur aus den Fenstern des Studirzimmers glänzte ein Licht. Herr Matthäus sah mit schlecht verhohlnem Unmuth zu diesen Fenstern empor und während er schnell bis zur Thür des Hauses gegangen war, zögerte er jetzt offenbar einzutreten. Erst die fragende Miene des alten Italieners, der mit einem Windlicht neben ihm stand, erinnerte ihn an seine Hast.

„Es ist gut, Ambrogio, — Du brauchst nicht emporzuleuchten. Ich kenne die Stiege und die Thür,“ sagte er.

„Der Diener des gestrengen Herrn Stadtpflegers ist im Vorgemach,“ entgegnete der Gärtner. „Ich werde

Acht haben, Euch zu rechter Zeit durch den Garten zurückzuführen."

Der Kaufherr war während dieser Worte schon droben. Er ging an der Thür des Vorgemachs vorüber, nach einer andern, die vom Flur in das Zimmer Marcus Welsers führte. Er pochte hart an und trat dahinter ein, ohne erst den Ruf des Stadtpflegers abzuwarten. Derselbe hatte sich vom Stuhle erhoben und hielt den Armleuchter mit zwei Wachskerzen hoch empor, um den unerwarteten Besuch sogleich zu erkennen. Herr Matthäus warf einen spöttischen Blick auf das bleiche überwachte Gesicht des Bruders, einen andern zwischen die Bücher und Papiere, die den Tisch bedeckten.

„Du bist es, Matthäus — Du kommst spät und unerwartet," rief Herr Marcus.

Der Kaufherr trat näher heran, ohne in Marcus' dargebotne Hand einzuschlagen. „Nicht ganz willkommen, mein ich? Du liebst es nicht, wenn Du über diesen" — er deutete auf die Bücher — „in stiller Stunde noch gestört wirst. Mir aber schien es billig, daß ich dem Besuch zuvorkäme, den Du mir über meinen Büchern und Handschriften auf morgen zugedacht hattest."

Der Stadtpfleger setzte den Leuchter, den er noch immer hochhielt, mitten unter die Blätter, an denen er geschrieben hatte. Der harte Ton, in dem Herr Matthäus sprach, schien ihn tief zu verletzen, seine Stirn faltete sich schwerer als zuvor und seine blassen Lippen zuckten merklich, als er entgegnete:

„So setze Dich, Matthäus, ich hätte gern Deinem und meinem Abend den Frieden gelassen, aber einmal mußte die Stunde doch sein und Du sagst recht, daß ich morgen zu Dir gekommen wäre, um ein ernstes Wort zu sprechen."

„Wolltest Du das? kannst Du das?" fragte der Kaufherr höhnisch zurück, indem er sich dem Stadtpfleger gegenüber niedersetzte. „Ich will es wünschen, Leopold Rehm schien Zweifel zu hegen und kam schier selbst von Sinnen, weil er Dich von Sinnen meint."

„Leopold Rehm?" rief der Stadtpfleger erschrocken aus. „Er hat zu Dir, über mich gesprochen. Von ihm weißt Du, daß ich morgen bei Euch vorsprechen wollte?"

„Erzürne Dich nicht, Marcus!" antwortete Herr Matthäus mit Ruhe. „Dir scheint, daß der Alte treulos an Dir geworden ist, thu' ihm nicht Unrecht. Er hat Dich mit treuem Herzen aufgesucht und Dir enthüllt, was er von der Lage unsres Hauses weiß. Er hat Hülfe und Rath bei Dir gesucht und gehofft und würde zu Dir gestanden haben gegen mich und Paulus, gegen alle Welt. Erst wie er zu erkennen meinte, daß Gott Deinen Sinn verwirrt und mit Thorheit geschlagen, erst dann ward er in seinem Glauben an Dich irr und nun kam er zu mir und bekannte, was er gethan und geschaut hat. Es mag die schwerste Stunde seines Lebens gewesen sein, zürne dem alten Narren nicht, Bruder Marcus."

Der Stadtpfleger saß wortlos, die Zornglut war aus seinem Antlitz gewichen, mit gesenktem Haupt und bekümmertem Ausdruck hörte er die kalten Worte des Bruders. Achtlos auf das, was in seinen Zügen vorging, fuhr Herr Matthäus fort:

„Ich weiß nicht, ob Leopold Rehm schwer irrt, ich hoffe, in seiner Seele sind Deine Reden gewichtiger, als Du sie selbst ansiehst. Wenn ich jedoch bedenke, daß Du jetzt, eben jetzt, wo Du von dem Alten Manches weißt, was Du nicht sehen wolltest, Amt und Würden an die Stadt zurückzugeben meinst, wenn ich wahrnehme, welch einen Sinn Du in Philippinen hineingesäet und gelehrt hast, so muß ich doch fürchten, daß Leopold nicht ganz Unrecht hat."

Der Stadtpfleger erhob sich wiederum, seine Bewegung, seine Miene drückten gleiche Entschiedenheit aus. Fast gebietend sagte er schnell:

„Das Mädchen laß aus diesem Gespräch, Matthäus. Es ist ein alter Zwist und auf sie fällt zurück, wenn ich Dir Unmuth erregen muß. Du willst, Du sollst von der Lage unsres Hauses mit mir sprechen, nicht von Philippine."

„Ich weiß das eine vom andern nicht zu trennen,“ entgegnete Matthäus Welser trocken. „Du wirst es erfahren.“

„Und hat — hat Leopold Rehm mir die Wahrheit berichtet?“ fiel der Stadtpfleger scharf ein, als wolle er gewaltsam das Gespräch in seinem Sinne lenken.

„Die Wahrheit?“ gab der Kaufherr höhnisch zurück. „Es wäre schlimm, wenn er sie wüßte, darüber sei unbesorgt. Der Alte kann von seinen Büchern aus manches übersehn, mehr als genug, wenn Du willst, aber alles, die ganze Wahrheit nicht.“

Durch den kalten Hohn des Patriciers zitterte gleichwohl ein andrer Laut hindurch und entging dem lauschenden Ohr des Stadtpflegers, der in peinlicher Spannung saß, nicht.

„Matthäus, was soll mir das? Beim Gedächtniß unsrer Mutter, laß diesen Ton und sprich zu mir, wie Du sonst gesprochen hast, sage mir frei, was uns droht und bedrängt!“

„Thue ich nicht so?“ versetzte Herr Matthäus finster. „Meinst Du, daß ein Fremder von mir solche Worte vernehmen würde? Was uns droht? Das Schlimmste und mehr als das, wenn Du fortfährst, wie Du begonnen hast, nichts, wenn Du so brüderlich gesinnt bist, wie Du mich forderst.“

„Bin ichs, der unser Haus gefährdet? Trag ich die Schuld, wenn maßloser Prunk und allzukühne Wagstücke Eure Kassen tiefer geleert haben, als recht ist? Hätte ich mich Deinem Rufe für unser Haus entzogen, wenn er mir einmal erklungen wäre? Du warst es, Matthäus, der mich seit Jahren fern hält, in Deinen Händen meint ich Ehre und Gedeihen des Hauses besser bewahrt als in den meinen und nun — was werde ich hören müssen? was ist die ganze Wahrheit, die selbst Leopold Rehm nicht ahnt?“

„Auf Deine Fragen könnt ich Manches erwiedern, Marcus,“ entgegnete der Kaufherr. „Du zürnst gewaltig ob des maßlosen Prunkes und würdest vielleicht staunen, wenn Dir unsre Bücher zeigten, was Du für Dich selbst, Deine Bauten, Deine Gärten, Deine Druckerei zu Venedig, Deine kostbaren Bücher und Schriftrollen und zur offnen Hand für alle gelehrten Hungerleider bedurft hast! Doch sprech ich nicht davon! Die Welser sollen nicht vergessen, wer sie waren, und mit karg geschmalzten Suppen und fadenscheinigen Mänteln werden Bedrängnisse wie die unsern nicht überwunden! Ich habe geschwiegen, weil ich glaubte, Dein Auge säh selbst und müßte es sehn, daß unser Haus Risse und drohende Spalten hat! Ich schwieg, weil ich vertraute, daß die Pfeiler, auf denen es ruht, unerschüttert stünden — weil ich nicht wähnen durfte, daß Du selbst, Allen voran, die Pfeiler untergraben würdest."

„Sprich nicht in Bildern, Matthäus, Du warst ja sonst kein Poet!" fiel Herr Marcus mit steigender Ungeduld dem Scheltenden ins Wort. „Sag mir klar und plan, was Du weißt und ich wissen muß!"

„Wohlan denn," rief Matthäus Welser. „So wisse, daß die große glänzende Welser-Gesellschaft, die noch bei Lebzeiten unsres Vaters Gewinn auf Gewinn, Schätze auf Schätze häufte, seit mehr als dreißig Jahren nur selten noch ein Unternehmen ohne Verlust geschlossen hat! So wisse, daß von unsern Häusern zu Sevilla und Antwerpen nur spärliche Summen nach Augsburg fließen, wisse, daß von all den Darlehn, die wir an Fürsten, an Herren und Städte gewährt, mehr als die Hälfte verloren ward. Wisse, daß der Ertrag der Bergwerke, die wir in Polen und Siebenbürgen, wie im deutschen Reich von den Fürsten übernommen, stets karger und karger fließt und längst nicht mehr hinreicht den Aufwand unsres Hauses zu bestreiten. Daß unsre Verpflichtungen nach Hunderttausenden, ja nach Millionen von Goldgulden zählen, unsre Aussichten schwankend, unsre Unternehmungen gefährdet sind. Daß mehr als ein Theilhaber an unsrer Gesellschaft seine Einlagen zurückziehn möchte, daß die Fugger schon seit Jahren ihren eignen Weg gegangen sind und uns den unsern allein überlassen haben. Daß jetzt, eben jetzt unsre letzten Hoffnungen darauf ruhn, dem König von Spanien einen Vorschuß auf die Gewürzflotte von Manila zu thun und mit dem Herzog von Savoyen einen Darlehnsvertrag zu schließen — Unternehmen, bei denen uns wie in alten Tagen dreihundertfältiger Gewinn in Aussicht steht. Wenn wir dies nicht mehr vermöchten, so könnt es geschehen, daß ich die Bücher unsres Hauses und der Welser-Gesellschaft vor den Rath von Augsburg legen müßte. Kaiser Rudolfs Schuld, die Wolfgang Berg glücklich heimgebracht hat, sollte uns helfen — nun wird sie von den Verlusten, die uns die beiden letzten Jahre gebracht haben, die — seltsam genug — alle in Pömers Hand zusammenliefen, schier verschlungen. Du hast vernommen, wie ungestüm Daniel Pömer den größten Theil des Goldes in seine Cassen geleitet hat. Er muß mehr wissen, als Du selbst, Marcus; wär' er nicht durch Brief und Siegel gebunden, er zöge jeden Gulden zurück. Und hinter ihm stehen Hunderte und Tausende, vom Kriegsfürsten, der seine erpreßten Beutegelder, bis zum Weber, der den Lohn seines Schweißes in unserm Unternehmen geborgen hat. Kämen sie Alle und verlangten Rechenschaft, begehrten Zahlung, so würden weder Du noch ich auf unsern Stühlen im Rath bleiben!“

Er sprach nicht Alles aus, was in seinem Antlitz, in

dem bösen Lächeln, das seine letzten Worte begleitet hatte, zu lesen war. Marcus Welsers Auge hing starr an seinen Lippen und er errieth, was ungesagt blieb.

„Wenn wir seit dreißig Jahren Verlust zu Verlust häufen und selten gewinnen," sprach er tonlos, aber mit einem flammenden Blick, „so hat der Verlust all die Tausende der Theilhaber an der Welser-Gesellschaft und der Gewinn uns getroffen?"

Herr Matthäus nagte die zuckenden Lippen und antwortete nur mit einer Kopfbewegung. Der Stadtpfleger legte in momentaner Erschöpfung sein Haupt an die geschnitzte Lehne des Stuhls zurück, gleich darauf aber bog er sich wieder vor und rief mit zürnender Stimme:

„Und ich, Matthäus, ich, der dies Alles — Gott und seine Heiligen wissen es! — nicht geahnt, in seinen finstersten Träumen nicht geahnt hat, ich wärs dennoch, der die Pfeiler des Hauses untergräbt? Es müssen treffliche Pfeiler sein, auf denen solch Gebäude von Wirrniß, von Trug, von Schande und Verzweiflung ruht! Ihr habt ein Haus voll Reichthums, voll Herrlichkeit und Ehre überkommen, Ihr habt den Bau hoch hinausgeführt und die Wände stattlich geschmückt! Wenn all Eure Pfeiler der Schein des alten Glanzes, ein paar trügerische Hoffnungen sind, so seht wohl zu, daß sie nicht über Nacht brechen, ohne mein Zuthun."

„Die Pfeiler sind bessre, als Du nennst," erwiederte Herr Matthäus zornig. „Sie sind der alte Ruhm des Hauses Welser, seine Ehren in aller Welt, seine Verwandtschaft mit hundert großen Familien, selbst mit dem Stamme des Kaisers. Sie sind die Gewißheit, daß bessre Zeiten kommen müssen, daß mit unsern Verbindungen, mit Klugheit und Einsicht neue Reichthümer gewonnen werden können, wenn wir aufrecht und wachsam bleiben. Du freilich hast andre Mittel in Bereitschaft, Du wirfst die Würde des Hauptes dieser Stadt wie ein lästiges Gewand von Dir, Du träumst davon, Deine Nichte, deren Liebreiz die edelsten, die reichsten Bewerber anlockt, dem Reitersbuben, dem Abenteurer nachzuwerfen, der durch Dich allein vergessen hat, daß er, wie sein Vater, unser Diener, nichts mehr, nichts minder ist. Willst Du ein Uebriges thun, Marcus, so setze Dich über unsre Bücher, wie Du gewollt, nimm die Geheimbriefe, die in meinem Schrein liegen, zieh aus und stelle zusammen, was Du findest, trag' es selbst nach der Rathsstube und warte des Weitern. Dann werden die Lehrbuben auf den Straßen der Stadt und die Wanderburschen im Reich pfeifen, warum Marcus Welser das Stadtpflegeramt verlassen hat!"

„Und wenn ich nicht so thue," sagte Herr Marcus bitter, „was wird es ändern? Meinst Du ich solle, nachdem ich weiß, was Du mir eben gesagt, an Eurem

Trug, am schnöden Gewebe glänzenden Scheines mit fortspinnen?"

„Ich meine es und Du mußt es," entgegnete Herr Matthäus mit starker Stimme. „Du hast der Ehren und Reichthümer unsres Geschlechts genossen, Du hast kein Recht, Dich von uns in der Stunde der Noth zu lösen. Auch hälf es Dir nicht, Du stehst gleich mir und gleich Paulus an der Spitze des Hauses, Du würdest unser Geschick theilen, das Du wenden kannst. Täusche Dich nicht, Marcus: wenn jetzt der stolze Bau zusammenbräche, wenn unser Name jetzt an die Tafel der Bankbrüchigen geschlagen würde, so gält es Leben und Tod. Thue noch einen falschen Schritt wie den, den Du schon gethan, und der Argwohn erwacht, das Mißtraun stürmt zusammt dem Neid wider uns an, wir könnten nicht bestehn. Stoße noch eine Hand zurück, die sich zur Hülfe, zur rettenden Hülfe beut und es wird sich keine zweite ausstrecken!"

Der Stadtpfleger, der bisher zu Boden sah, wendete sein Auge wieder auf den Bruder, welcher während all dieser Reden eine beinah drohende Haltung angenommen hatte. Er sah forschend in Matthäus' Antlitz, als könne er sich durch einen Blick in dasselbe manche Frage ersparen.

„Wer hat die helfende Hand? Was habt Ihr vor, wozu Ihr meiner bedürftet, Ihr, die Ihr Alles gethan und gewagt habt ohne mich?"

„Der junge Melchior Bassenheim von Köln! Er wirbt um Philippine und ich nehm' es als Gottes Fügung, daß es ihm Ernst um die Verbindung mit unserm Hause ist. Ich habe mit Paulus berathen und hohe Forderungen gestellt, ehe ich die Werbung vor Dich brachte!“

„Gottes Finger! Gottes Fügung! Lästert seinen heiligen Namen nicht!“ rief der Stadtpfleger leidenschaftlich. „Wenn Ihr müssige Pläne spinnt, Wind sät und Sturm erntet, so laßt den Herrn aus dem Spiel und betrügt das herrliche Mädchen, die eines Fürsten würdig wäre, nicht um ihr Leben!“

„Ich weiß, daß Du den Fürsten allenfalls unter einem Holzdach im Bregenzer Wald suchst und nicht im fürstlichen Haus der Bassenheim zu Köln. Herr Melchior gefällt Deinen Augen nicht und die thörichte Jungfrau scheint mit Deinen Augen zu sehn. Von müssigen Plänen ist nicht die Rede; die Werbung ist ernst, unwiderruflich, und sobald sie durch das Verlöbniß besiegelt wird, treten Melchior Bassenheim und sein Vater mit dreimalhunderttausend Ducaten unserer Gesellschaft bei. Die Summe ist hoch, sie reicht mehr als hin, uns in wenigen Jahren wieder zu stellen, wie wir gestanden haben und stehn wollen in alle Zeiten.“

„Gewiß, gewiß,“ sprach der Stadtpfleger mit tiefster Bitterkeit. „Ihr werdet Alles thun, zu bleiben, die Ihr seid, und Philippine, meine schöne, stolze herrliche Philippine wird es mit ihrem Leben bezahlen. Dreimalhunderttausend Ducaten! Wie hoch ist Philippine, wie hoch die Ehre unsrer Freundschaft angeschlagen? Und wie wärs, wenn die Bassenheim, die noch vor fünfzig Jahren kluge Krämer am Neumarkt zu Köln waren, just so schlau zu sein glaubten als Ihr? Hast Du in ihre Bücher geblickt, bist Du sicher, daß in ihren Geheimbriefen nichts ähnliches steht, wie in den unsern und daß sie nicht die Stütze an Euch suchen, die Ihr an ihnen zu finden glaubt?"

Der Blick des Stadtpflegers war immer schärfer, eindringlicher, bohrender geworden und Herr Matthäus brach zwar in gezwungnes Lachen aus, das als Antwort gelten sollte, zeigte sich aber dennoch sichtlich betroffen.

„Das Unglück macht scharfsinnig und mißtrauisch — doch thust Du uns Unrecht, Marcus, wenn Du die Schuld unsrer Verluste bei uns suchst. Die Weltläufte konnten wir nicht bezwingen, — der Jungherr von Köln würde es nimmer wagen, mit uns zu spielen. Und noch mehr: Kurfürst Ferdinand selbst hat für ihn angepocht — es steht nur bei Dir, was Du thun willst."

„Habe ich noch einen Willen?" fragte Herr Marcus hart.

„Gewiß, denn Dir bleibt die Wahl," erwiederte der Kaufherr, in den kalten Ton zurückfallend, den er zuerst angeschlagen hatte. „Du kannst thun, wonach Dein Herz verlangt, Würde und Bürde von Dir werfen, kannst Alles mit einem Schlage enden, wenn Du mir und Paulus die letzten Stützen unter den Füßen hinwegziehst. Du kannst erleben, daß die Siegel der Stadt an unsern Kassen und Häusern prangen, daß die Vettern der Erzherzöge von Oestreich, Dich selbst eingeschlossen, gefangen in den Eisen liegen, daß unsre Frauen und Philippine um eine Zuflucht in Klöstern betteln müssen, die wir in bessern Tagen von den Abfällen unsres Ueberflusses ausgestattet haben! — Doch Du kannst auch dies Alles wenden und hindern, wenn Du feststehst und die Träume, die Dir aus Deinen Schriftrollen aufsteigen mögen, nicht ins Leben trägst."

„Was verlangt Ihr von mir? Sag es kurz und in schlichten Worten," drängte der Stadtpfleger.

„Ich hab es gesagt — es ist wenig genug," rief Herr Matthäus. „Man wird Dich bitten, Deines Stadtpflegeramts ferner zu warten, Du mußt es um des Hauses willen thun. Wir brauchen die Ehre, die Geltung, vielleicht auch die Macht des Amtes. Philippine wird für ihre Thorheit Schutz bei Dir suchen, Du mußt ihr zeigen, daß Dein Wille wie der unsre ihr Melchior Bassenheim zum Gemahl bestimmt hat! — Willst Du mehr thun, so lebe nicht ferner wie ein grübelnder Mönch oder Magister, so verschließe Dich nicht in diesem Garten, als ob Du schon von uns geschieden wärst. Alle Augen blicken auf uns, es darf kein Argwohn wach werden! Du brütest dumpf über Dingen, über die Dir keine Gewalt geliehn ist, laß ihnen ihren Lauf! Ich wollte, die Wirrniß bräche herein, die Du seit Jahren verheißest, mir sollte nicht bangen, unser Schiff hindurchzusteuern, und es stattlicher und stolzer als zuvor wieder zum Hafen zu bringen!"

Herr Matthäus hatte in didsem Augenblick so völlig das Aussehn eines verzweifelten Spielers, daß es der Stadtpfleger wahrgenommen haben müßte, wenn er nicht in sich versunkner als zuvor bald auf den Boden, bald auf die hohen stattlichen Reihen seiner Bücher hingeblickt hätte. Der Kaufherr wechselte in schlecht beherrschter Ungeduld, daß er noch nicht am Ziel sei, zum dritten Mal seinen Platz. Auch der Stadtpfleger erhob sich wiederum, in seinem Antlitz trat der Kampf zu Tage, in dem sein Familienstolz mit seinem Gewissen rang. All seine Züge schienen von Minute zu Minute stumpfer und dumpfer zu werden und dazwischen zuckte und leuchtete es doch wieder, bis er plötzlich mit erhobner Stimme ausrief:

„Nein und tausendmal nein, ich thu's nicht, was Ihr begehrt, ich darf es nicht! Habt Ihr uns verdorben und bis zum Letzten gefährdet, so laßt's an mir genug sein und opfert das Mädchen nicht! Welch ein Leben an der Seite des gelben, plumpdreisten Gesellen, den Ihr ködern wollt.

Welch ein Leben, wenn der alte Bassenheim und er zu ahnen beginnen, warum Ihr ihnen die Ehre der Schwägerschaft gegönnt, wenn Ihr Euch wiederum verrechnet, wie Ihr Euch die Jahre daher und bis heut verrechnet habt. Sei barmherzig, Matthäus, nenne einen andern Ausweg, ich will jeden mit Dir gehn, aber begehrt nicht, daß ich Philippine zwinge. Soll ich so halten, was ich ihren Aeltern am Todtenbett gelobt? Ist dies das Glück, das ich ihr tausendmal in meinen Gedanken bereitet, zu dem ich sie erblühn sah? Rafft alle unsre Habe zusammen, setzt alle Kräfte ein, wenn Ihr noch Hoffnung habt, aber denkt auf einen andern, einen bessern Gemahl für Philippinen!"

Herrn Matthäus' Geduld war erschöpft, sein Antlitz war wieder zornroth geworden und ein paarmal blickte er um sich, als wollte er sich durch die Bücher und Schriften in dem stattlichen Gemach erinnern lassen, daß ein weltunkundiger Mann zu ihm spreche.

„Du bist wahrlich der Gelehrten Einer geworden, Marcus, die mit ihrem letzten Wort ihr erstes wiederholen. Wer wirbt um das Mädchen? Ist Einer unter den Grafen und Herren, die sie bei Festen umdrängen, der nicht hofft, mit dem Golde ihrer Mitgift seinen Gütern aufzuhelfen, Einer, der nicht darauf zählt, daß die Welser eine Tochter ihres Hauses nicht ohne einen reichen Brautschatz hinausziehn lassen? Ist Einer, der uns böte, was Melchior Bassenheim gewährt? — Auch hat sie ihr Herz an keinen gehängt, die stattlichsten Freiherrn, selbst der prächtige Graf von Oettingen, haben wenig Gnade vor ihren Augen gefunden. Du weißt vielleicht besser als ich, warum es so ist — aber Du siehst, daß der Gemahl, wie ihn Philippine begehrt, nimmer kommen wird, und daß wir Genüge an dem haben müssen, der uns genehm ist."

Der Stadtpfleger wollte offenbar heftig erwiedern. Aber eine dritte Stimme erklang im Gemach, die beide Brüder bestürzte und sie nach der Schwelle schauen ließ, auf der sie Philippine erblickten.

„Ohm Matthäus spricht wahr!" hatte sie gerufen, als die Männer erschrocken ihrer Gegenwart inne wurden. Sie stand in einer Haltung, welche noch verrieth, wie gespannt, wie zitternd sie den letzten Reden der Beiden gelauscht haben mußte, ihre Mienen zeigten weniger Antheil und die blauen Augen schienen fast matt und glanzlos, wie sie sich einem und dem andern der Männer zuwendeten.

„Ohm Matthäus hat Recht!" fuhr sie mit demselben gefaßten Tone fort, in dem sie das erste Wort gesprochen hatte. „Wenn es ist, wie er sagt, so weiß ich, was ich meinem Hause und Dir vor Allem schulde, Ohm Marcus! Er hat Recht: ich habe keine Wahl, als die Frau Melchior Bassenheims zu werden, dessen Gold Euer Glück und

Euren Glanz, Ohm Matthäus, und Dir Deinen Ruhm, Deine Ehre, Deine Ruhe retten muß, Ohm Marcus! Hast Du es anders von Deiner Philippine glauben können, fürchtest Du, daß ich an mich denken könnte, wo es Dein Wohl und Wehe gilt, Ohm?"

Beide Männer blieben sprachlos, Herrn Matthäus erstickte das Erstaunen und die Freude über die unverhoffte Hülfe, die ihm zu Theil ward, den Zornausbruch darüber, daß Philippine zu dieser Stunde das Haus verlassen hatte und hierher geeilt war, der Stadtpfleger aber blickte mit tiefem Kummer und hohem Stolz zugleich in das bleiche Antlitz des Mädchens, in dem sich ein Ausdruck hoffnungslosen Wehs hinter der scheinbar muthigen Fassung verbarg.

„Schütze Dich Gott, mein edles Kind," rief er, als er die Sprache wieder gewann. „Du bist das Kleinod meines Lebens, unsres Hauses, — ich aber begehre Dein Opfer nicht, ich darf nicht annehmen, was Du aus treuem Herzen bietest!"

„Sind die Zeiten gekommen, in denen die Kinder klug und die Weisen thöricht reden?" fiel Herr Matthäus ein. „Philippine vergißt es nicht, daß sie eine Welser ist, und da sie vernommen hat, was sie niemals hätte hören sollen, weiß sie mindestens, was ihr ziemt. Du aber scheinst entschlossen, unser Haus zu verderben — Du scheinst zwischen Deinen Büchern trotzig und schwachmüthig zugleich geworden. Komm, Philippine, komm, wir wollen dem Ohm Stadtpfleger Zeit lassen, sein Thun zu bedenken. Diese Nacht mindestens wirst Du nicht den Rath zusammenrufen, ihm Kunde zu geben, wie es mit den Welsern steht."

Der unedle Hohn in Wort und Miene des Kaufherrn verwundete Marcus Welser tief, Philippine sah es am Zucken seiner Lippen und dem Niederschlag der schmerzlich müden Augen. Sie entzog Herrn Matthäus ihre Hand, die er eben ergriffen hatte, eilte zu dem Stadtpfleger hin und umschlang ihn mit leidenschaftlicher Wärme. Ihr goldnes Haar ruhte auf seiner Schulter, ihr Gesicht hob sich zärtlich zu dem seinen empor und wandte sich dann mit verändertem Ausdruck nach Matthäus hin, während ihre Gestalt sich immer inniger an die des Stadtpflegers schmiegte.

„Nicht so, Ohm Matthäus, nicht so!" rief sie. „Nur für Ohm Marcus will ich thun, was Ihr fordert, durch ihn weiß ich allein, daß es ein Glück ist, so herrlichem Hause anzugehören, durch ihn weiß ich, daß es uns hebt und trägt und schirmt und bewahrt! Für ihn will ich ertragen, was mich hart dünkt — er soll nicht hinausgestoßen werden aus diesen Gärten, aus seinem Erbe, er soll der Erste der Stadt und das stolze Haupt stolzen Hauses bleiben. Nein, nein, Ohm Marcus, Du darfst mir nicht wehren, Du mußt nehmen, was ich Dir gern und von ganzem Herzen gebe. Wenn ich Dich und die Deinen retten kann, so will ich nicht an mich denken und auch Du darfst es nicht, Du mußt es dulden, daß ich Dir einmal Dank heimzahle, ich bleibe ihn darum doch tausendfach schuldig."

Herr Matthäus stand mit finsterm Gesicht und nagte seine schlimm gekniffne Lippe — aber er sprach nichts und schien gleichsam darauf zu harren, daß Philippine ihren Platz verlasse. Der Stadtpfleger löste sich endlich sanft aus der Umarmung des Mädchens und sagte gefaßten Tones:

„Ohm Matthäus hat selbst gerathen, die Nacht verstreichen zu lassen und gewährt wohl einen Tag dazu. Es sind ernste Dinge, die wir erwogen haben, Entschlüsse, die in einer Stunde nicht gefaßt werden können! Kehre jetzt zu unserm Hause zurück — sie werden Dir freundliche Mienen dort zeigen. Drängt mein Kind nicht — laßt ihr und mir Zeit, Matthäus, ich fordre es von Dir!"

Der Kaufherr nickte zum Zeichen seines Einverständnisses, Philippine, die sich erst jetzt zu besinnen schien, warum sie gekommen, wandte sich noch einmal zu Herrn Marcus:

„Und nicht wahr, Ohm Marcus, — ich darf für meinen herzigen Liebling, den Gott mir genommen, in St. Ulrich beten? Ich darf um den armen Jacob, der so einsam im Haus ist, ein wenig sorgen? Ihr bürgt mir, daß ich vor Fremden, vor Herrn Melchior Bassenheim — meinem künftigen Gemahl — darum nicht gescholten und beschämt werde?"

„Gewiß, ich bürge Dir, mein Kind," antwortete der Stadtpfleger aufwallend und erglühend. „Was faßt Euch," fuhr er zu Herrn Matthäus gewendet fort, „daß Ihr die Rettung des Hauses von ihr und nur von ihr erwartet und ihr doch herber und härter als je begegnet?"

„So scheint Dirs, und mir ists leid!" gab Matthäus Welser mit auffallender Selbstbeherrschung zurück. „Aber nun Du weißt, wie es steht, was auf uns lastet und unsre Herzen bedrückt, magst Du Dir und mag sich Philippine selbst sagen, wie uns zu Muth ward, als sie für Melchior Bassenheim nicht einen freundlichen Blick, nicht ein Wort mehr, als sein muß, übrig hatte, und mit all ihrem Sinnen und Trachten mehr in Meister Jacobs Wohnung, als bei uns war! Genug davon, das ist vorüber, soll vorüber sein. Komm jetzt mit mir, Philippine — wie bist Du hierher gelangt?"

„Meine Sänfte steht vor dem Garten neben der Euren, Ohm," entgegnete sie kurz. Ihre Fassung war dahin, ihre Augen hatten sich wieder mit Thränen gefüllt, seit sie des todten Kindes gedacht hatte. Doch folgte sie jetzt dem Kaufherrn zur Schwelle der Thür, zu der sie Marcus geleitete.

„Morgen, mein Kind — morgen komm zu mir!“ sprach er, sie zärtlich auf die Stirn küssend. „Nicht in einer Stunde darfst Du über Dein Leben entscheiden, — suche Ruhe zu gewinnen und warte des neuen Tages!“

Wie sie ihn mit zustimmendem Nicken, Herrn Matthäus auf dem Fuße folgend, verließ, lag auf ihrem Gesicht die Gewißheit, daß in der letzten Stunde über ihr Leben schon entschieden sei. Auch Herr Marcus schien so zu fühlen, er schlug, wie er sie nicht mehr erblickte, die Hände vor das Antlitz und flüsterte mit halberstickter Stimme vor sich hin:

„Sie wird sich nicht wehren lassen, sie wird ein Opfer bringen, das seinen Preis tausendfach übersteigt. Ich sollte, ich müßte Einspruch thun und ich werd es nicht vermögen! Wäre Wolfgang Berg noch der Alte, wäre er hier, oder könnte ich ihn rufen, so hätte es einen Sinn. Nun er sich von uns gelöst und so und eben jetzt gelöst hat, mag es ihr freilich gleich dünken, wem sie die Hand reicht — ich aber habe nicht Muth noch Macht, es zu hindern und zu halten!“

Der Mann, dessen der Stadtpfleger von Augsburg so grollend gedachte, ritt zu dieser Stunde schon weit von der prächtigen Reichsstadt auf der Straße nach Kaufbeuren und Kempten durch das nachtdunkle Land. Ohne Acht auf den Weg, den er hundertmal und mehr zurückgelegt hatte, ohne Umblick in der weiten Fläche, die sich rechts und links dahinstreckte, mit all seinem Sinnen noch bei dem, was hinter ihm lag, vergaß der Reiterführer, dem diesmal keine Söldner folgten, selbst der Zeit. Aus den Dörfern an der Straße tönten hell oder dumpf die Stundenschläge — er hörte sie nicht, ihm klangen nur die letzten schmerzlichen Laute, die er von Philippine Welsers Lippen vernommen hatte, nach. Selbst den Wandel der Nacht, die frühe Dämmerung und das erste Morgenlicht schaute er nicht, vor seinen Augen glänzten noch immer die Kerzen, deren Glanz über Philippinens Haupt geleuchtet und ihn auf dem dunkeln Gange im Hause der Welser geblendet hatten. Sein Roß bemaß Zeit und Ort besser, als Wolfgang Berg selbst, es stand plötzlich vor einer Herberge still, an der sonst stets, wenn es bei Nacht die Straße zurückgelegt hatte, gerastet worden war. Erst als ein Zügeldruck den Braunen zwar scheuen ließ, aber nicht vorwärts trieb, ward Wolfgang einige Augenblicke inne, daß er nicht in Augsburg sei und konnte dem Dorfwirth, der ihn mit vertrautem Gruß antrat, Rede stehen. Schon nach einer Stunde brach er wieder auf und trabte jetzt durch den frischen Frühlingsmorgen, wie er durch die wolkige Nacht geritten war, gebeugten Hauptes, sinnend, träumend, antheilslos für Alles, was außer ihm lag. Die Straße war nicht mehr einsam, wie in der Nacht, Wandrer, Reiter, Wagen und Züge von Saumpferden begegneten ihm in kurzen Pausen, er sah auf, wenn er angerufen ward, er grüßte und sprach, aber Freude am wechselnden Leben, am Tag, der bald schön und klar aufstieg, kam nicht in seine Seele. Bald trieb er das Roß an, bald ließ er es in einen lässigen Schritt zurückfallen, bald gönnte er sich und dem Pferde eine kurze Rast, alles gleichsam abwesend, gegen jeden Eindruck und jede Berührung verschlossen. Je weiter er Augsburg hinter sich ließ, um so fester klammerte sich all sein Sinnen und Erinnern an die letzten bewegten Tage. Und zwischen ihnen gedachte er so vieler Stunden, die Jahre zurücklagen, nur der gegenwärtigen und der kommenden nicht. Es war ihm, als habe er das Leben hinter sich gelassen, und reite nun in eine endlose freudlose Leere hinein.

Der Abend kam, er nahm Herberge in einem Ort und Hause, wo man ihn kannte, und warf sich nach einem kurzen wortlosen Mahl todtmatt auf das Lager, auf dem er ruhend den Traum des Tages weiterträumte. Und am nächsten, am dritten Morgen und Tage begann er den trüben unlustigen Ritt von neuem. Aus der Ebene stieg das Roß zu den Bergen empor, Städte und Weiler und einsame Höfe glitten vorüber, dem einsamen Reiter schiens überall das stattliche Patricierhaus in der Weißmalergasse und der Garten Herrn Marcus Welsers. Und so gleichgültig er auf jede Strecke seiner Straße blickte, so lange sie vor ihm lag, so wehmüthig sah er auf sie zurück, sobald er sie im Rücken hatte. Es war, als fürchte er denselben Weg nie wieder zu reiten und das Herz ward ihm schwerer und schwerer, je länger die Straße, die hinter ihm lag, und je kürzer die wurde, die ihn bis zum Bodensee führen mußte. Am letzten Tag, wo er von den Höhen herab die ferne Fluth des Sees und die Thürme von Lindau und drüber hin die Berge, die er so oft seine Berge genannt, in bläulichem Duft schimmern sah, war sein weltvergessnes Träumen in dumpfe Traurigkeit verwandelt. Müd saß der stattliche Reiter im Sattel, bestäubt und schlaff nickten die Federn von seinem Hut herab, die Waffe hing ihm am Gürtel, als sei keine Möglichkeit, daß er sie je wieder ziehen werde, selbst das Roß schlich traurig lässig dahin — es hatte während des mehrtägigen Rittes nur zu sehr verspürt, daß sein Herr kaum einen Blick für den treuen Braunen hatte, der ihn auf bessern und schlimmern Wegen getragen.

Drunten in Lindau war das Fährschiff, auf dem Wolf=

gang Berg über den See nach Bregenz zu kommen gedacht, eine halbe Stunde, ehe er die Stadt und den Hafen erreichte, hinausgefahren. Er sah es noch mitten auf dem See, dessen Wellen die Hufe seines Pferdes bespülten. Und da es Abend ward, und drüben auf den Gebhardsberg und die Appenzeller Alpen sich bereits brennend rothe Wolken herabzusenken begannen, so war der Küper aus der Herberge zum Lindwurm nicht eben im Unrecht, wenn er in vergnügtes Lachen ausbrach und dem Reiter am Hafendamme zurief:

„Das Fährschiff holt Ihr nimmer ein, Herr Wolfgang Berg! Ihr müßt warten bis an den Morgen, Euer Pferd bei uns einstellen und Euch einen Trunk guten Mersburger behagen lassen!"

„Ich denke dennoch nicht zu bleiben, Meister Ambros," entgegnete der Reiterführer. „Die Straße über Wellenstein ist hoffentlich nicht in den See gefallen, seit ich zuletzt hier war, ich schlage sie ein."

Grüßend ritt er davon, rastlos und freudlos, wie er gekommen war. Er folgte der Straße bis zu den Hügeln östlich vor der Stadt und wählte dann einen Weg, der ihn hart am Seeufer weiterführte. Die Nacht brach wiederum an, von der Fluth, die ihm dunkel und stumm zur Seite lag, wehte eine empfindliche Kühle herüber, Wolfgang achtete nicht darauf, obschon ihm der Koller, den er über dem Wams trug, längst auf den Sattel herabgeglitten war. War ihm doch selbst beim Nachtwind fieberheiß und schwül, und stand doch jetzt all sein Sinn, soweit derselbe nicht im Vergangnen weilte, nur darauf, die dunkeln Berge, denen er zustrebte, zwischen sich und der Welt zu wissen. Das Roß trabte freudig vorwärts, als sein Reiter im Nachtdunkel die steilen, stillen Gassen von Bregenz ohne Aufenthalt hinter sich ließ. Seit die riesigen Schatten des Gebhardsberges über den mondhellen Weg fielen, wieherte es der Heimath entgegen. Die Ache, die vom höher liegenden Wald herab in ihrem Steinbett rauschend und sprudelnd dem See zueilte, die dichten Gruppen hoher Tannen, durch welche der Weg sich hinzog, verkündeten ihm die Nähe des Hofs, an dem der lange trübe Ritt enden sollte. Doch kam der Morgen herbei, ehe sich dicht am Wald, in einem lieblichen Seitenthal, das Haus zeigte. Es lag an die schützende Bergwand gelehnt, mit steinernem Unterbau, mit hohen Giebeln und geschnitzten Söllern, inmitten kleinrer Gebäude. Den Hof zierten ein Brunnen und mächtige alte Linden, — das Ganze glich eher einem Herrn- als einem Bauernhause. Und wie Wolfgang jetzt seines Hauses und der ganzen Siedlung, die sich um dasselbe gereiht, ansichtig ward, erhellte sich sein Gesicht doch für einen Augenblick. Er kam unerwartet, unangekündigt, aber die Männer, welche über dem

Haus den Wald reudeten, stürmten hutschwingend herab, sobald sie ihn erschauten, und eine ganze Schaar von Menschen umdrängte und umjauchzte den Einreitenden. Einen Augenblick athmete er froh auf, einen Augenblick wars ihm, als erwache er aus dem dumpfen lastenden Traum der letzten Wochen und Tage.

Doch sobald er sich allein in den hohen holzgetäfelten Zimmern des Hauses fand, die lauten begrüßenden Stimmen draußen sich in murmelnde, raunende verwandelt hatten, die in einen Ton der Verwundrung über den veränderten Anblick des Heimkehrenden zusammenklangen, — so kam auch das ganze Wehgefühl, in dem er aus Augsburg geschieden war, mit neuer Gewalt über ihn. Rastlos hatte es ihn draußen auf der Straße der Heimath zugetrieben, rastlos schritt er jetzt durch alle Räume seines stattlichen Hauses und jeder Blick, den er umher that, erfüllte ihn mit neuem Weh. Es war, als schaue er die Wohnung, in der er seit Jahren gelebt, bei dieser Heimkehr zum ersten Male. Als öffneten sich seine Augen für all die hundert Gegenstände, die ihn seit Jahren umgeben, mit denen er die Gemächer ausgestattet hatte. Bitter lächelte er vor sich hin und fühlte, wie eine heiße Gluth in sein Antlitz stieg.

„Habe ich bisher nicht gewußt, was in mir vorging oder mirs nicht eingestanden?" sprach er grollend zu sich selbst. „All den thörichten Tand, all den Schmuck, den eines Reiters und Jägers Haus nicht bedarf, warum trug ich ihn seit Jahren herzu? Ists schon so lange her, daß ich träume und im Traume vergesse, was ich am Tage mit meinen Augen sehen muß! Habe ich im Geheimen doch gemeint die Thalkluft zwischen zwei Bergen zu füllen, wenn ich nur Erde Hand um Hand voll herzutrüge?! Es wäre besser, ich risse jedes Zeichen meiner Thorheit, meines hoffenden Dünkels hinweg und säße wieder, wie mirs ziemt, zwischen den schmucklosen Wänden!"

Aber selbst in diesem Augenblick rührte Wolfgang Berg an keinen der Gegenstände, die ihn an verlorne Hoffnungen gemahnten. Und die dumpf hinbrütende Stimmung, in der er auf seinem Roße gesessen, befiel ihn auch hier, nun er daheim war. Zum ersten Mal frug er sich, warum er in so wilder Hast von Augsburg geschieden sei, ohne Gewißheit über das, was ihn in peinlicher Spannung und im einsamen Versteck Tage hindurch festgehalten hatte! Wars nur der Wunsch gewesen, das letzte schmerzlich holde Bild der schönen Welser in seiner Seele festzuhalten, und ihrer nur zu gedenken wie er sie seither gekannt? Dann fand sich Wolfgang arg betrogen. Denn jetzt, zwischen seinen Mauern, die ihm keinen Frieden gaben, und zwischen den Waldhügeln, die er zum Wiedersehn bestieg und auf denen er unvermerkt jeden Weg betrat, den im vorigen

Jahre Philippine Welser an der Seite ihres Oheims, an seiner Seite gegangen war, — jetzt sah er Philippine nie mehr allein. Das gelbe Antlitz, die hagre Gestalt des Kölner Jungherrn waren neben ihr, sie drängten sich in seine wachen Träume und erschwerten dem starken Manne den ernsten Kampf gegen die heiße Leidenschaft, die ihn erfüllte. Er rief sichs im Stillen wohl tausend Mal zu, daß kommen mußte, was gekommen sei, daß nur geschehe, was er mit klarem Sinn voraus erblickt habe, er erstickte eine trotzig grollende, trotzig fordernde Stimme nicht, die laut aufschrie gegen all seine Klugheit und Ergebung:

„Und wenn er sie auf den Händen trägt, und wenn er alle Reichthümer des stolzen Köln um sie aufhäuft, und wenn er ihr ein Leben voll Freude und Ehre bereitet, hochhalten wie ich, — heilighalten wie ich wird er sie nicht!" —

Es ward Wolfgang nicht viel Zeit gelassen, mit seinem Gefühl zu ringen. Der Tag verging und noch war es dem Heimgekehrten kaum zu Muth, als ob er daheim sei, daheim bleiben könne, als er gegen Abend durch das Thal nach den beiden Meierhöfen und zu den Hütten der Waldarbeiter schritt, die auf seinem Grund und Boden standen. Er versuchte sich zu erinnern, wie vor sechs Jahren, als er diesen Grund erworben, nur wüstes Brachland und dürftiger Wald das Thal bedeckt — aber heut kam keine

Freude an allem, was er geschaffen, keine lichte Hoffnung vom künftigen Aussehn des Thals in seine bewegte Seele. Sein Pfad führte leicht bergan, von einzelnen Punkten übersah der Schreitende die Straße, die er selbst aus diesem Waldthal hinaus bis zum See geführt hatte. Sie reichte nur bis zu seinem Hofe und dieser mußte daher das Ziel der drei Reiter sein, welche er jetzt von einer Erhöhung wahrnahm. Er bedachte überrascht, wer von den Umwohnenden seine Heimkehr schon jetzt vernommen habe und zur Begrüßung kommen könne. Doch je näher die Reiter kamen, je gespannter sein scharfes Auge ihnen entgegensah, um so fremder schienen sie ihm, um so mehr befiel ihn eine Unruhe, die er mit raschem Zurückgang nach seinem Gehöft zu bewältigen suchte. Die Herankommenden waren hinter den buschigen Hügeln verschwunden, an denen die Straße in vielfachen Windungen hinlief. Wolfgangs Auge heftete sich auf die Stelle, unmittelbar vor seinem Waldhof, auf der sie wieder hervortreten mußten und mit immer rascheren Schritten näherte er sich dabei selbst. Als jetzt zwischen den überhängenden Büschen und aus einer leichten Staubwolke die Reiter auftauchten, brauchte er nur einen Blick, um wenigstens den Vordern zu erkennen. Doch wie er ihn erkannte, erblaßte er, holte tief Athem und fühlte, daß sein Herz unruhiger als zuvor schlug. In eilendem Lauf erreichte er seinen Hof, er wollte noch vor den Reitern daselbst sein — er war es. Indem er rasch an das Thor hinanschritt und einen der Knechte rief, die am Brunnen schalteten, hatte er Mühe, sich zu ehrerbietigem Gruß zu sammeln, denn er sah den bayrischen Marschall von Pappenheim vor sich, den er im Gefolg des Kurfürsten von Köln und im Hause der Welser gesehen. Der stattliche Marschall nickte und lüftete den breitkrämpigen befiederten Hut, dann rief er:

„Herr Wolfgang Berg, ist das die Einsiedelei, die Ihr unter dem Schutze des heiligen Gebhard angelegt habt, und könnt Ihr hier einem müden Reiter eine Raststunde vergönnen?“

„Mein Dach versagt keinem Müden die Ruhe, Herr Marschall,“ entgegnete Wolfgang, „wenn es auch selten so edle und hohe Gäste schirmen darf. Wollt Ihr aus dem Bügel steigen, Herr? Führe das Pferd des Herrn auf und ab, Blasius,“ wandte er sich zu einem seiner Knechte, die sich erstaunt hinter dem Thore gesammelt hatten. „Erlaubt, daß ich Euch willkommen heiße, es muß eine seltne Fügung sein, die Euch in dies Waldthal führt! — Sorgt für die Diener des edlen Herrn!“

Der Marschall von Pappenheim antwortete nichts auf Wolfgangs Anrede, er stieg ab und sah flüchtig nach seinen Dienern hin, während Wolfgang der Schaffnerin Befehle ertheilte. Erst wie er den Hof durchschritt und einen

Augenblick unter den Linden still stand, über deren junges Grün die Abendsonne glänzte, hob er wieder an:

„Ihr habt hier in der Wildniß einen stattlichen Bau aufgeführt, Herr Berg, und mancher Edelmann draußen im Reich möchte Euch darum beneiden."

„Die Steine sind vom Felsen über uns gebrochen und die Balken ragten vor wenig Jahren dort an der Berglehne noch in die Luft," entgegnete Wolfgang einfach. „Tretet ein, Herr Marschall, und seid mir gegrüßt, auch wenn Ihr eine andre Straße verfehlt habt, wie ich glauben muß! Diese hier führt nur bis zu meinem Hof —"

Er hielt zögernd inne, sein Blick begegnete dem des bayrischen Herrn in einer Weise, die der Marschall verstand. Er sagte rasch:

„Ich wußte es! Ich komme zu Euch, Herr Berg — nichts Anderes hat mich hierher geführt. Ich komme, wie Ihr leicht denken könnt, von Augsburg, mein Roß ist schier in den Hufspuren des Euren getrabt. Und doch holte ich Euch nicht eher ein, als auf Eurem eignen Grund!"

„Ihr könntet mich meine Pflicht vergessen machen durch die Neugier, wie mir solche Ehre zu Theil wird!" erwiederte Wolfgang, dessen Herz unruhig hämmerte, in dessen Augen ein dunkles Feuer glühte. „Erlaubt jedoch, daß ich zuerst daran denke, daß Ihr einen weiten Ritt hinter Euch habt und ich der Ehre theilhaft bin Euer Wirth zu sein."

Der Marschall von Pappenheim widersprach nicht, er war an das Fenster getreten, welches auf den Hof hinausging und sah draußen seine Diener mit den Knechten Wolfgangs sprechen und dabei der Rosse warten. Was ihm auf seinem Wege leicht gedünkt hatte, schien ihm jetzt, wo er am Ziel war, schwer, und der stolze Herr sah mit einer Art Beklommenheit auf seinen Gastfreund, unter dessen Augen die Schaffnerin einen Tisch ordnete und rasch mit Weinkrügen besetzte. Als dies geschehn war, entfernte ein Wink des Reiterführers die Frau — er blieb mit dem Marschall allein und lud ihn zum Sitzen:

„Ihr kommt von der Heerstraße, gnädiger Herr, und es liegen vier Tage zwischen Euch und den Tafeln der Herren von Augsburg. Ich möchte sonst Sorge tragen, daß ich Euch kein bessres Mahl rüsten lassen kann."

„Laßt das, Herr Berg," sagte der Pappenheimer mit einer abwehrenden Handbewegung. „Wir sind Reiter und Soldaten, keine Schlemmer, und am Hofe des Herzogs von Bayern sieht die Tafel der Euren ähnlicher, als der der Pfefferfürsten in Augsburg."

Wolfgang sah in schweigender Spannung dem Marschall zu, der seinen Teller füllte und den silbernen Becher mit rothem Landwein in hastigem Zuge leerte. Indem er den Becher wieder von sich schob, nahm er das Wappen des Welserschen Geschlechts auf demselben wahr.

„Ein Geschenk Eurer Herren?“ fragte er auf die Fichtenbäume an den Bechern deutend. „Es ist ein fürstlich gewaltiges Haus, dessen Zeichen man überall erblickt.“

„Seid Ihr gekommen, Herr Marschall, mich daran zu mahnen?“ fragte Wolfgang, mit einem leisen Anklang von Unmuth. „Ich wußte es zuvor — was ich hier mein Eigen nenne, ist zuerst mit dem Golde der Welser dem Boden abgewonnen worden und ich würde es schwer finden, der Herren zu vergessen, selbst wenn ich darnach verlangte!“

„Ich kam just nicht, Euch daran zu mahnen, Herr Berg!“ erwiederte der Pappenheimer, seinen Wirth aufmerksam anblickend. Eher das Gegentheil möcht ich sagen, wenn Ihr mich hören und recht verstehen wollt.“

„Das Gegentheil!“ wiederholte Wolfgang erstaunt. „Verzeiht, Herr Marschall, ich bin ein unhöfischer Mann, ich habe nicht gelernt, aus dunkeln Worten Andrer Gedanken zu errathen —“

„Das braucht es nicht,“ rief der Gast tief Athem holend. „Laßt uns sprechen, wie ein Soldat zum andern, gradaus und mitten durch! Ihr seht die Welser, die große Kaufleute sind, stattliche Herren, welche schwer ins Gewicht fallen, fast so hoch über Euch wie den Himmel und, nichts für ungut, Hauptmann, so hoch sind sie nicht. — Schaut nicht so erstaunt auf, ich weiß, was ich sage, — ich habe am Glashaus im Garten des gelehrten Herrn

Marcus gelehnt zu einer Stunde, als Ihr mit dem schönen Fräulein unter den Bäumen drinnen standet. Mir ist ein und das andere Wort von dem, was Ihr gesprochen, ins Ohr geklungen und ich weiß, Herr Berg, daß Euch zu Muth ist, wie einem wackern Reiter niemals zu Muth sein sollte. Ihr habt verzichtet auf das, was Euer Herz begehrt, Ihr habt Euch von Eurer Dame freiwillig geschieden — was Ihr nimmer hättet thun sollen."

„Und wenn es so wäre," sprach Wolfgang mit finsterm Gesicht und nur mühsam seine Haltung bewahrend, „habe ich meinem trüben Geschick die Ehre zu danken, Euch unter meinem Dach zu begrüßen, Herr Marschall? Mag es Euch Recht oder Unrecht dünken, was ich gethan habe, ich habe es gethan und ich glaube Niemand Rechenschaft zu schulden."

„Wer denkt daran," gab Hans von Pappenheim zurück. „Laßt mich kurz sein, Ihr meint wohl selbst, daß mich nicht müßige Neugier zu so weitem Ritt getrieben hat. Ich habe Euch in Augsburg bei Eurem Vater umsonst gesucht — sonst hätt ich Euch die trübe Fahrt und die einsame Heimkehr ersparen wollen. Wenn Ihr im Wald auf das höchste Gestrüpp, die dichteste Hecke trefft, kehrt Ihr um auf Eurem Wege, Herr Berg, oder sprengt Ihr darüber?"

„Soll das ein Gleichniß sein?" rief Wolfgang.

Scheint Euch das fürstliche Haus der Welser nur ein Zaun, über den ein kecker Gesell gelangen mag, um sich das Beste zu fordern, was dahinter bewahrt liegt? Ich hab es anders erfunden und weil Ihrs mit Reitersaugen ansehet, so laßt Euch sagen, daß es Hecken giebt, über die kein Muth und kein Sporn hinweghilft."

„Mir scheint, daß ich vergeblich gekommen bin!" antwortete der Marschall. „Ihr straft Euer entschlossnes Antlitz und all Euer Leben Lügen! Wie ich diesen Nachmittag von Bregenz das stille Thal heraufritt und Euer Gehöft sah, lachte mir das Herz im Leibe und ich freute mich Eurer kühnen Thatkraft. Ich hätte schwören wollen, daß Ihr das Alles Eurer Minniglichen zu Ehren gethan und für den Tag bereitet habt, wo sie Euch hierher folgen würde — mit oder ohne den Willen der Welser!"

Wolfgang sprang von seinem Sitze empor, in seinen Augen brannte ein wildes Feuer, er sah den seltsamen Versucher halb fragend, halb zürnend an. „Herr Marschall! ich will Euch Rede stehn über Alles in der Welt, nur sprecht mir hiervon nichts mehr! War ich der Thor, der im Fieber des Verlangens vergessen hat, wem er entgegenstand, so hab ichs allein zu tragen. Was rührt Ihr an Wunden, die verharschen müssen? Sprecht, sprecht, Herr von Pappenheim, was Euch hierher geführt, — und laßt ruhen, was Ihr nie hättet wissen sollen."

„Seid Ihr so gesinnt," sagte der Marschall, sich nun gleichfalls erhebend, „so war mein Kommen unnütz. So wahr ich der Marschall von Pappenheim bin, ich nahm so viel Theil an Euch und Eurem Geschicke, daß ich nur kam, Euch meine und eines Anderen, Mächtigeren Hülfe zu bieten. Seine Gnaden von Köln hat Euch sein fürstliches Wohlgefallen am ersten Abend bezeugt, an dem er Euch sah, warum nahmt Ihr das Erbieten des Kurfürsten nicht an? Ich sage Euch noch einmal, Ihr haltet den Arm der Welser für zu lang, aber wäre er auch lang genug, selbst hierher in Euren Versteck zu reichen, bis an den Hof von Köln greift er nicht! Tretet in den Dienst Kurfürst Ferdinands und führt die schöne Philippine Welser heim, wie Ihr gewollt und geträumt habt, der Kurfürst wird Euch schützen!"

„Ihr habt nicht lang genug gelauscht, Marschall von Pappenheim!" entgegnete Wolfgang mit zuckenden Lippen. „Hättet Ihrs, so würdet Ihr wissen, daß das Fräulein mir niemals und nirgendhin folgen wird."

Der Marschall lachte und suchte im Gesicht seines Gastfreundes mindestens ein Lächeln zu erspähen. Als er aber den unerschütterlichen Ernst und zugleich den Schmerz wahrnahm, der die Züge Wolfgangs furchte, ward er erst betroffen und rief dann mit heftigem Eifer:

„Ich habe wohl in alten Geschichten gelesen, daß ein

Mädchenwort einen tapfern Mann schreckt und zaghaft macht, doch erlebt ichs noch nicht, Herr Berg. Ihr scheint es erwahren zu wollen. Kein Wort von Eurem Gespräch mit dem Fräulein verlor ich und habe die Gewißheit davon getragen, daß sie Euch auf jedem Wege und bis ans Ende der Welt folgen wird. Was zaudert und zögert Ihr nun, da sich eine hülfreiche Hand bietet! Bedrängt sie, wie ein kühner Mann ein zaghaftes Weib bedrängen muß, laßt nicht ab, bis sie Euch zum Altar folgt und dann führt sie hinweg, kommt an den Hof Kurfürst Ferdinands nach Bonn und Ihr sollt Schutz gegen die Welser und Jedermann finden, der Euch anficht."

In Wolfgangs Seele wie in seinem Antlitz kämpften in diesem Augenblick die verschiedensten Empfindungen: Entrüstung gegen den Mann, der vor ihm stand und so keck in sein Leben, in das Innerste seines Herzens hineingriff, wilde Hoffnungen, die Pappenheims Worte wachgerufen hatten, und dazu ein jähes Mißtraun, welches erkältend zwischen all seine Gluth und heftige Spannung fiel. Das ganze Erscheinen des Marschalls war so plötzlich, so überraschend gewesen, der Ton, den er anschlug, kam so unerwartet, daß Wolfgang seither in halber Betäubung, mit wachsendem Staunen das Gespräch geführt hatte. Jetzt überkam es ihn, als ob er Licht sähe und mit gänzlich veränderter Miene sprach er:

„Wenn Ihr nicht der Marschall von Pappenheim wäret, der ritterlichste Mann im Herzogthum Bayern, so müßt ich fast meinen, daß Euch die Welser gesandt hätten, mich zurück nach Augsburg zu locken und dort mein Erkühnen und Vermessen zu strafen —“

„Herr Berg!“ fuhr der Marschall auf, „seht wohl zu, was Ihr sprecht.“

„Ich sehe wohl zu!“ sagte Wolfgang in demselben Tone wie vorhin. „Da dies nicht sein kann, muß ich fragen, wie hab ich so hohe Theilnahme verdient, wie komme ich zur Gunst, die Ihr mir bezeugt und vom Kurfürsten von Köln verheißt? Seine Gnaden führt just keinen Krieg mit den Niederländern, und wenn er auch Krieg führte, so sind die Söldnerhauptleute auf allen Werbeplätzen wohlfeiler zu haben, als er mich gewinnen würde, wenn ich Eurem Rath folgte! Der Kurfürst ist mächtig und gewaltig — doch Herr Marschall, die Welser sinds nicht minder. Bis an den Kaiserhof und den hispanischen Hof reicht ihre Gunst, man führt eine Tochter ihres Geschlechts nicht hinweg, wie ein Bürgerskind oder ein armes Landfräulein. Und wie ist mir denn — hat nicht eben jetzt der Kurfürst für Herrn Melchior Bassenheim von Köln, der um die schöne Philippine wirbt, sein fürstliches Fürwort eingelegt? Wiederhallte nicht ganz Augsburg davon, daß noch kein Mann einen vornehmern Freiwerber gefunden habe, als der junge Kaufherr? Wie reime ich das Alles, Herr Marschall, mit Eurem Ritt zu mir, und warum wollt Ihr mir verargen, wenn mirs banger statt froher wird?"

Wolfgangs Mißtraun im Blick, im Klang seiner Stimme wuchs während dieser Worte und der Marschall von Pappenheim fühlte, daß er mit der Antwort nicht zögern durfte. Er versuchte in ein behaglicheres Gleis zurückzulenken, indem er wieder Platz nahm und den Weinkrug aufs neue ergriff, ohne daß es der Herr des Hauses ihm diesmal nachthat.

„Ihr standet noch nicht im Fürstendienst, Herr Berg," sprach der Marschall. „Aber Herrenlaunen müßt auch Ihr kennen und wissen, wie seltsam sie sind. Kurfürst Ferdinand hat auf dem geistlichen Throne den Hof von München mit seinem ritterlichen Glanz und den anmuthigen Damen nie vergessen. Er denkt auch in Bonn und Brühl daran und so ist ihm der Wunsch erwacht, die schönste und holdeste Dame im Reich — die Eure, Herr Berg! — an seinem Hofe glänzen zu sehen. Darum und nur darum zeigte er sich der Werbung Herrn Bassenheims günstig — er hat jedoch nicht gemeint dem schönen Fräulein einen Herrn aufzudrängen, der ihrem Auge und ihrem Herzen nicht wohlgefällig ist. Seit er durch mich erfuhr, wer Gnade vor ihren Blicken gefunden, bedachte er, daß Euer Glück und sein Wunsch Hand in Hand zu gehn vermögen und wenn er schon zuvor begehrt, einen Mann wie Euch in seinen Diensten zu wissen, so wärs ihm nun doppelt willkommen. Ihr seht, daß Ihr Unrecht habt hinter meinen Worten Arglist zu vermuthen und ich hoffe, wir verstehn uns jetzt besser als zuvor!"

Der Pappenheimer fügte die letzten Worte schon mit der Gewißheit hinzu, daß das Gegentheil der Fall sei. Von Wolfgangs Antlitz war sowohl die fliegende Gluth, als die argwöhnische Spannung von vorhin verschwunden, die Blässe seiner Wangen, das Zucken seiner Lippen und ein Blitz aus den dunkeln Augen verhießen dem Marschall eine unerwünschte Entgegnung. Doch schwieg er mehrere Augenblicke still und setzte sich, als wolle er den Tisch zwischen sich und seinen Gast bringen, auf seinen vorigen Platz.

„Also das wars — das ists — warum Ihr den Weg von Augsburg bis zum Bodensee geritten seid, edler Herr," hob er endlich zitternd an. „Der Kurfürst will die schöne Welser an seinem Hofe sehen — er erinnert sich vermuthlich, daß ihre Ahnin den Hof seines Vetters zu Innsbruck schmückte und hat nur vergessen, daß die andre Philippine Welser die Gemahlin des Erzherzogs von Tyrol war! — Er sucht einen Gemahl für das Fräulein, einen Gemahl, der draußen auf der Landstraße oder im Felde sein kann, wenn nur die holde Dame daheim am Hofe ist. Und weil ihm noch zweifelhaft dünkt, ob Herr Melchior Bassenheim so stattliche Rolle spielen mag, so seid Ihr auf den Einfall gekommen, Wolfgang Berg, der Reiter, der Landfahrer, sei der Mann, den Ihr braucht. Marschall von Pappenheim, habt Ihr denn nicht einmal bedacht, wem Ihr gegenübersteht, hat Euer Herr an der Tafel der Welser sitzen, hat er dem Fräulein in die Augen sehen können, und ist von solchem Einfall nicht erwacht, wie von einem schlechten Rausch? Alle Heiligen über ihr! Philippine Welser die Buhlerin eines Fürsten?!"

„Ihr reitet auf jähem Roß, Herr Wolfgang!" fiel der Marschall ein, der der leidenschaftlichen Erbittrung seines Wirthes gegenüber alle Ruhe und Kälte wiedergewann. „Wer lehrte Euch so von dem Kurfürsten und Erzbischof von Köln zu denken? Seid Ihr ein Bettelmönch von einem strengen Orden, daß Ihr den Wunsch des fürstlichen Herrn, an seinem Hofe etwas Schönes und Holdes zu haben, für Sünde haltet? Wer giebt Euch ein Recht, hinter meinen Worten das Aergste zu suchen, was hinter Menschenworten liegen kann?"

Wolfgang blickte überrascht, fast beschämt auf. Aber in eben diesem Augenblicke wendete der Marschall von Pappenheim sein Gesicht von ihm hinweg zum Fenster, flüchtig wie ein Blitz ward ein Ausdruck von verlegnem Unmuth auf demselben sichtbar. Und wennschon in der nächsten Minute der Marschall wieder ruhig, zusammen=gefaßt, ja mit einem Anflug spöttischer Heiterkeit dreinsah, Wolfgang hatte den ersten Blick wahrgenommen. Er sagte jedoch, als ob er sich besinne:

„Ihr mögt Recht haben, Herr von Pappenheim! Es war ein toller Einfall, der mir kam; wenn Ihr bedenken wollt, wie ich von Augsburg hinweggeritten bin, so werdet Ihr mir verzeihen. Und ich lebe seit Jahren in den Bergen hier — wir sind Alle mißtrauisch in den Bergen! Nie hat Jemand theilgenommen an mir gleich Euch, Herr, nie hab ich so viele Gunst geträumt, als mir der Kurfürst durch Euch entbieten läßt. Daß es nicht sein kann, daß ich nicht hoffen darf, wo Ihr mir Hoffnung zeigt, machte mich wild und toll und so kam mir der Argwohn. Im Grund war's ein wüster Einfall — "

„Gewiß," fuhr der Marschall dazwischen. „Ihr fügtet Eurer Dame schweres Unrecht zu. Selbst wenn der Kurfürst einen schlimmen Gedanken gehegt hätte, die schöne Philippine Welser wäre doch die Frau, die ihre Ehre und Tugend selbst zu schirmen weiß!"

„Ich hoffe zu Gott, sie kommt nimmer in eine Lage, wo sie selbst thun soll, was ihres Gemahls ist!" gab Wolfgang, jedes Wort scharf betonend, zurück. „Und darum darf kein Mann das Auge zu ihr erheben, der sie nicht ebenso zu schützen und zu wahren wie zu lieben wüßte.

Jetzt ist sie im Schirm ihres Hauses so sicher wie eine Bayerfürstin in der Hofburg zu München, und wer nicht zum Willen die Macht hat, ihr das zu bewahren, der darf nicht werben um sie. Es war ein toller Einfall — die Welser wären gewaltig genug, selbst einem Fürsten, der wider die Ehre ihres Hauses frevelte, die Stirn zu bieten."

„Meint Ihr?" fragte der Marschall mit einem Lachen, das kein gutes war. „Ihr seht Eure Herren, wie sie zu Kaiser Karls und Kaiser Ferdinands Zeiten gewesen sein mögen, die Welt ist anders geworden seitdem und die Welser denken längst nicht mehr daran, Flotten zu rüsten, Heere zu senden oder Verschwägerung mit Kaisern und Königen zu suchen. Wißt Ihr so wenig vom Handel, daß Ihr nicht gemerkt habt, daß der Strom ihrer Reichthümer längst nicht mehr so reißend dahinrauscht, wie ehedem?"

„So sagt man — " gab Wolfgang gehalten zur Antwort. „Noch aber stehn sie so groß, so königlich da, daß ein Fräulein aus ihrem Hause es nicht für ein Glück achten wird, den Hof eines Fürsten zu zieren, der nicht ihr Gemahl ist."

„Meint Ihr?" wiederholte der Marschall, der voll höhnischer Ueberlegenheit war, seit er sein Vorhaben als gescheitert ansehen mußte. „Ob es nun so ist oder nicht ist, die Welser und das edle Fräulein werden darüber nicht entscheiden, wenn erst Herr Melchior Bassenheim der Gemahl ist."

Wolfgang Berg blickte zornig auf den Allzusichern. Er mußte sich von neuem erinnern, daß derselbe unter seinem Dache verweile, um nicht schwergrollend zu antworten.

„Herr Melchior Bassenheim wird in seinem prächtigen Hause zu Köln sitzen und nach dem Hofe kurfürstlicher Gnaden wenig Begehr tragen. Die Herren von Köln sind stolz und so frei wie die von Augsburg."

Hans von Pappenheim bedachte sich einen Augenblick, ob er die Erwiederung nicht zurückhalten solle, die sich auf seine Lippen drängte. Aber die stolze Sicherheit des Mannes vor ihm reizte ihn und so sagte er, jedes Wort mit einem herausfordernden Blick begleitend:

„Die Herren von Köln sind doch minder stolz, als Ihr meint, Herr Berg. Sie trotzen im Rath ihrer Stadt dem Kurfürsten, das ist wahr, aber sie suchen gar demüthig seinen fürstlichen Rath und sein Fürwort, wenn sie dessen bedürfen. Sie sitzen auch nicht so eisern in ihren Häusern, wie Ihr sagt, und Herr Melcher zumal, der gern erster Schatzmeister Seiner kurfürstlichen Gnaden wäre, hat keinen Widerwillen gegen den Hof. Warum sollte er ihn haben, wenn ihn Kurfürst Ferdinand zum Verwalter seiner fürstlichen Kassen und der Kapitelpfründen macht, wenn er die dreimalhunderttausend Ducaten, die die Welser für die Ehre ihrer Schwägerschaft begehren, nur durch den Kurfürsten erhalten kann?"

Der Marschall schloß mit einem schlauen Nicken, nie war sein Ausdruck minder ritterlich und vornehm gewesen, als in dieser Minute, wo er über Wolfgang Berg triumphirte. Der Reiterführer schien bei dem Ausblick, den ihm der Pappenheimer eröffnet, zu schwindeln, sein Gesicht wurde noch bleicher als zuvor, und er vermochte nur mit leiser Stimme zu entgegnen:

„Wenn die Welser erfahren, daß es so steht, werden sie einen Werber wie Herrn Melchior von ihrer Schwelle weisen."

„Die Welser wissen längst, was ich Euch sage," versetzte der Marschall von Pappenheim mit einer Art von Behagen. „Ihr aber, der in ihren Diensten steht, kennt Art und Wesen Eurer eignen Herren nicht. Ihr seid ein Krieger und Reiter und wißt, eh' wir uns nachsagen lassen, daß uns der Muth fehlt, geben wir gern Blut und Leben drein. Jedes große Haus hat seinen Ruhm, seine Ehre und opfert lieber Alles, sie zu behaupten. Die Welser eben auch, Herr Wolfgang Berg, ihr Ruhm in deutschen Landen und in aller Welt ist es seit hundertundfünfzig Jahren, daß ein Goldstrom durch ihr Haus rauscht. Und den Ruhm zu behalten, werden sie Alles thun und Alles dreinsetzen, was Menschen vermögen. Dies wußt ich und weils meinem Sinn nicht behagt, und weil ich Euch Eure Minne und meinem Herrn seinen Wunsch gönne, eilt ich hierher. Ihr mögts diese Nacht bedenken — Herr Melchior Bassenheim ist immer noch da und uns sicher genug!“

Beide Männer hatten kaum darauf geachtet, daß während ihres Gesprächs die Nacht hereingebrochen war. Sie standen sich jetzt im völligen Dunkel gegenüber; wenn ihr Gesicht vom Fenster abgekehrt war, vermochte Keiner die Züge des Andern zu erkennen. Wolfgang Berg war zu Ende mit seinem Widerstand, er antwortete auf die letzten Worte seines Gastes nicht und lehnte in finsterm Schweigen am Tische. Wie eine Erlösung wars ihm, daß in diesem Augenblick seine Schaffnerin mit einer Leuchte eintrat und der Marschall von Pappenheim, ehe dieselbe noch niedergesetzt war, das Verlangen aussprach, die Nachtruhe zu suchen:

„Entscheidet noch nichts, Herr Wolfgang. Denkt mehr an Euch, als an die, welche Eure Herren waren und in Zukunft nicht sein werden, was Ihr auch thun mögt. Laßt die Welser für sich selbst sorgen und sorgt für Euch, ohne von Andern Arges zu denken. Manches Ding sieht schlimm aus und ein tüchtiger Mann weiß es zum Guten zu wenden! Und jetzt erlaubt, daß ich noch einen Becher von Eurem Wein annehme, es ist ein treffliches Bündner

Gewächs, ich kenns von Davos her, wo ich einmal als Gesandter des Herzogs von Bayern an die Bünde im hohen Rhätien verweilt! Gute Nacht, Herr Wolfgang, morgen beim Sonnenlicht hol' ich mir Eure Antwort. Um des schönen Fräuleins willen soll michs freuen, wenn Ihr den Kölner Pfefferprinzen aus dem Felde schlagt."

Er reichte seinem Wirthe die Hand, Wolfgang griff nach der Leuchte, um den seltnen Gast in ein Zimmer des obern Stockwerks zu geleiten. Er hatte, während der Marschall zuletzt sprach, mit der Schaffnerin geflüstert und die Weisung zurückgenommen, die er vorhin gegeben. Er hätte den Gedanken nicht ertragen, daß der bayrische Herr in demselben Gemache ruhe, das an einem andern, glücklicheren Tage Marcus Welser bewohnt hatte. Mit dem letzten Aufwand von Selbstbeherrschung führte er selbst Pappenheim nach einem andern, er wünschte ihm gute Ruhe und hörte kaum, was der Marschall auch jetzt wieder zum Lobe seines Hauses sprach. Er ließ ihm die Leuchte zurück und ging im Dunkeln nach seiner eignen Kammer. Hätte er nicht die Knechte, seine eignen wie die des Fremden, gescheut, er würde lieber das Haus verlassen, als sein Lager gesucht haben, auf das er mit der Gewißheit sank, daß kein Schlaf seine Augen schließen werde.

Eine schlimme erste Nacht nach der Heimkehr hatte er erwartet, eine schlimmre fand er! In wilder Erregung fühlte er, wie sein Blut wallte, in den Schläfen pochte, wie verworrne Bilder durch sein Hirn zogen. Die Nachtluft strich kalt durch das offne Fenster des kleinen Raums, Wolfgang merkte es nicht, von Zeit zu Zeit sprang er selbst auf und preßte die heiße Stirn an die eisernen Stäbe, die das Fenster umgitterten. Und während er im Mondenlicht zu den hohen dunkelbewaldeten Bergen aufsah, die sein Haus umgaben, eilten seine Gedanken noch schneller, noch drängender und stürmischer nach Augsburg zurück, als in den vergangnen Tagen. Gestern und noch diesen Morgen war es sein herbster Kummer gewesen, daß das schöne Mädchen ihm unerreichbar galt, daß er die Ihren so hoch und höher über sich sah, wie die Berge, die ihm den Blick verengten. Und jetzt bewegte ihn ein neues, ein tiefres Weh: er sah die schöne Herrin, die er mit der ganzen Gluth und Kraft seiner Seele liebte und gleich einer Heiligen verehrte, von einer Gefahr bedroht, der er keinen Namen zu geben wußte! Wieder und wieder überdachte er alle Worte, die der Marschall von Pappenheim drunten zu ihm gesprochen, wieder und wieder trat ihm der Kurfürst vor Augen, wie er ihn vor kurzem im Festsaal der Welser geschaut, und der brennende Blick, der aus den fürstlichen Augen auf das schöne Mädchen gefallen war, ward ihm in der Erinnrung lebendig und steigerte seine Erregung. Philippine Welser, die Schöne, Holde,

Strahlende in unwürdig zweideutiger Lage nur zu denken, schien ihm schon ein Frevel — und wenn nicht jedes Wort, das der bayrische Herr gesprochen, Lug und Trug war, so drohten ihre eignen stolzen Sippen und der Mann, der um sie zu werben wagte, sie in solche Lage hineinzustoßen. Je länger ers überdachte, um so unerträglicher schien es ihm und mehr als einmal überkam ihn ein Drang, nach dem Zimmer zu stürmen, in dem der Pappenheimer den Tag heranschlummerte, ihn wachzurufen und Gewißheit von ihm zu erzwingen.

Aber nicht das allein wars, was ihn in diesen Stunden vom Lager empor und auf sein Lager zurück trieb. Heiße unbesiegte Wünsche, die er mit aller Kraft kaum zurückgedrängt, erwachten und der Marschall hatte ihn nicht umsonst gemahnt, daß er an sich selbst denken möge. Wenn die Verwandten der schönen Welser sie vor dem Kurfürsten nicht schützen wollten und konnten, er wollte es, er meinte es zu können! Wenn er scheinbar dem Rathe des Pappenheimers folgte, wenn Philippine die Seine ward — welcher Fürst im römischen Reiche durfte sie ihm entreißen? Den Gebieter von Köln und den bayrischen Marschall konnte er täuschen, wie sie ihn zu täuschen gedacht — und wenn er mit ihrer Hülfe zum Ziel käme, sie waren darum nicht am Ziel! Immer wilder sprachen die versuchenden Stimmen in ihm und umsonst rief er sich die herben Worte des Abschieds und die letzte Stunde zurück, in der er Philippine geschaut. Er hatte sich losgerissen von ihr, er hatte mit herbem Schmerz auf das Glück verzichtet, weil es sein Schicksal gefügt, daß er kein Gemahl für die herrliche fürstliche Jungfrau sein konnte. Jetzt aber, wo er vernahm, wie es um den Werber stand, den ihre Verwandten ihr aufdrängten, jetzt, wo er zu wissen glaubte, daß sie von Schmach bedroht sei, jetzt zuckte es ihm wieder und wieder durch den Sinn, daß er der bessre Mann sei und tausend Mal eher ein Recht auf sie habe, als Herr Melchior Bassenheim von Köln, der mit der Schönheit seines Weibes Handel — Gott mochte wissen wie schmählichen Handel — zu treiben gedachte.

Und doch, mitten durch alle bittren Gedanken dieser Nacht, durch alle Wallungen seines erregten Blutes drang bald genug eine gebietrische Stimme hindurch. Nicht er durfte Vortheil ziehn von dem, was er wußte. Die Welser in Augsburg konnten nicht ahnen, wer hinter Melchior Bassenheims Werbung stand, Philippine und ihre Verwandten mußten selbst entscheiden, wie viel sie dem jungen Kaufherrn von Köln vertrauen und was sie wagen wollten. Nicht er hatte über dies Alles zu richten, ihm lag nichts ob, als den Welsern Nachricht zu geben von dem, was er aus Pappenheims Munde erfahren. Und wie oft auch diese Erkenntniß von seinem Grimm und heißen lockenden

Wünschen zurückgedrängt ward, sie wuchs mit dem Lichte des Morgens, das hell und heller in seine Kammer fiel. Als Wolfgang für diese Nacht zum letzten Mal von seinem Lager aufsprang, war er seines Thuns gewiß und seine Züge zeigten neben den Spuren der durchwachten Stunden die Festigkeit eines unerschütterlichen Entschlusses.

Er hatte drunten im Zimmer des Untergeschosses, in dem die Schaffnerin ein Frühmahl aufgetragen, seinen Gast nicht lange zu erwarten. Der Marschall von Pappenheim kam herab, hellen Blicks, ein Lächeln auf seinem narbigen Antlitz, mit frischem Morgengruß. Noch im Flur gab er seinen harrenden Knechten Befehl, die Rosse zu satteln, und trat dann zu seinem Wirth:

„Es ruht sich wohl unter Eurem Dache, Herr Berg. Ich habe köstlich geschlafen und die Morgenluft Eurer Berge hat mich trotzdem früher erweckt, als ichs daheim von mir rühmen kann!“

„Ihr wollt alsbald aufbrechen, Herr Marschall?“ fragte Wolfgang, während Hans von Pappenheim sich am Tische niederließ. „So erlaubt, daß ich Euch bis zum See das Geleit gebe!“

„Ihr reitet nicht mit mir nach Augsburg?“ sagte der Marschall überrascht. „Hat Euch die Nacht nicht bessern Rath gegeben!“

„Ich hoffe, den besten!“ entgegnete Wolfgang kurz. Herrn von Pappenheims Antlitz wurde fast augenblicklich minder hell, sein freundlicher Blick verdrossen und lauernd zugleich. Das Frühmahl ging schweigsam und schnell vorüber; als die Männer sich erhoben, stand draußen im Hof neben den Pferden des Marschalls auch Wolfgangs braunes Roß. Sie traten hinaus und schwangen sich auf, der Pappenheimer warf den Knechten seines Wirths, die dem Aufbruch zuschauten, große Silbermünzen zu und sprengte rasch aus dem Thor des Hofes. An der ersten Wendung des Weges blickte er auf das Haus Wolfgangs, dessen stattliche Giebel in der Morgensonne schimmerten, zurück und sagte mit unmuthigem Ton:

„Wozu, Herr Berg, habt Ihr Euch ein Haus, wie der beste Ritter, errichtet, wenn Ihr nicht handeln wollt, wie ein Ritter?“

„Verzeiht, Herr Marschall,“ entgegnete Wolfgang, sein Roß näher an das Pappenheims heran lenkend. „Ich wollte just eine Frage an Euch thun, auf die Euch die Antwort sicher nicht leichter fällt, als mir auf die Eure! Ich frage mich seit gestern Abend in jeder Minute, was Euch, den stolzen Marschall von Pappenheim, den ritterlichen Mann, wohl dazu treiben mag, die Wünsche Seiner Gnaden von Köln, der nicht einmal Euer Herr ist — und welche Wünsche! -- zu fördern. Ich frage mich umsonst und kann es nicht errathen!"

Der Marschall blickte seinen Begleiter finster an und sagte mit rauher Stimme:

„Die Kühnheit, die Euch den Welsern gegenüber fehlt, mangelt Euch nicht für uns! Der Kurfürst von Köln, sollt Ihr wissen, ist für Hans von Pappenheim stets ein Herzog von Bayern und als solcher bleibt er mein Herr zu Bonn so gut, als zu München. Auch ist Hans von Pappenheim niemals ein bloßer Diener, sondern allzeit der Freund seiner fürstlichen Herren gewesen. Mir geht es zu Herzen, daß sich der prächtige feurige Ferdinand auf dem geistlichen Throne und an seinem geistlichen Hofe einsam fühlt. Und ich werde für ihn, wenn es sein muß, mehr thun, als diesen vergebnen Ritt, verlaßt Euch darauf, Herr Wolfgang Berg!" — —

„Ich danke Euch, Herr Marschall!" erwiederte der Reiterführer. „Ich danke Euch für die Ehre, die Ihr meinem schlichten Haus erwiesen und danke Euch für die Antwort. Eh' wir scheiden, muß ich Euch noch eins sagen: ich bin aus dem Dienst der Welser geschieden, doch ich halte es für meine Pflicht, sie wissen zu lassen, daß Herr Melchior Bassenheim noch andre Zwecke bei seiner Werbung verfolgt, als den, eine schöne herrliche Gemahlin in sein Haus zu Köln zu führen!"

„Thut was Euch gutdünkt und frommen mag!“ rief der Pappenheimer sein Pferd antreibend. „Gehabt Euch wohl und laßt Euch das einsame Leben zwischen den Bergen nicht leid werden, es stand nur bei Euch, ein andres zu gewinnen!“

So schieden sie mit fast feindseligen Blicken. Der bayrische Herr sah sich nicht nach seinem Gastfreund um, Wolfgang Berg aber blickte dem Davonreitenden lange und unverwandt nach und je weiter er sich entfernte, um so weher wurde ihm zu Sinn. Einen Augenblick, nur einen, erwachten die Geister der verflossnen Nacht, dachte er daran, dem Marschall nachzusprengen und dem eignen Entschluß untreu zu werden. Dann aber kehrte er nach seinem Gehöft zurück, — es galt nicht zu zögern und er durfte keine Stunde verlieren. Am Thor rief er den Knecht, welcher der Rosse gewartet hatte:

„Schicke Dich zur Reise, Blasius, — Du mußt nach Augsburg. Du kennst den Weg dorthin, Du kennst das Welser'sche Haus und sie kennen Dich. Du mußt einen Brief überbringen, den ich schreiben werde, der Brief darf in keine andern Hände fallen, als in die, für die er Dir anvertraut ist. Und noch eins, Blasius. Du mußt versuchen, vor dem Herrn, der eben von uns hinweggeritten ist, Augsburg zu erreichen und weder er noch seine Knechte dürfen Dich auf dem ganzen Wege wahrnehmen. Es ist mehr ein Reiter- als ein Botenstücklein, was ich von Dir begehre, aber ich weiß, daß Dichs nicht schreckt!"

Der Knecht, der so verschlagen als entschlossen dreinschaute, machte ein Zeichen des Verständnisses. Wolfgang schritt nach seinem Gemach, den Brief überdenkend. Erst als das weiße Blatt vor ihm lag, fiel ihm schwer aufs Herz, an wen er schreiben solle. Daß Philippine Welser nicht wissen durfte, was er vernommen, war gewiß, Wolfgang fühlte, wie ihm beim bloßen Gedanken, sie könne seinen Brief falsch deuten und eine Verläumdung des glücklichen Freiers darin erblicken, das heiße Blut ins Antlitz schoß. Dem Stadtpfleger hätte er am liebsten die Mittheilung gemacht, aber sein Entschluß wankte, sobald er die Feder ansetzte. Er dachte der tausend Zeichen treuer Theilnahme, die er von Marcus Welser erfahren und seines neulichen Wegritts ohne Abschied von ihm! Sollte er kalt berichten, was geschehen war und von sich nichts sprechen — und wenn er von sich sprach, was konnte, was durfte er dem hohen Freunde sagen?! — Rasch, gleichsam um den Zweifeln und den schmerzlichen Gedanken, die sich regten, zu entrinnen, setzte er ein kurzes Schreiben an Matthäus Welser auf. Ihm durfte er karg das Erlebte berichten, ihn in kurzen Worten warnen. Und um sich jedes weitre Besinnen abzuschneiden, rief er seinen Knecht alsbald herein, versah den Brief vor den Augen des

Boten mit der Aufschrift und empfahl ihm nochmals denselben in Herrn Matthäus Welsers Hände und nur in dessen Hände zu legen. Ehe der Marschall von Pappenheim auf seiner Straße Bregenz erreicht haben mochte, befand sich Blasius auf einem Wege zum Bodensee, auf dem er dem Marschall und seinen Dienern nicht begegnen und vielleicht vor ihnen das schwäbische Ufer gewinnen konnte. Wolfgang aber blieb zurück, um die Stunden, die bis zur Wiederkehr seines Boten verfließen mußten, in wachsender Pein zu zählen und nach wie vor mit seinen Erinnerungen und wilden Wünschen zu ringen. — —

Die Erregung, in welche die Bewohner von Wolfgangs Gehöft durch die seltsame Rückkehr ihres Herrn und den Besuch des Marschalls von Pappenheim versetzt worden, nahm im Laufe der nächsten Wochen kaum ab, sondern wuchs im Stillen selbst unter den Hirten und Waldleuten. Wo Wolfgang Berg erschien, sahen die scharfen Augen seiner Siedler, daß er nicht derselbe Mann sei, der zur Reiterfahrt nach Prag aufgebrochen war, den die Meisten von ihnen seit Jahren kannten. Schweigsam, verschlossen, fast ohne Antheil am Thuen des Sommers, am Gedeihen seines eignen Gutes, schritt er zwischen ihnen umher, nur selten bestieg er sein Roß, — und selbst seine Gänge durch die Wälder, die das Thal umgaben, schienen nicht mehr wie sonst frischer Jagdlust oder künftigen Plänen zu gelten, sie begannen und endeten schier alle an einer Stelle, von der er allein wußte, was sie ihm galt und warum sie ihn fesselte.

Blasius', des ausgesandten Boten, Rückkehr, die kaum zehn Tage nach dem Besuch des Marschalls von Pappenheim erfolgt war, hatte die finstre Unlust Wolfgang Bergs mehr gesteigert als gehoben. Der treue Knecht legte zum Zeichen, daß er in Augsburg gewesen, einen offnen Papierstreif in Wolfgangs Hand, auf den Matthäus Welser mit mehr als kargen Worten geschrieben hatte: „Euren Brief habe ich erhalten."

Seitdem war Wolfgang zwei- oder dreimal nach Bregenz geritten, um neue Briefe abzusenden — aber kein Laut einer Kunde aus Augsburg drang in seine Einsamkeit und statt Beruhigung aus diesem Schweigen zu gewinnen, wuchs seine Unruhe, seine trübe Sorge. Je stärker er mit seiner Leidenschaft rang, je erbarmungsloser er all' seine Träume und Hoffnungen zertrat, um so leuchtender, reizender stand das Bild der schönen Philippine vor seiner Seele, um so tiefer und inniger ward die Theilnahme, mit welcher er ihres Geschicks gedachte. Zwar blieben auch die schlimmen Stunden nicht aus, in denen er seines Bangens bitter spottete und sich zornig zurief, daß

Niemand in Augsburg, Niemand im Hause der Welser seiner nur einen Augenblick gedenke, daß all seine Sorge unnütz und eitel sei und daß man in den fürstlichen Räumen ein Brautfest rüsten werde, den Kurfürsten von Köln, und ihn, den warnenden Thoren, zugleich höhnend. Dennoch wuchs sein Verlangen, zu wissen, was in der fernen Reichsstadt vorgehe, mit jeder Stunde und mehr als einmal schon hatte er am Stalle seines Rosses gestanden und bei sich bedacht, ob er den Braunen nicht satteln, und nicht selbst hinausreiten solle aus den Bergen, um Gewißheit zu gewinnen.

Wolfgang Berg nahm es in diesen Wochen kaum wahr, wie rasch der Mai vorschritt, wie siegreich der Sommer Einzug in sein grünes Waldthal hielt. Das Gehöft lag jetzt still wie niemals zu dieser Zeit, Wolfgang war es, der sonst Leben und rasche Thätigkeit geweckt hatte und sie nun erstarren ließ. Wohl gab es Tage, an denen er sich gleichsam emporraffte und in rascher Entschlossenheit, in prüfender Umsicht wieder der Alte schien, so daß die stumme Verdrossenheit aus den Herzen und Mienen seiner Leute verschwand, daß er selbst Hoffnung hegte, die trübste Zeit hinter sich zu haben. Aber kein Tag solcher Art hatte einen gleichen Abend. Ehe die Sonne niederging, suchte der Herr des Hauses wieder die einsamen Waldpfade oder saß in seinem Gemach über Bücher geneigt, in denen sein

Auge stets auf derselben Stelle haftete, während sich seine Stirn in trüben Gedanken faltete, die nicht aus den Blättern vor ihm emporstiegen.

So war es viele Tage gewesen, so war es auch am letzten Abende des Mai. Wolfgang lehnte lange am Fenster desselben Gemachs, in dem er vor Kurzem den Marschall von Pappenheim und vor länger als einem Jahre viel liebere Gäste bewillkommt hatte. Und als draußen das ernste Grün der Fichten und das junge Laubgrün mit der braunen Felswand in Dämmer und Dunkel zusammenschmolz, als der Mond über dem Thale aufstieg, wollte er sich eben wieder zur römischen Geschichte des Livius wenden, die ihm Marcus Welser, der Stadtpfleger, verehrt, als ein später Bote in den Flur des Hauses trat und nach dem Herrn desselben frug. Wolfgang eilte selbst hinaus, ehe sein Knecht noch eine Antwort gegeben. Ein halbwüchsiger Bursch stand im Dunkel des Flurs und nestelte an seinem Wams, um endlich einen Brief hervorzuziehen, der durch manche Hände gegangen sein mochte, ehe er in denen Wolfgangs lag.

„Der Hasenzoller aus Bregenz sendet Euch den Brief,“ sprach der Bote dabei. „Das Marktschiff von Buchhorn hat ihn herübergebracht, ich sollte ihn schon gestern zu Euch bringen, ward aber nach Rheineck gesandt.“

Wolfgang winkte seinem Knecht, dem Burschen eine Wegzehrung zu reichen, und ging, Licht begehrend, eilig in sein Gemach zurück. So dunkel es war, die ungeübte Hand seines Vaters hatte er doch noch auf dem Briefe erkannt und eine wilde Spannung erfüllte ihn augenblicklich. Er brach das sorgfältig verschlossene Schreiben hastig auf, ehe noch die Leuchte vor ihm stand. Und wie dies der Fall war, verschwammen die großen steifen Züge vor seinen Augen, es dauerte einige Minuten, bis er mit pochendem Herzen, aber immer schärferen, immer gespannteren Blicken den Inhalt des Schreibens las:

„Du begehrst Gruß und Nachricht und obschon ich nicht sehe, was Dir eine Kunde aus dem Hause unsrer edlen Herren frommen soll, so liegt mir doch Frau Katharina, Deine Mutter, mit Bitten und Leid Tag und Nacht hart an, Dir zu schreiben. Du verlangst zu wissen, ob Herr Melchior Bassenheim aus unsrer Stadt abgereist ist. Der Jungherr war nach Köln zurückgekehrt und weilt seit gestern wieder im Haus bei Herrn Matthäus und Paulus, seinen künftigen Schwähern. Am Tage St. Norberts wird der feierliche Auszug Herrn Bassenheims mit seiner Braut Fräulein Philippine stattfinden. Alle Welserischen geleiten sie mit stattlichem Gefolge und in großer Pracht bis nach Zusmarshausen, wohin Herr Caspar Bassenheim kommen soll, Herr Matthäus reitet dann mit bis Köln, wo der

Einzug nicht minder prächtig sein wird, als der Auszug von hier. Was verlangt Dichs, solche Dinge zu wissen? Hättest Du nie Deine Wohnstatt im Walde genommen, sondern wärst hier geblieben, wie Dein Ahn und Dein Vater, so brauchte ich Dir nicht zu schreiben, was in dem Hause vorgeht, das uns Allen ans Herz gewachsen ist. Und wärst Du nicht in die Sünde tollen Hochmuths verfallen, so würdest Du mindestens an einem Ehrentage des Hauses nicht fehlen. Ganz Augsburg ist voll von der Herrlichkeit der Feste und Jedermann glücklich, wer zum Hause Welser steht, mich allein ausgenommen, der Gram um Dich und Deinen verstockten Sinn hegen muß. Auch Herr Marcus, der Stadtpfleger, ist noch krank und grollt Dir. Er scheint zu meinen, daß Dich Daniel Pömers Gekrächz und die Lügen vom schlimmen Stand des Hauses in Deine Wälder gescheucht haben. Ich durfte ihm nicht widersprechen, denn sollte ich ihm sagen, daß solcher Undank in Deinem Herzen keine Statt hat, so hätte ich ihm auch sagen müssen, daß Dich viel schwererer Undank und Frevel an Deinen Herren, von Augsburg hinweggetrieben. Indeß geschieht, was oft geschehen ist. Die müssigen Reden vom Leid der Welser sind im Preis des edlen Hauses erstickt, — Herr Pömer und seine Freunde schleichen bei Nacht zu Leopold Rehm, um an den Unternehmungen wieder Theil zu haben: der

Alte weist Alle hinweg, wie es ihnen gebührt! Die Verbindung unsres Fräuleins mit Herrn Melchior Bassenheim hat neues Leben auch in das Thun des Hauses gebracht. Jedermann preist die Klugheit, daß zwei so berühmte Häuser in Zukunft eins sein sollen. Wir Alten freilich hätten wohl gewünscht, daß ein Fürst oder Reichsgraf die schöne Jungfrau in sein hohes Schloß geführt hätte: vielleicht mag der hochwürdige Pater Severin das Rechte treffen, welcher meint, in kommenden Tagen sei man hinter den Mauern einer Stadt besser geborgen, als hinter denen eines Schlosses. Doch ich schreibe Dir mehr, als Du zu wissen begehrst! Ich hätte nie geträumt, daß Du am Ehrentage des Fräuleins, dessen Dienst ich Dich geweiht, leben und dennoch im Geleit fehlen solltest. Gott straft unsre Sünden durch unsre Söhne, möge Dir dereinst nicht geschehen, wie mir. Deine Mutter ist wohl und betet treulich für Dich!"

Vielmal las Wolfgang den Brief, bis er jedes Wort desselben seinem Gedächtniß eingeprägt. Und war zuerst, als er die ersehnte Kunde endlich in seiner Hand hielt, ein Druck von seiner Seele gewichen, so legte der Inhalt des Schreibens ihm einen neuen härteren auf. Er ließ das Blatt endlich sinken, einen wilden Zornruf zwischen den Lippen erstickend. Und darnach starrte er vor sich nieder, wie Jemand, dem Entsetzliches geschehn ist und der noch nicht gefaßt hat, daß es geschehen konnte. Er gedachte seines Briefs an Matthäus Welser, den der Kaufherr empfangen, er rief sich die Worte des Marschalls von Pappenheim zurück — und doch stand hier geschrieben, daß Melchior Bassenheim von Köln Philippine Welser in wenigen Tagen heimführen werde! Entweder wußten sie im Welserschen Haus, daß die Reden des Marschalls leerer Schall waren und lachten dieser Reden, wie seiner Warnung — oder der Marschall hatte Recht gehabt, und die Heirath Philippine Welsers mit dem jungen Kölner Patricier war trotz Allem beschlossen worden. Trotz Allem, wie es Hans von Pappenheim vorausgesagt! Wolfgangs Blut wallte auf und ein wilder Schmerz, wie er noch keinen zuvor empfunden, kam über ihn. Philippine am Hofe von Bonn, als die Freundin des Kurfürsten, ihr reiner edler Name umhergetragen im ganzen Reich, sie selbst umzischelt, bespöttelt und mit frechen Augen angeblickt von ihren Umgebungen — so mußte er sie in Zukunft denken! Auch jetzt, wo die schlimmsten Möglichkeiten ihm gewiß wurden, auch jetzt zweifelte er nicht einen Augenblick an ihrer Reinheit und Hoheit. — Sie wird nie und nimmer sein, was sich Ferdinand von Bayern in ihr erträumt, sie wird es selbst dann nicht, wenn sie den Buben, der ihr Gemahl heißt, aus tiefstem Herzen verachtet. Aber ists nicht genug und nicht tausendmal zu viel, wenn es bis dahin kommt, kann sie ertragen, daß ihr Name im Mund der Unwürdigen und Lästrer ist — darf es geschehn, daß die Welser ihr Fleisch und Blut in Schmach stoßen, nur um ihrem Handel eine Stütze zu leihen?! Während es so in Wolfgang aufschrie, starrte er wieder und wieder auf die Zeilen seines Vaters und immer wahrscheinlicher dünkte ihm das Schlimmste. Hatte doch Bartholomäus Berg nichts Anderes geschrieben. Um des Hauses willen ward die Verbindung geschlossen, um des Hauses willen konnten die Kaufherren noch weit mehr thun, als die schöne Nichte in ein verhaßtes Brautbett zwingen!

Während dieser Sturm in Wolfgangs Herzen tobte, war er nach außen stiller und stiller geworden. Sein Fuß trat nicht heftig mehr auf die Diele des Gemachs, die gepreßten Laute, die sich zwischen seinen Lippen hervorgedrängt hatten, verstummten, er saß selbst wieder vor dem Tisch, auf dem das Blatt seines Vaters lag und würde einem Ruhenden geglichen haben, wenn nicht das flammende Auge zum Verräther des dunkeln unheimlichen Lebens in ihm geworden wäre. Eine Stunde mochte etwa seit Ankunft des Boten vergangen sein, als Wolfgang sich mit plötzlichem Entschluß erhob. Er rief Blasius und seine Schaffnerin und kündete ihnen in kurzen Worten an, daß er noch in dieser Nacht hinwegreiten müsse. Dies war auch sonst geschehn und da Wolfgang Berg in Mienen und Haltung die alte entschlossne Ruhe zeigte, so konnte es nur das seltsame Feuer seines Auges sein, das die Gerufnen sichtlich erschreckte und Blasius fragen ließ:

„Nicht bis zum Morgen dürft Ihr Euch und dem Braunen Rast gönnen, Herr? Und Ihr reitet nach Augsburg, reitet wieder zu den Welsern?“

„Nicht nach Augsburg — doch in die Nähe!“ entgegnete Wolfgang. „Spar die müssigen Fragen; wenn wir im Winter am Heerd sitzen und unsern Trunk wärmen, erzähl' ich Dir von dieser Fahrt, wenn Du nicht früher etwas davon vernimmst.“

Er lachte — doch klang das Lachen trocken und hohl, der treue Knecht zeigte kein zufriednes Gesicht, die Schaffnerin ging schweigend, um den erhaltenen Befehl auszuführen. Wolfgang stieg, sich rüstend, in seinem Hause treppauf und treppab — er saß zu Pferd, ehe es Mitternacht ward, und rief Blasius aus dem Sattel zu:

„Sollte ich in einem Monat nicht heimgekehrt sein, so gieb die Aufsicht im Gehöft und im Wald an Conrad und gehe nach Augsburg zu meinem Vater, um von mir zu hören! Nicht eher, Blasius, nicht später. Behüt Dich Gott und Euch Alle!“

Die Hörer am Thor vernahmen erschrocken, was ihr Herr sprach: mit solchen Worten, in solchem Tone war er noch zu keiner Reiterfahrt aufgebrochen. Sie blickten einander an; ehe einer von ihnen eine Erwiederung gefunden hatte, griff das Roß Wolfgangs aus und verschwand alsbald im Dunkel des bewaldeten Weges und der Nacht. Das Letzte, was Wolfgang Berg ins Ohr klang, war ein lauter Aufschrei seiner Leute, der ihn zurückzurufen schien, — er aber spornte den Braunen und sah ungeduldig vor sich. Wie er vor Wochen aus Augsburg geschieden war, schied er jetzt von seinem Hofe und dem stillen Thal, — er glaubte beides nicht wieder zu erblicken. Und doch war es ein Unterschied. Auf die Stadt, in der er die stolzen Hoffnungen seiner Jugend ließ, hatte er zurückgesehn und selbst, als sie weit hinter ihm lag, waren seine Blicke die Straße zu ihr zurückgeflogen. Von hier ritt er entschlossen, fast trotzig hinweg, Wehmuth und Leid schienen in seiner Seele nicht mehr Raum zu haben neben dem finstern Groll und dem brütenden Grimm, den der Brief des alten Bartholomäus Berg geweckt hatte.

Was er draußen thun wollte, wogte in ihm auf und ab und gewann in jeder Wegstunde, die er zurücklegte, andre Gestalt. Nur eins: das Ziel seines Rittes war ihm gewiß. Auf seinen fest geschlossnen Lippen, die kein Lächeln öffnete, trat nur zuweilen der Name Philippine und der Name des Ortes, den Wolfgangs Vater in seinem Briefe genannt. Nach Zusmarshausen, wohin die edle Braut feierlich geleitet werden sollte, suchte der einsame Reiter seine Straße. Er trat den Weg im Nachtdunkel an und wie viele Mal die Sonne über ihm aufgehen mochte, ehe er am Ziel war, er strebte der Nacht und nicht dem Lichte zu! Der Morgen, der ihn nach stundenlangem Ritt sonnig und thaufrisch umgab, wandelte die Bilder nicht, die ihm in dunkler Folge durchs Hirn zogen. Es blieb Nacht in ihm und das eine, was sich bald aus all seinen schlimmen und zornigen Gedanken emporrang, war ein finstrer Entschluß. Nicht umsonst wollte er sich dereinst vermessen haben, der geliebten Jungfrau das Leben zu schützen und zu schirmen, nicht umsonst wollte er geträumt haben, daß er Alles für sie einsetzen werde. Wenn Alles, warum nicht das Leben selbst? Und wenn er jetzt das Aeußerste wagte — so durfte er hoffen, sie von dem Unwürdigen zu befreien, der um sie geworben hatte! Was Keiner von ihren stolzen, mächtigen, reichen Sippen gethan, er vermochte es vielleicht, wenn er einen Frevel für sie, die ihm mehr galt als das Heil seiner Seele, und den Tod nicht scheute. Und wars denn zuletzt ein Frevel, was er in seinem Sinn erwog, wars nicht eine Pflicht, die er auf sich genommen, als er zuerst seine Augen zu dem schönen Mädchen zu erheben gewagt?! Was auch nachher kam — Melchior Bassenheim sollte sie nie an seinen Heerd und nimmer an den Hof des Kurfürsten von Köln führen!

Wolfgang Berg legte in solchen Gedanken dieselbe Straße zurück, der er vor kurzem gefolgt war. Fort und fort bewegte er dunkle Entschlüsse in seinem Gemüth, aber mit den Entschlüssen war eine neue Kraft über ihn gekommen. Er blickte nicht düster träumerisch von seinem Rosse, wie vor Wochen. Wo er Rast suchte und Herberge nahm, wo seine Straße sich mit den Wegen Andrer kreuzte, die ihn kannten, da schien Allen der alte, hell ins Leben schauende, frisch theilnehmende Reiterführer zurückzukehren, nicht Einer von den Vielen, die ihm ins Antlitz sahn, nahm die dunkle Gluth seines Blicks wahr. An jedem Tage, den der Ritt währte, wuchs die ruhige Sicherheit, die er nach Außen zur Schau trug, während er in sich die wilde Verzweiflung über Philippinens Schicksal mit wildern Vorsätzen besiegte.

Nur einmal wich die scheinbare Ruhe von Wolfgangs Antlitz, als er am Abend des vierten Tages in die Nähe der Stadt Augsburg gelangte. Er kämpfte mit sich, ob er die Nacht erwarten und drinnen einen Versuch machen solle, Frau Katharina, seine Mutter, im Häuschen der Muhme Brigitta zu sehen. Sein Herz sehnte sich nach den sorglichen Augen, den milden Worten der Mutter, ihm war es, als dürfe er ihr, so nahe, nicht fern bleiben. Doch bedachte er auch, daß sie eine Frage nach der Ursache seines Kommens, nach seinem Zweck und Ziel thun werde und wie er sich der Antwort bewußt ward, die er der Liebreichen geben mußte, so bezwang er seine Sehnsucht und ritt an den Mauern der Reichsstadt vorüber. In einer geringen Herberge vor den Thoren, in der er einst herrenlose Reiter gesucht und für die Welser geworben hatte, verbrachte er die Nacht, andern Tags gelangte er nach Zusmarshausen, dem Ziel seines Rittes.

Den Flecken, der sonst schlicht und still an der Straße zur Donau lag und kaum in Bewegung kam, wenn der Bischof von Augsburg einmal Hof im kleinen Schlosse des Orts hielt, fand Wolfgang in freudiger Unruhe, menschenerfüllt und geschmückt, wie er ihn nie zuvor gesehen. Wo die Straße von Augsburg her die ersten Häuser erreichte, zimmerten Bauleute aller Art einen prächtigen Ehrenbogen, der Maler, dessen farbige Leinwandrollen ihn überspannen sollten, stand dabei und maß die Räume für die Wappen der Welser und Bassenheim. Zwischen Hecken von Tannen und Masten mit bunten Wimpeln gelangte Wolfgang zum Wirthshofe des Fleckens, der gleichfalls von hundert geschäftigen Händen geschmückt ward und den ein buntes fröhliches Getümmel erfüllte. Ueber das Antlitz des Reiters flog ein bittres Lächeln; er hielt unbeachtet vor dem stattlichen Hause, in dem der Wirth mit mächtiger Stimme schaltete und jeden Raum, den Wolfgangs Auge erblicken konnte, festlich umwandeln ließ.

Ein Knecht, der das Thor des Hofes mit Reisern zierte, rief dem Reiter kurz zu, daß heut und in den nächsten Tagen der „Ritter“ keine gewöhnlichen Gäste beherbergen könne. In der nächsten Minute aber sprang der Wirth selbst herzu und rief, Wolfgang erkennend:

„Verzeiht dem Tölpel, Herr Berg! Ihr kommt von Augsburg, Ihr habt noch Befehle zu bringen und sollt zuschaun, ob wir wacker am Werke sind? Nicht so? Steigt ab — Herr Wolfgang, Ihr müßt Euch heut mit einem der hinteren Zimmer genügen lassen. Und kommt sogleich den Saal zu sehen, in dem die feierliche Uebergabe der edlen Braut stattfinden soll. So lang das Wirthsschild vor dem Ritter hängt, hat dies Haus noch keinen größern Ehrentag gesehen! Kommt, kommt, Herr Berg, wir sind weiter, als Ihr meinen werdet!“

Wolfgang schwang sich aus dem Sattel, ohne daß der redselige Wirth die Verlegenheit und den Unmuth in seinen Mienen wahrnahm. Die Hindernisse seines Entschlusses waren fast lachenswerth, wenn der Entschluß selbst nicht so ernst gewesen wäre. Jetzt galt es sich rasch zu fassen und den Wirth im guten Glauben nicht zu stören:

„Gebt mir das Gemach, Meister Billinger!“ sprach er ruhig. „Sorgt nur dafür, daß ich in der Nähe der Herren, absonderlich des edlen Bräutigams bleibe, im Fall sie meiner bedürfen sollten. Und macht nicht viele Worte um mein Kommen, ich habe hier Manches zu schaffen, was geheim bleiben soll bis zum rechten Augenblick, ich muß mich still halten!“

„Verstehe, verstehe, Herr Wolfgang!“ entgegnete der Wirth, der eine um so schlauere Miene zeigte, je weniger er in Wahrheit die Rede Wolfgangs begriff. Mit den Schlüsseln rasselnd und überall halbvollendete Vorbereitungen zeigend, führte er den Ankömmling durch den Hof und über den Flur die Treppe seines Hauses empor. Droben auf dem Gange, auf den sich eine Reihe schwerer eichner Thüren öffnete, zeigte Meister Billinger auf die letzte derselben, die einige Stufen tiefer lag, als die andern:

„Hier wird Eure Kammer sein, Herr Berg. Just neben dem großen Gemach, das der edle Herr Melchior Bassenheim bewohnt. Seht selbst, daß ich keinen bessern Raum für Euch habe. Dort die Zimmer sind des gestrengen Herrn Stadtpflegers, die nächsten des alten Caspar Bassenheims von Köln. Hier werden die Herren Paulus und Matthäus Welser hausen, hier Frau Barbara, hier das edle Fräulein mit ihren Frauen und Zofen, hier ihre Vettern David und Johann Welser. Das letzte Gelaß ist für die Herren bestimmt, die mit dem alten Bassenheim von Köln kommen! All die Andern vom Geleit, so weit sie nicht im Schloß Seiner bischöflichen Gnaden wohnen, müssen droben im obern Stock hausen!" —

Der Wirth ging hinweg, Wolfgang blieb in dem Gemach allein. Es war nicht zur Reihe der Zimmer gezogen worden, neben denen es lag, und erschien mit weißen Wänden, einem Bett und Tisch und wenigen hölzernen Schemeln dürftig genug. Wolfgang Berg warf den Mantel über das Lager und legte sein Schwert, sowie ein Dolchmesser, das er im Gürtel trug, sorgsam auf den Tisch. Dann sah er hinab auf den Hof, der in mäßiger Tiefe unter dem einen schmalen Fenster lag, schüttelte aber sogleich den Kopf.

„Zu entrinnen wäre wohl!" raunte er vor sich hin, „doch wenn's zum Letzten kommt, brauche ich solchen Weg nicht! Nur wenn ich doch geirrt hätte und stumm verschwinden müßte, was Gott gebe, wäre mir der Ausgang willkommen."

Er setzte sich auf einen der Schemel und überdachte, das Haupt in die Hand gestützt, noch einmal, was ihn hierher getrieben und was kommen sollte. Vom Flur, aus allen Gemächern und drunten vom Hofe dröhnte das geschäftige Geräusch der Zurüstungen zum Fest in das einsame Gelaß, wo er sinnend und bang erwartend saß. Niemand dachte an ihn. Nicht einem unter Allen, die von der prächtigen Brautfahrt der schönen Welser schwatzten, lärmten und geschäftig durcheinander schwirrten, wäre es in den Sinn gekommen, daß der einsame Reiter in dem engen Gemach einem ganz andern Ende des erhofften Festes nachsann, als sie träumten. Sie waren allesammt in freudiger Erregung, der rothe Landwein, den Meister Billinger den Arbeitenden spendete und die Aussicht auf das Schaugepränge des folgenden Tages, ließen keinen Mißton aufkommen. Und der Eine, dessen Gedanken und Vorsätze grelle Mißtöne gewesen wären und sie Alle emporgeschreckt hätten, saß still und stumm in seiner Kammer, und verschwand ihnen aus Augen und Sinn.

Wolfgang Berg verbrachte in seiner Zurückgezogenheit den Tag fast allein. Zwischendurch warf er einen Blick in die Gemächer, aber nur dem, worin Herr Melchior Bassenheim, der glückliche Bräutigam, hausen sollte, schenkte er mehr als flüchtige Beachtung. Auch musterte er die eichene Thür schärfer, als die grünen Gewinde, die über derselben prangten, und schien an den Wänden mehr zu prüfen, ob sie einen verborgnen Ausgang zeigten, als die Schönheit der Teppiche zu bewundern, mit denen sie bekleidet wurden. — Erst als es schon Abend ward, trat er durch den Hof in die Gassen des Orts hinaus und ging, immer einsam und wenig auf die bewegte Menge achtend, welche die Straße erfüllte, dem alten Bischofsschlosse zu. Auch jetzt lauschte er nicht den hundert Gesprächen von der

Herrlichkeit des kommenden Tags, die rings erklangen. Er vernahm nur die dunkle Stimme in sich selbst, die ihm fort und fort eine Mahnung zurief. Die Herrliche soll nicht in Schmach fallen, du mußt und du wirst es hindern!

Mitten in der Gluth, die ihn erfüllte und auf die Außenwelt nicht achten ließ, ward ihm eine neue Erregung zu Theil. Als er längs der verwitterten Gartenmauer des bischöflichen Hofes hinschritt, klangen Tritte innerhalb dieser Mauer und schlugen Stimmen an sein Ohr, die ihm minder fremd klangen, als alle, die er drunten vernommen und die ihn aus seinem verschlossnen Hinbrüten rasch erweckten. Er wußte nicht, wessen Stimme es war, die ihn so plötzlich auflauschen ließ, aber er ging rascher vorwärts, in der Mitte der Mauer bemerkte er eine Pforte aus eisernem Gitterwerk. Die Schritte drinnen blieben hinter den seinen zurück — er erreichte die Pforte und warf einen Blick in den Garten hinein und kam eben noch recht, um zwischen weiter unten gelegnen blühenden Weißdornhecken zwei bis drei Männer in ritterlicher Kleidung verschwinden zu sehen. Er hatte kein Gesicht wahrgenommen und doch durchzuckte es ihn wie Blitz und Schlag, die Haltung, der Gang des Einen, der leichte sichre Tritt, mit dem er entschwand — wo hatte er dies Alles wahrgenommen, wer war der Mann, dessen halber Anblick ihn heiß durchschauerte und in wilde Spannung versetzte? Er blickte noch eine Zeit lang in den seltsam verwilderten Garten hinein, die Stimmen waren verklungen, Niemand zeigte sich seinem Auge. Allmälig faßte er sich wieder und sagte finster zu sich selbst:

„Es ist Zeit, daß es zum Ende kommt oder ich komme von Sinnen. Hätt' ich nicht vor zwei Augenblicken schwören wollen, daß es Herzog Ferdinand, der Kurfürst von Köln war, den ich erblickt? Und wie käm' er hierher, was sollte er jetzt, wo seine Zeit noch nicht gekommen ist? Noch ward ja Philippine Welser nicht die glückliche Frau des preislichen Bassenheim, noch hat er kein Recht über sie — was sollte er hier? Mir aber ergeht es wie Sanct Antonius, der unter tausend Gestalten Satan schaute, ich sehe überall den Mann, der sie bedroht!" —

Im Nachtdunkel, nach mancher Stunde kam Wolfgang zu der Herberge zurück. Als ihm der Knecht in seine Kammer leuchtete, nahm er wahr, daß der Schmuck des Hauses vollendet sei. Drunten im Schenkzimmer saßen der Wirth, Jacob der Kellermeister und zahlreiche Diener des Welserschen Hauses, die schon heut von Augsburg gekommen waren, beisammen. Wolfgang Berg zog es nicht zu ihnen. Er trug genug des Grolls und der Bitterkeit in sich — er brauchte ihren Preis der Herren Matthäus und Paulus oder gar des Kölner Kaufherrn wahrlich nicht mehr zu vernehmen! — —

Der nächste Morgen brach sonnig und hell an; hätte Wolfgang Berg in dieser Nacht überhaupt Schlaf gefunden, er wäre vom beginnenden Geräusch des Tages früh erweckt worden. Ihn aber fand die frühe Dämmrung, wie ihn die Mitternacht gelassen hatte: auf dem Lager in wachen Träumen, die ihm nur dunkle Bilder zeigten. Noch einmal rang er mit sich, ein Schauer überkam ihn, wenn er seiner Mutter gedachte. Hatte sie nicht seiner Minne das unselige Ende geweissagt, dem er jetzt zutrieb? Doch war es nur ein Schauer, wie er den Krieger vor der Schlacht faßt, sein Entschluß blieb fest: ehe Melchior Bassenheim die schöne Welser dem Hohn und Gespött der Welt und unendlichem Leid preisgab — eh sollte er, eh wollte Wolfgang selbst sterben! — So begrüßte er den entscheidenden Tag in sich gefaßt, muthig, selbst mit einer Art Freudigkeit.

Draußen aber auf den Gassen von Zusmarshausen drängte sich schon in den ersten Morgenstunden buntes lustiges Gewimmel und toste laute Volksfreude. Von allen Seiten strömten die Schaulustigen herzu, selbst aus den Dörfern kamen sie, die der Geleitszug von Augsburg her durchreiten mußte: vermeinend, hier, wo das Schauspiel enden sollte, werde es auch am prächtigsten sein!

Das drängte und wogte auf und ab, das gaffte die Ehrenbogen, die geschmückten Häuser und die glänzende Tracht der Diener an, die Alles bewachten, das schwatzte und schwirrte und schwärmte, indeß der Sommertag höher stieg und die Sonnenstrahlen heiß auf die dichtgedrängten Köpfe fielen. Es ward Mittag und die festen Gruppen und Reihen begannen sich wiederum zu lösen, Hunderte zogen die Straße nach Augsburg hin, auf der die Pracht nahen mußte. Wolfgang sah nichts von dem Allen, sein Ohr lauschte der unruhigen Bewegung der Massen, er wollte nur einen Blick auf den Zug thun, er wollte Philippine sehen und ihn neben ihr! Ihm wars, als müsse er mit einem Blick die Wahrheit fassen, mit einem Blick erkennen, ob Melchior Bassenheim für sich selbst oder für den Andern geworben. Das heiße Blut schoß ihm ins Antlitz, so oft er dieses Andern gedachte.

Gegen zwei Uhr mochte es sein, als das dumpfe schwirrende Geräusch zu lautem Jubel emporschlug und wachsendes Freudengeschrei erscholl. Es flog vor den Wolken Staubes einher, die sich fern auf der Straße zeigten, es pflanzte sich in den Reihen der Zuschauer fort und sprang zu allen Fenstern und Dachluken, zu allen Zäunen und Hofmauern empor, aus denen Kopf an Kopf lugte. Wolfgang erbebte und mußte all seine Kraft zusammennehmen, um auszuharren und den Zug, der ihn und ihn allein unter den Hunderten mit Grimm erfüllte, an sich vorüber gehn zu lassen. Seine Augen schmerzten ihn — geblendet, aber fest, schaute er auf den Trupp prächtiger Reiter, der vorantrabte. Der Staub, welcher auf den reichen Decken ihrer Rosse, auf den schimmernden Sammtgewändern und Federhüten lag, zeigte, wie sie sich getummelt hatten. Wolfgang erkannte sie Alle, die Jungherren der Geschlechterstube von Augsburg, — es waren kräftige Gestalten, scharf geschnittne, von Stolz und Festfreude leuchtende Gesichter unter ihnen. Dicht hinter den Reitern, welche ab- und zusprengten, begann der eigentliche Zug, — Carosse an Carosse, schwerfällige, hochgebaute, prunkhaft vergoldete Wagen, mit vier und sechs Rossen bespannt, die vor dem Menschengewühl, dem brausenden Lärm scheuten und von den hochsitzenden Wagenführern kaum gelenkt werden konnten. Zur Seite jedes Wagens befanden sich gleichfalls Reiter, zahlreiche Dienerschaft in Gestalt von Läufern, Pagen, Mohren und bewaffneten Trabanten, alle in schimmernd reicher Tracht, füllte die Zwischenräume. Die Reihen der Zuschauer jauchzten jedem Wagen, jedem Trupp des Geleits zu: Wolfgangs Auge aber flog ungeduldig über die bunte, bewegte, glänzende Masse dahin, ihn kümmerten die stattlichen Patricier von Augsburg in den vordern Carossen und all ihre Hausdienerschaft nicht, sein Blick streifte kalt und feindselig den

Prunkwagen, in dem Herr Matthäus und Herr Paulus Welser dem alten Caspar Bassenheim von Köln gegenübersaßen. Endlich kamen sie heran, denen dieser festliche Schimmer, diese tobende Freude galt! Von den prächtigsten und vornehmsten der geleitenden Jungherren umgeben, mit sechs falben italienischen Rossen bespannt, zeigte sich ihr Wagen, — und in ihm die Braut selbst an der Seite des Stadtpflegers Marcus Welser, vor ihr Herr Melchior Bassenheim im reichsten Festgewand. Wolfgangs Augen drohten unter hervorquellenden Thränen den Dienst zu versagen, aber mit letzter Kraft drängte er die Thränen zurück und sah fest, immer fester auf den langsam herankommenden Wagen hinab. Er fühlte in diesem Augenblick, wo er die Gestalten, die Mienen drunten deutlich wahrnahm, wie sein eignes Gesicht von kalter Blässe überzogen ward, wie schwere Tropfen auf seine Stirn traten. Er verschlang mit den Augen jeden Zug Philippinens, des neben ihr sitzenden Oheims und des Bräutigams. Philippine Welser strahlte auch heut trotz ihres bleichen überwachten Ansehens in Schönheit und Liebreiz. Durch das blonde Haar schlang sich ein kostbarer Schmuck von Gold und blitzenden Steinen, in dem der Schleier befestigt war, ein Prachtgewand von violettem Sammt hob die schlanke Gestalt, um den Nacken legte sich ein gleich kostbares Geschmeide, wie um die Flechten. Wolfgangs Blick aber glitt von der Herrlichkeit hinweg und haftete an ihrem Antlitz. Die weiße Stirn, die blauen Augen, die nur tiefer zu liegen schienen als sonst, — kannte er nur zu wohl, aber eins war ihm fremd in diesem Gesicht, eins hatte er nie geschaut, selbst in der Stunde nicht, wo sie ihn mit dem ganzen Stolz ihres Hauses von sich stieß. Ein herber harter Zug um den Mund, der die schönen Lippen fest zusammenschloß und selbst, wenn sie ein Wort zum Stadtpfleger sprach, nicht wich, erfüllte ihn mit tiefem Leid. Finster und zürnend wandte sich sein Blick zu dem Bräutigam, im Antlitz desselben meinte er die Bestätigung für seine schlimmsten Gedanken zu lesen. Herr Melchior Bassenheim lächelte zwar nach allen Seiten, er rückte den kurzen Mantel mit dem Schmuck der reichsten Brabanter Spitzen selbstgefällig zurecht, er sprach lebhaft zu den jungen Patriciern, die dem Wagen zunächst ritten: aber Wolfgangs eindringenden Augen entging eine gewisse Unruhe, eine argwöhnische Unsicherheit nicht. Ihm kam es vor, als ob der kölnische Jungherr den Blick weder zu seiner schönen Verlobten noch zu Herrn Marcus Welser frei zu erheben wage. So durfte der Mann, der heut einen so hohen Tag beging, nicht dreinschauen, so nicht, wenn keine geheime Schuld auf seiner Seele lag, so nicht, wenn ihn nur das Bewußtsein drückte, all den Liebreiz der Gestalt, all die Schönheit der Züge, die für ihn blühten, nur mit seinem Gold erkauft zu haben. Wolfgang Berg kannte die Männer dieser Geschlechter gut genug: er wußte, daß jeder Andre, der in gleicher Weise um die herrliche Philippine geworben, jetzt siegreich, stolz und beglückt daher fahren würde; der Anblick Bassenheims fachte seinen Grimm an und wiederum raunte er zornig: „Die Herrliche soll nicht durch dich in Schmach fallen, ich will und ich werde es hindern!“ —

Drunten fuhren die Wagen vor das geschmückte Thor des Hofes, klangen die Zinken der Augsburger Stadtpfeifer, die den Zug erwartet hatten, jauchzte und toste die Masse — hier oben erwachte auf Gang und Flur, in Saal und Zimmern schwirrende Bewegung; Wolfgang sah noch einmal hinab, er sah das süße bleiche Gesicht Philippinens, die finster gefaltete Stirn des Stadtpflegers, die gezwungen lachende unschöne Miene des jungen Kaufherrn — er wußte genug. Er sprang rasch in sein Gelaß neben dem Zimmer Melchior Bassenheims zurück, ehe ein Fuß der Ankommenden die geschmückte Stiege betrat. Er lauschte in leidenschaftlicher Spannung den verworrnen Tönen, die zu ihm hereindrangen: schallenden Tritten, schwirrenden Stimmen, rauschenden Gewändern!

Dann ward es ruhiger draußen auf dem Gange. Wolfgang saß stundenlang auf dem Rande seines Lagers, die Waffe ließ er nicht wieder aus der Hand. Den Tönen des Festes, die vom Saal zu ihm herüberdrangen, lauschte er kaum mehr, wohl aber jedem Laut, der sich im Gemach neben ihm erhob. Bald nachdem drüben im Saal das Läuten der Becher begonnen hatte, erklang aus dem Zimmer ein lautes Geräusch, Wolfgang horchte auf, blieb aber unbeweglich. „Es sind die Diener des Kölners — sie tragen ihm seinen Tand herzu!" sprach er ruhig vor sich hin. Und wieder saß der stattliche Mann in dumpfer Ruhe, den brennenden Schmerz, den seine Seele in diesen Stunden empfand, verrieth kaum einmal ein Blitz seines dunkeln Auges, und ein schwerer tiefer Athemzug. Er erhob sich nicht, als das Getümmel auf der Straße von neuem laut ward, treppauf und treppab trunkner Lärm scholl und drunten im Hofe die Menge der reichgeschirrten Rosse wieherte und stampfte. Nur seine Spannung wuchs, in all den durcheinanderfluthenden Tönen ging ihm kein Tritt vor seiner Thür und neben der Wand, an der er lauschte, verloren. Die Stunde rückte näher, die meisten Theilnehmer am feierlichen Brautgeleit brachen auf, — der Jubel draußen auf den Gassen klang ferner und im Saale drüben schien es stiller und stiller zu werden. Der Abend war herangekommen, halbe Dämmrung herrschte schon in dem kleinen Zimmer, da zuckte plötzlich Wolfgang zusammen, seine Hand preßte sich fest auf den Schwertgriff — deutlich hatte er vernommen, daß die Thür des

Gemachs nebenan geöffnet ward, daß rasche Tritte erklangen. Ein Ausdruck unmuthiger Enttäuschung überflog gleich darauf seine Züge: nicht ein Mann war es, der das Zimmer betreten, er unterschied deutlich zwei Stimmen und vernahm wenigstens die Worte der einen, die scharf und befehlend dem Gemurmel der andern entgegenklang:

„Geh rasch, rasch, Spielmann und ruf mir Herrn Melcher! Du mußt ihm sagen, daß er in seinem Gemach erwartet wird, verrath ihm jedoch nicht, wer seiner harrt. Und allein soll er kommen, hörst du, Spielmann, allein!“

Wolfgang Berg war beim Klang dieser Stimmen zuerst erstarrt, dann leuchtete eine wilde Freude in seinem Antlitz auf. Er erinnerte sich des gestrigen Abends, des Blicks in den Bischofsgarten. Was gestern Traum gewesen war, heut ward es ihm gewiß — er täuschte sich nicht, er kannte den Mann, der in Melchior Bassenheims Gemach sprach. Jetzt ward die Thür drüben wiederum geöffnet, es schritt über den Gang. Mit einem Satz sprang Wolfgang zu seiner Thür, schon hatte er hochklopfenden Herzens den Drücker erfaßt — da hielt er inne, ein neuer Gedanke schien in ihm aufzublitzen und zwischen den Zähnen murmelte er: „Geduld, Geduld — ich finde sie Beide.“ —

Zehn Minuten später lag der Gang völlig dunkel, im Saale und auf den Stiegen zündeten die überall geschäftigen zahlreichen Diener Wachskerzen an. Keiner von allen hatte Acht auf Herrn Melchior Bassenheim, den glücklichen Bräutigam, der mit etwas schwankenden Schritten, aber rasch, vom Saale her nach seinem Zimmer ging. Im Augenblick, wo der Jungherr die schwere Eichenthür öffnete, klang ihm von drinnen her ein Gruß entgegen, Herr Melchior that einen leichten Aufschrei und ließ hastig eintretend die Thür hinter sich ins Schloß fallen. Die Gestalt eines Mannes in schlichter Reitertracht, die am Fenster lehnte und auf welche der letzte Schimmer dämmrigen Lichtes fiel, wandte sich nach ihm, der starr und sprachlos an der Schwelle blieb und wie von einem Schlage ernüchtert schien.

„Gott zum Gruß, Herr Melcher,“ sprach der Reiter den hochzeitlich Geschmückten an. „Verzeiht, daß ich Euch von der Seite Eurer holden Braut riß, aber es ward mir zu einsam hier und ich hoffte ein tröstliches Wort von Euch zu vernehmen.“

„Ihr seid es, gnädigster Herr!“ stammelte der Kölner. „Um der Heiligen willen, wie kommt Ihr hierher? Was soll —“

„Laßt Eure Fragen!“ unterbrach ihn Ferdinand von Köln, denn kein Geringrer war es, der vor dem bestürzten Jungherrn stand. „Mir ließ es zu Brühl keine Ruhe, ich meinte, daß ich doch an diesem Tag einen Antheil hätte und daß es nicht billig sei, wenn ich allein ausgeschlossen bleibe von der Freude, die mir doch nicht fremd ist."

„Kurfürstliche Gnaden," bat Herr Melchior zitternd, „Ihr hättet unsern Einzug zu Köln erwarten sollen. Was würden, was sollten die Welser meinen, wenn sie Euch hier schauten — was Fräulein Philippine, wenn sie sieht, daß Ihr Euch fürstlicher Tracht und fürstlichen Gefolgs entäußert habt."

„Ein Wittelsbach ist gewohnt sich einmal als Reiter oder Jäger zu begnügen!" sagte der Kurfürst lächelnd. „Auch irrt Ihr, wenn Ihr glaubt, daß ich mich drüben in Euren Kreis mischen will. Heute wollte ich nur die schöne Welser in der Mitte des ganzen edlen Augsburg schauen und beim heiligen Hubertus, es war ein hochlabender Anblick! — Und morgen oder einen Tag später treffe ich wieder mit Euch zusammen. Ich habe meinen Neffen Herzog Maximilian zu Donauwörth begrüßt, was ist dabei, wenn ich Eurem Reisezuge begegne und warum wollt Ihr mir eine Stunde an der Seite Eurer holden Braut nicht gönnen, Herr Melchior?"

Die Dunkelheit, die im Zimmer herrschte, verhinderte den Fürsten wahrzunehmen, daß Melchior Bassenheims Gesicht sich veränderte. Mit zitternder Stimme, die gleichwohl immer schärfer klang, entgegnete er:

„Wir verstanden uns wohl falsch, gnädigster Herr, als wir unsre Abrede trafen? Ich meinte, meine Pflicht, als Euer Schatzmeister Euch zum Hofe nach Bonn zu folgen, solle erst nach meiner Heirath beginnen und nun scheint es, daß Ihr sie schon jetzt fordert!“

„Seid kein Narr, Herr Melcher!“ rief der Kurfürst. „Ich habe das schwere Erbgut meiner frommen Base von Steyermark unbesorgt, uneigennützig in Eure Hände gelegt, ich habe Euch zu der schönen Gemahlin verholfen und Euch dabei meine Grille, meinen thörigten Wunsch nicht verhohlen. Euch wird Alles zu Theil, was den besten Mann beglücken und selig machen müßte, mir nichts, Herr Melchior, als ein durstiger Blick auf die Schönheit, ein holdes Wort und ein Lächeln. Wollt Ihr zwischen mich und meine kargen Hoffnungen treten? — wollt Ihr mir selbst das mißgönnen, da ich Euch das volle Glück gegönnt habe?!“

Die flammenden Augen des Kurfürsten sah der Jungherr selbst im Dunkel und der leise Spott in den Worten Ferdinands war ihm nicht entgangen. Aber ehe er antworten konnte, ward die Thür hinter ihm rasch aufgerissen und eben so rasch wieder geschlossen. Eine schwere Hand legte sich wuchtig auf seine Schulter, eine entblößte Waffe blinkte vor seinen Augen, bevor dieselben etwas Anderes erkannten. Der Kurfürst war vom Fenster herangetreten

— auch ihn traf der harte entschlossne Ton, in dem der Eindringende langsam sprach:

„Erzürnt Euch nicht ob der Theilung, Ihr Herren! Keiner von Euch wird das Glück haben, von dem Ihr sprecht, — nicht Ihr, kurfürstliche Gnaden, und nicht der Gauch hier, der unter meiner Hand zittert!"

„Wolfgang Berg — seid Ihr rasend, vergeßt Ihr, zu wem Ihr sprecht?!" schrie der Kurfürst auf.

„So wenig vergeß ichs, Herr, daß ich weiß, mein erster Schritt aus diesem Gemach ist auch der erste Schritt zum Blutgerüste," sprach Wolfgang mit kalter Entschlossenheit. „Aber wißt auch, daß ich nicht von diesem Platz weichen werde und daß Herr Melcher nicht lebend aus diesem Gemach gehen wird, wenn er nicht zuvor jeder Absicht auf die Hand des edlen Fräuleins entsagt, die er in Unheil und Schmach stürzen will! Ich habe mein Leben draußen gelassen, mir gilts nur, meine edle Gebieterin zu schirmen und zu schützen — vor dem Buben hier, vielleicht auch vor Euch, kurfürstliche Gnaden!"

Jedes Wort des Reiterführers fiel schwer in das Ohr der beiden Männer, der Kaufherr stand völlig gelähmt, mit dem Auge der leisesten Bewegung von Wolfgangs Schwert folgend, und sich unter dem Druck seines Arms windend. Von seinen Lippen kam nur ein wimmernder unverständlicher Laut — Kurfürst Ferdinand aber donnerte:

„Seid Ihr denn rettungslos von Sinnen, Wolfgang Berg? Was soll uns die Tollheit? Was rast Ihr von Unheil durch Herrn Bassenheim oder mich? Hinweg sag ich und laßt dies Possenspiel!“

Der Kurfürst machte dabei Miene nach dem Ausgang vorzuschreiten, Wolfgang aber vertrat, ohne Herrn Melchior freizugeben, den Weg. Es war ein solcher Ausdruck von grimmiger Entschlossenheit, von tödtlichem Trotz in allen Zügen des Reiterführers, daß der muthige Fürst doch wieder zurückwich, während Wolfgang unerbittlich, im Ton, in dem er zuerst gesprochen, ausrief:

„Gewiß, von Sinnen bin ich, von Sinnen war ich, als ich den Marschall von Pappenheim hörte, von Sinnen, als ich Eure Zwiesprach mit diesem hier vernahm, — von Sinnen, daß ich noch sehn will, wo die Sippen des holden Fräuleins blind sind! Entsagt Euren Plänen, Herr Bassenheim! Und wenn alle Oehme, Vettern und Basen im Welserschen Haus mit Euch einig sind und das Kleinod ihrer Minne in den Koth werfen wollen — Ihr sollt es nicht thuen!“

Der kölnische Jungherr stöhnte unter der Wucht von Wolfgangs Arm, Kurfürst Ferdinand aber warf sich, waffenlos wie er war, auf den kühnen Eindringling, ihm das Schwert zu entreißen. In demselben Augenblicke wankte der Reiterführer, er hatte sich fest gegen die Thür gelehnt und wäre darum beinahe niedergestürzt, als sie stürmisch aufgerissen ward. Draußen im Gang stand mit erhobner Kerze, deren Licht auf die Gruppe im Zimmer fiel, Herr Marcus Welser, der Stadtpfleger von Augsburg. Sein bleiches, vergrämtes Gesicht war jetzt flammend geröthet, seine Miene zürnend, seine Blicke drangen in die Tiefe des Zimmers, in die der Fürst mit einem Fluch zurückwich, während Wolfgang den Arm Herrn Bassenheims fahren ließ und dieser Muth zum wilden Aufschrei gewann: „Zu Hülfe, Herr Marcus — der Strauchdieb erwürgt mich!“ — Aber eh noch der Schrei nach außen klang, war der Stadtpfleger über die Schwelle und schlug die schwere Thür fast mit derselben Gewalt hinter sich zu, wie vorhin Wolfgang Berg. Dabei rief er mit gewaltiger Stimme:

„Was fallen hier für Worte, wer schmäht hier die Welser! Ists Fasching und treibt Ihr Mummenschanz, Herr Melcher? — oder spukts hier im Hause vor Mitternacht? Was führt Euch hierher, Wolfgang Berg — was rast Ihr in Worten und Werken?“

Herr Melchior Bassenheim schien vor der Hülfe, die ihm ward, noch mehr zu zittern, als vorher vor Wolfgangs Schwert — Wolfgang aber, der halbbetäubt und noch immer mit erhobner Waffe stand, lachte ingrimmig auf:

„Ich vergaß, daß mich der Welser keiner zu diesem Dienst gerufen — und daß sie selbst richten, was ihnen

Ehre ist. Doch ich sag Euch, Herr Bassenheim, steht ab! steht zurück! — denn so wahr ich Gott meine Seele befoh- len habe, Ihr sollt über die Herrliche nicht Schmach und Leid bringen!"

Der Stadtpfleger schien die Worte des erbitterten Mannes nicht zu hören. Er wandte sich vielmehr gegen den Hintergrund des Zimmers, von wo Kurfürst Ferdi- nand mit übereinandergeschlagnen Armen und einer halb zornigen, halb verächtlichen Miene auf die Scene blickte und sagte mit ehrerbietiger Verbeugung, aber festen Tones:

„Wolfgang Berg hat heißes Blut wie ein Knabe, ob- schon er ein Mann ist! Er hat sich in Eurer Person ge- irrt, edler Fremder — Ihr habt eine seltne Aehnlichkeit mit dem erlauchten Kurfürsten von Köln! — Wie aber käme Kurfürst Ferdinand in die Reitertracht, — wie möchte er ein Fest nur belauschen, bei dem ihm, als höch- sten Gast, der erste Platz gebührte! Wollt Ihr nicht zum Saale hinüber schreiten, Herr, und Euch dort nennen? Wollt Ihr dem Ungestümen verzeihn, was er gegen Euch und den erlauchten Namen des edlen Fürsten, dessen Züge Ihr tragt, gefrevelt hat? Er ist von Sinnen! Als ob der Kurfürst von Köln mit Herrn Melchior Bassenheim um Ehre und Reiz seines Ehegemahls feilschen könnte, als ob er es könnte, wenn seine Braut eine Welser ist!"

Wolfgang schaute auf — seine Augen feuchteten sich, ihm war, als ob sich eine starre pressende Rinde von seiner Brust löse — während Herr Melchior immer zitternder, immer aschfarbiger neben ihm stand. Der Fürst aber, der anfänglich zu lächeln versucht hatte und in Marcus Welsers Antlitz nur finsterm Ernst und verhaltnem Zorn begegnete, sprach kurz:

„Gebt Raum, ihr Herren — und spielt Euer Spiel allein! Wer sich in Kirchenmauern gebannt hat, soll selbst des Sonnenscheins nicht begehren! — Gehabt Euch wohl, Herr Wolfgang Berg. — Ich will dem Marschall von Pappenheim erzählen, daß Ihr kühner und klüger seid, als wir Alle! —“

Er schritt stolz zur Thür hinaus auf den Gang, die Stiegen hinab und aus dem Hause, — der Stadtpfleger blieb mit Melchior Bassenheim und Wolfgang Berg allein in dem Gemach. Wolfgang hatte sein Schwert wieder in die Scheide gesenkt; was auch der Ausgang dieser Stunde sein mochte, eins war ihm schon jetzt gewiß: daß Philippine Welser frei sei, ohne sein Verbrechen und sein Opfer. Er stand erwartend, Herr Marcus Welser hatte sich abgekehrt und schien seines Zornes Herr zu werden, als er den Kölner Jungherrn wieder ansprach:

„Wir haben uns ein Wort zu sagen, Herr Melchior! Ehe ich zu diesem Mann spreche, gebt mir kurzen Bescheid

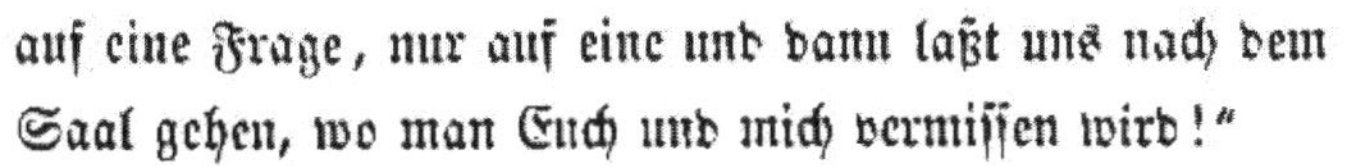

auf eine Frage, nur auf eine und dann laßt uns nach dem Saal gehen, wo man Euch und mich vermissen wird!“

Die Lippen des Stadtpflegers zuckten dabei und seine Augen ließen von denen des jungen Bassenheim nicht ab, so eifrig der Jungherr auch zu Boden blickte.

„Nur eins sagt mir — nur eins begehr ich zu wissen! Habe ich hier nebenan geträumt oder recht gehört, was jener — Fremde von seinem Erbgut in Euren Händen sprach? Sind die dreimalhunderttausend Ducaten, die Ihr in die Cassen der Welser eingeschossen habt, Euer oder des Kurfürsten von Köln? Gebt Antwort, Herr Melcher, sind sie Euer oder Herzog Ferdinands?“

Melchior Bassenheim sah hülflos um sich, dann sagte er abweisend, gleichsam trotzend:

„Herr Matthäus und Herr Paulus haben das Gold begehrt und nicht zu wissen verlangt, aus welcher Münze es stammt. Ich habe Euch nicht Rechenschaft über unser Haus zu geben, seit wir Euch erfüllt, was wir gelobt.“

„Gewiß,“ sprach Marcus Welser mit eherner Ruhe, „gewiß habt Ihr umsoweniger Rechenschaft zu geben, als Ihr schon morgen die Summen, die in unsre Cassen geflossen sind, zurückerhalten werdet. Ihr versteht mich, Herr Melchior, und wenn Ihr mehr hören wollt, so laßt zuvor meinen Bruder Matthäus aus dem Saale abrufen!“

Der Jungherr war im Augenblicke verschwunden, Wolfgang, dessen Augen mehr und mehr leuchteten, hatte ihn nicht hinausgehen sehn und wußte doch sogleich, daß er dem Stadtpfleger allein gegenüberstehe. Das Antlitz Marcus Welsers veränderte sich, an die Stelle des verhaltnen Zorns trat unverhohlner Kummer und mit einer Stimme, der man anmerkte, wie der Sprecher umsonst nach rauher Festigkeit rang, rief er:

„Seid Ihr von Sinnen, daß Ihr uns, daß Ihr Philippinen und mir das angethan habt? Wenn Ihr wußtet, was dieser Mann sann, wars nicht Eure klare Pflicht, vor mich zu treten und zu sorgen, daß ein Tag wie der heutige niemals kommen konnte? Was habt Ihr hier gesucht? Warum habt Ihr so gehandelt?“

„Warum, Herr Marcus?“ fragte Wolfgang verwirrt und vom tiefen Schmerz im Antlitz und Ton des verehrten Mannes ergriffen. „Aber habe ich nicht gethan, was ich vermocht, habe ich nicht Herrn Matthäus geschrieben, sobald der Marschall von Pappenheim bei mir im Walde gewesen war und mir gezeigt hätte, was sein Kurfürst sinne! Konnt ichs wenden, daß die Welser dem Baffenheim mehr glaubten, als mir? Hatte ich ein Recht, noch einmal zu kommen, nachdem Ihr meine treue Warnung in den Wind schlugt?“

Des Stadtpflegers Antlitz war blaß genug und ward

bei diesen Worten doch noch bleicher. „Ihr habt an Matthäus geschrieben, Matthäus hat gewußt, was ich eben vernahm und wir haben doch Verlöbniß gehalten?“ stammelte er. „Und der Marschall von Pappenheim war bei Euch am See? Was wollte er? Was wißt Ihr? Sprecht klar, Wolfgang — gebt mir Licht — aber seid kurz, wenn es möglich ist!“

Es war ein erschütternder Anblick, den heftigen Seelenkampf des stattlichen Mannes, der sich in dessen Mienen spiegelte, zu sehen. Wolfgang begann zu begreifen, daß der Stadtpfleger von seinem Brief an Herrn Matthäus nichts wußte. In fliegenden Worten, als wolle er Herrn Marcus rasch über die Pein des Moments hinwegführen, berichtete er vom Besuch des Marschalls von Pappenheim. Und doch, so hastig er sprach, — er stockte — er zögerte — mehr errathen als hören mußte der Stadtpfleger, wozu der Marschall von Pappenheim den Reiterführer in seinem Waldhof aufgesucht. Aus der Gluth, die Wolfgangs Gesicht bedeckte, aus seinen Blicken, aus halben Worten errieth Marcus Welser weit mehr, als Wolfgang bekannte. Und während er zwischen Schmerz und Entrüstung rang, blitzte doch in seinem Auge ein heller Schein und auf Wolfgang fiel ein Blick wie in bessern Tagen.

„Sprecht nichts mehr, Wolfgang!“ sagte er mit abwehrender Handbewegung. „Ich weiß genug und mehr als zuviel vom Marschall von Pappenheim und seinem Herrn. Aber Ihr, Wolfgang, als Ihr nun wußtet, daß Eure Warnung verhallt war, als Ihr vernahmt, daß wir Verlöbniß und festlichen Auszug hielten, — was sannt Ihr? was trieb Euch?"

„Ich konnte den Gedanken nicht ertragen, das edle Fräulein in solcher Hand und Hut zu wissen!" entgegnete Wolfgang leise. „Ich gedachte all meiner Knabenschwüre und daß ich mich früh dem Dienst Fräulein Philippinens zu Noth und Tod gelobt und ich wollte das Letzte thun, was mir übrig schien, sie zu befreien!"

„Ihr wolltet den Jungherrn erschlagen?"

„Wenn nichts Andres blieb, hätt' ichs vermocht!" gab der Reiterführer zur Antwort. Er wendete sein Gesicht hinweg, dem strafenden Blick Marcus Welsers auszuweichen, und sein dunkler Vorsatz schien ihm erst jetzt, wo er ihn bekannte, in seiner ganzen entsetzlichen Schwere zu bedrücken. Ueber das Antlitz des Stadtpflegers aber fuhr Etwas, das beinah einem Lächeln glich und mindestens leuchtete sein Auge, während er rief:

„Und Ihr selbst, was wäre aus Euch geworden? Meint Ihr, daß ich oder Philippine Freude an Eurem Frevelmuth gehabt hätten, daß wir Euch den Dienst danken konnten, der Euch Leben und Ehre kosten mußte?"

„Fräulein Philippine?“ sagte Wolfgang mit bittrer Betonung. „Fräulein Philippine ist vielleicht andern Sinnes als Ihr, Herr Stadtpfleger. Und wie dem auch sei — um Dank hätte ichs nicht gewagt, und über meine Lippen wärs nicht gekommen, weshalb ich den Bassenheim erschlagen. Es ist besser, daß er lebt —“ fügte er plötzlich erschauernd hinzu, „er kehrt heim und so kann auch ich dahin gehen, woher ich gekommen!“

Marcus Welser konnte nichts erwiedern: draußen klangen Schritte, wiederum ward die Thür des Gemachs aufgerissen und diesmal nicht geschlossen. Aus dem Saal herüber ließ sich ein seltsames Geräusch vernehmen, das dem festlichen Lärm der verflossnen Stunden nicht glich, Thüren wurden hier und dort geöffnet, Lichter schwankten rasch über den Gang und die Stiegen, ein Durcheinander verworrner, lauter Stimmen drang herein, während auf der Schwelle mit hochrothem Antlitz und blitzenden Augen Herr Matthäus Welser stand, hinter dem die breite Gestalt seines Bruders Paulus sichtbar ward. Beide hatten tief in die Humpen geschaut, die drüben im Saal zu Ehren des Tags geleert worden waren, aber während Herr Paulus mit wirrer hülfloser Miene auf Wolfgang Berg sah, zürnte Herr Matthäus den Stadtpfleger in kalt stolzen Worten an:

„Was hat es mit den Bassenheims gegeben? Was

verderbt Ihr den Tag durch Zwist und setzt Philippine in Bestürzung? Herr Melchior kommt zum Saal, gönnt seiner Braut keinen Blick und keinen Laut, zieht seinen Vater hinweg in das Zimmer des Alten, die Diener rufen die Kölner Herren, die mit ihm gekommen sind, dort zusammen und wir sitzen im Saal vor den Tafeln — während sich Hans Fugger und Langenmantel, die beiden Stetten und wer sonst noch vom Geleit geblieben ist, verlieren und drunten die Rosse aus dem Stall ziehen lassen? Was bedeutet dies seltsame Treiben? Was hat es gegeben und warum sucht Dich seit einer Stunde Jedermann?"

Der Kaufmann nahm den Schein an, Wolfgang, welcher hinter den Stadtpfleger zurückgetreten war, nicht zu erblicken. Und als Marcus Welser ihn mit wortlosem Ingrimm anschaute, fuhr er stets eifernder fort:

„Wenn Ihr Zwist sucht, die Bassenheims und Du, war nicht morgen auch ein Tag? Hattet Ihr nicht Raum und Frist dafür auf der langen Reise bis Köln? Komm zurück, Marcus — ich sage den Kölnern ein Wort und das Andere findet sich morgen am Tage!"

„Ich mein es nicht, Matthäus!" entgegnete der Stadtpfleger mit so finsterm Ernst, daß Herr Matthäus die kecke Stirn senkte. „Aufgeschoben Geschäft thut selten wohl; hättst Du nicht die Antwort auf den Brief, den Dir

Wolfgang Berg hier geschrieben hat, allzulang verschoben, so wäre es nicht zu dieser Stunde gekommen."

„Den Brief — Euren Brief, Wolfgang Berg?" fragte Matthäus Welser spöttisch. „Habt Ihr meinem gelehrten Bruder das alberne Märlein vom Kurfürsten von Köln und seiner Gluth für unsre Nichte nun auch noch vorgetragen? Denkt Ihr Unheil zu stiften — seid Ihr dazu gekommen?"

„Halt ein, Matthäus!" rief der Stadtpfleger, ehe der erglühende Wolfgang noch ein Wort zu erwiedern vermochte. „Keinen Laut mehr in diesem Ton; ich bins, der zu sprechen hat, und ich will sprechen, nachdem ich zu lang geschwiegen. Wir kehren noch in dieser Nacht stumm und ohne Prunk nach Augsburg heim, wir legen, ehe der nächste Tag abläuft, das Geld, welches aus Bassenheims Händen die unsren befleckt hat, in die Hände der Kölner zurück! Und mit dem letzten Ducaten, den Herr Caspar und Herr Melchior von Leopold Rehms Zahlbrettern streicht, schließt sich das Thor unsres Hauses für Alles, was den Namen Bassenheim trägt!"

„Marcus — Marcus — Du vergissest —" fiel Herr Matthäus leidenschaftlich ein.

„Ich vergesse nichts!" fuhr der Stadtpfleger hart fort. „Wenn Ihr ein Wort verliert, wenn Ihr nicht thut, was ich begehre, was geschehen muß, so soll Jedermann wissen, daß es Welser giebt, die Glück und Schönheit ihrer Nichte opfern und die Ruhe ihres Lebens, ihre Ehre und den Namen ihres Hauses dreingeben, so soll ganz Augsburg wissen, daß Matthäus Welser mit Melchior Bassenheim eins war, seine Nichte zur Buhle des Erzbischofs von Köln zu verwandeln."

Herr Matthäus verstummte, er zitterte vor Wuth und Erbittrung und wagte nichts zu erwiedern. Zu Paulus Welser, der mit weit offnen glasigen Augen den Stadtpfleger ansah, sprach er tonlos:

„Er verdirbt uns! — er treibt es zum Ende!"

Der Stadtpfleger aber schritt in fester Haltung über den Gang nach dem Saale; noch ehe er ihn erreichte, traf er auf die beiden Bassenheim, die mit ihren Kölner Freunden aus einem der Zimmer kamen. Herr Melchior kehrte sich rasch ab und schien seinem Diener Befehle zu ertheilen, Herr Caspar aber wandte sich trotzig und gereizt gegen die Welserschen Brüder und sagte höhnisch:

„Wir brachen früher auf, als bestimmt war, — da den Herren von Augsburg die Straße nach Köln zu steinig und unser Haus dort nicht gastlich dünkt —"

„Herr Bassenheim — nicht zu jach — wir sind Männer, die zu rathen und zu reden wissen!" rief Matthäus Welser dazwischen. Aber Herr Marcus, der dem alten Kaufherrn entgegenstand, sprach mit gewichtigem Ernst:

„Ihr habt unsern Sinn ganz recht gedeutet, Herr Caspar, wir werden es vorziehen, heimzukehren und wünschen Euch glückliche Heimfahrt nach Köln. Alles Andre, was zwischen uns zu ordnen ist, kann nicht hier, muß in Augsburg geschehn!“

„Herr Franz Breiteneck wird mit Euch nach Augsburg reiten!“ rief der alte Bassenheim. „Er und mein alter Handelsfreund Pömer sollen Euch morgen aufwarten, Herr Stadtpfleger. Und grüßt mir Fräulein Philippinen, sie soll sich den väterlichen Kuß, der mir auf ihre schöne Stirn vergönnt ward, nicht allzuleid thun lassen, Ihr werdet ja wohl den andern Werber zur Hand haben, da Ihr den einen von Euch stoßt.“

Der Stadtpfleger antwortete nichts mehr — er ging der Thür des Saales zu, wo Fräulein Philippine eben erschien und mit einem lauten Aufschrei in seine Arme stürzte. Es war ein wildes Gewirr vor dem Saal, auf dem Flur, auf den Stiegen. Die Männer, die laut durcheinander sprachen, die Gruppen der Diener, die bestürzt, flüsternd, rathlos hin- und hereilend, den ganzen Vorgang nicht begriffen, — die neugierig empordrängenden Zuschauer, die der Wirth umsonst aus seinem Hause zu treiben suchte. Und Wolfgang stand auf der Schwelle des Gemachs, aus dem all diese Verwirrung hervorgegangen, er blickte über all die Gestalten, die Gesichter hinweg nach dem schönen

Mädchen, das bleich und zitternd an der Schulter des Stadtpflegers lehnte und den Worten desselben zu lauschen schien. Bald erhob sich ihr Haupt, sie sah empor, ihre Augen glitten über die Bassenheims, die von den Stufen der Treppe nach ihr zurückschauten, hinweg, sie suchte die Thür, in der Wolfgang stand. Und jetzt traf ihn ein Blick aus diesen Augen, vor dem er erbebte, — ein Blick, der kein Dankblick war. — Die Jungfrau wandte sich gleich darauf wieder ab, Wolfgang aber hatte der Vorwurf, der in diesem Blicke lag, der Gram, der ihr schönes Gesicht umschleierte, bis ins Innerste getroffen. Gepreßt, nach Fassung ringend, stand er einsam, von Niemand beachtet, bis Jacob, der Kellermeister der Welser, sich aus dem Gewirr auf den Gang flüchtete und dabei seiner ansichtig ward. Dem Alten standen Thränen in den Augen, seine weißlichen dünnen Lippen zuckten schmerzlich, er trat rasch zu Wolfgang hin und sagte mit harter Stimme:

„Verzeih Euch Gott die Ueberraschung, die Ihr uns bereitet habt. Ich vergebs Euch nicht und wenn dies meine letzte Stunde wäre!“

Wolfgang sah mitleidig auf den Erregten, er bezwang das eigne Mißgefühl und fragte ruhig:

„Und was wißt Ihr von dem Allen, Meister Jacob? Wenns Euch weh ist, die Wirkung zu schaun, glaubt Ihr, mir sei wohl, daß ich die Ursache bin? Seht auf den edlen Stadtpfleger und wenn er mir nicht zürnt, so nehmt an, daß ich nicht lassen konnte, was ich gethan habe, und daß es zum Guten sein muß, sonst hätt ichs nicht gethan!"

„Prunkt Ihr noch damit!" rief der Kellermeister hitzig. „Welch ein tröstlich Leben, welch helle Freude habt Ihr zerstört! Fräulein Philippine muß es geahnt haben, daß ein schlimmer Abend auf den frohen Tag folgen sollte, sie saß stumm und starr an der Seite ihres Bräutigams und —"

„Nennt Ihrs einen frohen Tag, Jacob," fiel Wolfgang dem Kellermeister ins Wort, „wenn die Braut stumm und starr neben dem künftigen Eheherrn sitzt? Einen frohen Tag, wenn die Andern trunken werden, um fröhlich zu scheinen?"

Er blieb ohne Antwort, Herr Marcus Welser war aus dem Saale wieder erschienen, Fräulein Philippine auf seinen Arm gestützt, — Beide winkten Meister Jacob zu sich heran, während das Getümmel auf dem Flur noch fortdauerte. Die Herren Matthäus und Paulus waren in ihr Zimmer entwichen, nicht ohne zuvor bedrohliche Blicke nach Wolfgang, dem Urheber des Unheils, versandt zu haben. Doch der Reiterführer hatte nur Augen für den Stadtpfleger und das schöne Mädchen an seiner Seite. Ihr Gesicht schien ihm jetzt minder starr und leblos, als wenige Stunden zuvor, aber das Leid, das jeder ihrer

Züge aussprach, war ungemindert, und als Philippine zum zweiten Mal nach ihm sah, traf ihn derselbe Blitz des Zornes und schamvoller Entrüstung. Ihm wars, als sei sein Urtheil gesprochen und in schmerzlicher Verwirrung verließ er die Schwelle und kehrte für einen Augenblick nach dem kleinen Gemach zurück, in welchem er den Tag über gehaust hatte. Seine Seele war voll Unmuth und Bitterkeit, grollend nahm er seinen alten Platz auf dem Rande des Lagers wieder ein, und saß kurze Zeit in finstrem Sinnen. Das Gefühl der Erlösung, das er vorhin bei Marcus Welsers Erscheinen gehabt, war rasch verflogen, — jetzt durchzuckte ihn der Gedanke: „Wärs anders gekommen, hättest du den kölnischen Jungherrn allein getroffen!“

Der Hufschlag der Rosse drunten im Hofe erweckte ihn zu raschem Entschluß. Er raffte den Mantel auf — er ging die Stiegen hinab und rief nach dem Wirth, der in der seltsamen Wirrniß dieser Stunde die Besinnung verloren hatte. Als Meister Billinger nicht erschien, zog er selbst sein Pferd von der Krippe hinweg und führte es durch das Thor draußen, um ungesehen von den Andern aufzusteigen und den Weg, den er gekommen war, wieder einzuschlagen. Im Thorweg herrschte Dunkel, die festlichen Lampen waren herabgenommen worden, die grünen Gewinde hingen welk und zerrissen darnieder. Wolfgang achtete nicht darauf, — er sah erst um sich, als eine Hand die seine erfaßte und eine ernste wohlbekannte Stimme sagte:

„Wohin, Wolfgang Berg, wohin? Ist Deine Arbeit schon damit gethan, daß Herr Melchior Bassenheim allein gen Köln fährt und wir zur Heimkehr nach Augsburg rüsten? Hast Du nicht mehr gewollt, Wolfgang?"

„Ich habe für mich nichts gesucht und erwartete hier wenig mehr als den Tod!" entgegnete der Reiterführer.

„Ich glaube es, Wolfgang," fuhr der Stadtpfleger fort. „Doch denkst Du nicht an uns? Willst Du nicht mit nach Augsburg kommen? Ich fürchte, es giebt in den nächsten Monaten manchen Ritt für uns zu thuen, — denn ohne Ursache haben Herr Matthäus und Paulus ihre Pflegbefohlne wahrlich nicht an jenen Buben verlobt, der der Ehre so wenig werth war. Uns droht Gefahr, Wolfgang, das Haus Welser wankt, meine letzte schwache Kraft muß ich einsetzen zu stützen, zu retten, willst Du mir Deine Hülfe dabei versagen?"

„Sie wird nur schwach sein, edler Herr!" antwortete Wolfgang, den die Frage Marcus Welsers tief ergriff. „Doch was ich habe und bin ist der Welser und so Ihr meint, daß ich Euch von Nutzen sein könne, habt Ihr nur zu gebieten."

„Wir brechen alsbald auf, Wolfgang!“ sagte Herr Marcus. „Philippine will keine Stunde länger an diesem Ort verweilen!“

„So erlaubt, daß ich vorausreite und Euer bei der ersten Heerwegssäule warte!“ erwiederte Wolfgang. Marcus Welser sah ihm ins Antlitz, er konnte im Dunkel die Züge Wolfgangs nicht erkennen, aber er fühlte den Handdruck des bewegten Mannes und wandte sich mit schweigender Zustimmung nach dem obern Stockwerk zurück, indeß sich Wolfgang vor dem Thor des „Ritters“ in den Sattel schwang.

Es herrschte noch Leben, hin- und herwogende Bewegung in der Gasse, durch welche er der Straße nach Augsburg zuritt. Doch drang statt bewundernder Zurufe und fröhlichen Jubels nur erschrecktes Gemurmel und Geflüster zu seinem Ohre. Er sah auf sich deuten und hinweisen, die Zuschauer in den Häusern und an der Straße wußten nicht, was er zum Ende dieses Tags gethan, aber sie riefen einander zu, daß alle die Reiter, die in prächtiger Schaar eingezogen waren, den Flecken einzeln verließen. Und als er das letzte Licht von Zusmarshausen hinter sich hatte und vom staubigen Heerweg in die Nacht hinausblickte, überkam auch ihn zum erstenmale tiefe Trauer über den Ausgang des festlichen Tages. Er hielt bei der Meilensäule wohl eine Stunde, ehe die Wagen der Welser und weniger Begleiter herankamen. Matthäus und Paulus Welser blickten aus ihrer Carosse drohend nach dem harrenden Reiter, der unbeweglich blieb, bis ihn der Stadtpfleger an den Schlag seines Wagens rief. Fräulein Philippine saß mit abgekehrtem halb verhülltem Antlitz zur Rechten ihres Oheims, Wolfgang ritt links und sprach nur, wenn der Stadtpfleger eine karge Frage an ihn richtete. Dem heißen Tage war eine schwüle Nacht gefolgt, in der Ferne wetterleuchtete es. Die müden Pferde bewegten die schwerfälligen Wagen nur langsam vorwärts, die wenigen Theilnehmer an der Heimfahrt blieben stumm und so zogen sie durch die Dunkelheit und den Staub der Heerstraße dahin — ein wunderliches Gespenst des prächtigen Zuges, der um Mittag denselben Weg gekommen war. Nur Marcus Welser schien minder bedrückt als Alle, und so oft Wolfgang von ihm hinwegsah, flog ein blitzschneller prüfender Blick auf ihn, ein andrer auf die Jungfrau an seiner Seite und die Nacht verbarg einen Ausdruck von muthiger Hoffnung, der dann jedesmal in seinem ernsten sorgengefurchten Gesicht aufleuchtete.

Es war am Abend des Tages, in dessen Frühe sie Augsburg erreicht. Der Garten Marcus Welsers, des

16*

Stadtpflegers, lag von der Abendsonne beglänzt in all seiner Blüthenfülle und all der künstlichen Pracht seiner gradlinigen Gänge, der alte Ambrogio schritt zwischen den Strauchgruppen und den Spalieren längs der Mauer lautlos umher. Die Thüren des untern Saales und die Fenster der obern Gemächer standen der warm hereinfluthenden Luft weit geöffnet, friedliche Stille schien in dem ganzen Hause zu herrschen. Marcus Welser und seine schöne Nichte saßen in einem Raum neben dem Studirzimmer des Stadtpflegers, der in flüchtigster Eile zum Wohngemach umgeschaffen war. Es war leicht zu sehen, daß Fräulein Philippine erst seit wenigen Stunden hier verweilte und daß ihr Auge schwerlich auf die zerstreut umherliegenden Gewänder oder die Geräthe gefallen war, die man rings aufgestellt hatte. Wie sie stumm und unbeweglich aus dem offnen Fenster blickte, lag ein Ausdruck auf ihrem Gesicht, daß Ambrogio, der von Zeit zu Zeit nach dem Hause emporspähte, mehr als ein Kreuz schlug und daß der Stadtpfleger, der lautlos aus seinem Zimmer getreten war und sich ihr gegenübergesetzt hatte, lange Zeit vergeblich nach einem Worte der Ansprache rang. Sie nahm ihn erst wahr, als er mit stummer Bitte ihre Hand faßte, während die seine sich wie sonst auf ihr reiches blondes Haar legte. Und sie zwang sich sichtlich, zu sprechen, als sie endlich rasch sagte:

„Leopold Rehm und — und — Wolfgang Berg blieben bis jetzt bei Dir? Du hast einen schweren Tag gehabt, Ohm Marcus — und wirst noch viel schwerere sehen?“

„Ich hoffe zu Gott, der schwerste liegt hinter uns,“ versetzte der Stadtpfleger, indem er einen frischen Klang in seine Worte zu legen versuchte. „Leopold Rehm verzagt freilich — und schwer wird es mir fallen, meinen Vorsatz hinauszuführen, besonders wenn Ohm Matthäus dabei beharrt, uns weder Hülfe zu leisten noch Rede zu stehn. Doch darf der Mensch nicht verzweifeln, so lang er Gott über sich und einen Rest von Kraft in sich fühlt. Und so mir Leopold Rehm und Wolfgang treu bleiben, will ich ans Werk gehen, — ich habe schon heut gethan, was mir Noth schien!“

Fräulein Philippine hatte sich abgekehrt — ihr wäre es sonst nicht entgangen, daß die verfallnen Züge des Stadtpflegers und die fiebrische Röthe seiner Wangen seine muthigen Worte und Vorsätze Lügen straften. Sie schien von der ganzen Entgegnung ihres Oheims nur den Namen, der so schwer über ihre schönen Lippen geglitten war, den Namen Wolfgangs vernommen zu haben. Ihre Lippe zuckte, ihr Ton klang härter als sonst:

„Wolfgang Berg und immer Wolfgang Berg! Bedarfst Du seiner durchaus, muß er hier bleiben, Ohm Marcus?"

Ueber Marcus Welsers Gesicht zog ein Schatten der Trauer und Enttäuschung. Das schöne Mädchen sah hinab in den Garten, als strebe sie ihre thränenfeuchten Augen vor dem forschenden Blick des Oheims zu verbergen, während er mit leiser Stimme, aber langsam und nachdrücklich sagte:

„Das klingt anders, Philippine, als ich erwartet habe, erwarten mußte! Du dankst Wolfgang Berg den Dienst nicht, den größten, der Dir je geleistet ward, ja Du zürnst ihm!"

„Gewiß, Ohm, ich zürne ihm!" rief die Jungfrau mit hervorstürzenden Thränen. „Was drängt er sich wieder und immer wieder in mein Leben? — ich rief ihn nicht und hätte ihn nie gerufen, so lang ich Deiner treuen Hülfe gewiß war!"

Der Stadtpfleger lächelte über das unwillkürliche Geständniß in diesen Worten. Dann aber entgegnete er ernst:

„Und wenn Du ihn nicht riefst — so dank es ihm doch, daß er kam! Gott mag wissen, ob ich ohne ihn Dich oder unser Haus vor der letzten, der äußersten Schmach bewahrt hätte."

Der stattliche Mann erbebte, sowie die Bilder der verflossnen Nacht vor sein innres Auge traten. Philippine Welser schien es nicht zu sehen, ihre Blicke waren durch Thränen verdunkelt — sie weinte heftiger als zuvor und sprach in wachsender Erregung:

„Ich kanns ihm nicht danken — ich kann es nicht, Ohm! Er wußte, daß ichs nicht darf, nicht so darf, wie er will und wähnt — wie ichs möchte! Hab ichs denn verschuldet, daß er nicht werbend in unser Haus treten durfte, wie Melchior Bassenheim, er, der tausendmal besser und edler ist?"

Der Stadtpfleger schüttelte das Haupt und blickte mit inniger Theilnahme auf das erregte schluchzende Mädchen. Er zog sie an sich und sprach ihr flüsternd ins Ohr. Sie lauschte seiner leisen Rede voll Eifers, aber wieder und wieder zeigte sich ein Ausdruck von entrüsteter Scham und tief gekränktem Stolz, den Marcus Welser mit seinen Worten zu bannen meinte, in ihren Zügen.

„Ich trag es auch nicht und sterbe darüber, was mir widerfahren ist, Ohm," unterbrach sie seine milde Zusprache. „Als Wolfgang Berg einst vor mir stand, bittend und mit so kühnen Worten auf den Lippen, daß ich betäubt und in Gefahr war, meiner selbst und Deiner zu vergessen, gewann ich mir Muth und sagte ihm ins Antlitz, daß ich eine Welser und meines Hauses Tochter sei! Was sollt ich ihm nun sagen? Von meinem Haus bin ich wie ein werthloses Gut verhandelt, bin ich dahingegeben worden, werde aus mir was da wolle! Das treuste Herz hab ich zum Tode gekränkt! — und wärst Du nicht, Ohm Marcus, — so müßte ich heute dies Haus verlassen, so hätte ich keine Stätte mehr, auf der ich mich sicher und stolz fühlen könnte!"

„Du sprichst die Wahrheit, mein armes Kind!" versetzte der Stadtpfleger. „Und wenns so ist — warum der Stolz auf Dein Geschlecht, auf Deinen Namen, warum die Bitterkeit, mit der Du dies und das Opfer lohnst, das Dir gebracht werden sollte! Muß ich fürchten, daß Dir der Dank so schwer falle, Philippine?"

„Was bleibt mir, Ohm Marcus — nach solchem Tag wie gestern?" fuhr Philippine fort, ohne auf die Frage des Stadtpflegers zu antworten. „Die herrliche Frau, deren Namen ich wie zum Spott meines Geschicks trage, hat jahrelang Schweres erduldet. Heimlich war sie dem Erzherzog vermählt, lästernden Zungen und neidischen Herzen preisgegeben, vom Zorn des kaiserlichen Vaters bedroht! Was hat ihr das Herz gestärkt, als sie in dem einsamen Schloß saß, was hat ihr Muth und Kraft zum Dulden verliehn? Sie durfte mit Stolz und Vertrauen hierher, an unser Haus denken — sie ward gehalten, getragen, beglückt —"

„Durch uns, durch das Haus Welser, Philippine?“ fiel Herr Marcus mit starker Stimme der Erregten ins Wort und seine Wangen rötheten sich von einer Gluth, die sein gramvolles faltiges Antlitz für einen Augenblick um Jahrzehnte verjüngte. „Wehe der Aermsten, wenn ihr in dem einsamen Waldschloß der Glanz unsres Hauses und der Prunk ihrer Sippen ein bessrer Trost geschienen hätte, als das Herz und die Kraft des Mannes, den sie liebte! Weh ihr, wenn sie andren Trostes und Haltes bedurfte, wenn ihr nicht genug war, daß ein Mann Alles, was er war und hatte, sich selbst, sein Leben und seine Zukunft um sie und für sie eingesetzt! Es ist ein gut und köstlich Ding um ein stattliches Haus, ein bessres um die Kraft und Liebe, die ein solches zu erbauen weiß!“

Er hielt inne, sei es, um seine Worte wirken zu lassen, sei es, weil er wahrnahm, daß Philippinens Augen sich nicht erhellten und daß sie mit schmerzlicher Bewegung ihr Gesicht in den Händen verbarg. Der Stadtpfleger sah erschüttert auf den innern Kampf des geliebten Mädchens. Plötzlich sprang sie empor, es war als ob sich ein Druck von ihr löse, ihre Arme umschlangen seinen Nacken, schluchzend mit heißen Thränen stammelte sie:

„Was mahnst Du mich noch, Ohm Marcus! Ich trage ihn ja tief im Herzen, ich habe es gethan, so lang ich zurückdenken kann. Auf den Knieen hätt ichs Euch danken wollen, Ohm, wenn Ihr mir sonst den Pfad gezeigt hättet, der ihn in unser Haus führen konnte. Und doch, Ohm, da er mich forderte, hab ich ihn zurückgestoßen und jetzt — jetzt ists zu spät."

Der Stadtpfleger sah mit trauernder Freude auf das Mädchen:

„Du trägst ihn im Herzen, Philippine, was wäre dann, was könnte zu spät sein? Gott sendet Sonnenschein in meine Seele, noch kann Alles zum Besten gewendet werden! Dort seh ich Wolfgang durch den Garten schreiten, willst Du hier verweilen, bis er kommt?"

„Ich will hinab zu Ambrogio!" sprach sie hastig. „Ich könnte ihm jetzt nicht begegnen. Und sprecht kein Wort für mich zu ihm, Ohm Marcus, mein Mund wars, der ihn schwer gekränkt, ich muß selbst sühnen, was ich gesündigt!"

Herr Marcus Welser geleitete mit schweigender Zustimmung die Erregte bis zur Treppe, sobald er hörte, daß Wolfgang in sein Schreibzimmer trat. Er sah der hinabschwebenden anmuthigen Gestalt theilnahmvoll nach und wandte sich dann zu seinem Gemach. Im Augenblick, wo er den kunstreichen Thürgriff faßte, schien ein plötzlicher Schauer seinen Leib zu überlaufen, er schloß die Augen und mußte zu dem Druck auf den Thürgriff und dem Schritt über die Schwelle alle seine Kraft zusammenehmen. Wolfgang Berg, der inmitten des hohen Gemachs erwartend stand, sprang herzu und ergriff den Arm des Wankenden, über dessen Antlitz sich ein fahles Grau breitete, während er stark und gefaßt zu scheinen suchte:

„Es ist nichts, Wolfgang, es hat nichts zu bedeuten. Gut, daß Ihr gekommen seid, wir bedürfen zwar der Ruhe, aber wir haben sie nicht und werden sie noch manchen Abend vergebens begehren. Der gestrige Tag und die Nacht in Zusmarshausen haben mir tiefer ins Herz geschnitten, als ich diesen Morgen glaubte. Führt mich zu dem Sessel dort, Wolfgang, und dann reicht mir die Papiere — dort das Bündel, welches Leopold Rehm auf den Schrein gelegt! — Ich muß sie Euch alle vertrauen, es ist viel heiße Arbeit für Euch darin und mancher Ritt durchs Land!"

„Ich bin allstund zu Eurem Dienst, Herr Marcus," entgegnete Wolfgang, den Weisungen des Stadtpflegers gehorchend. „Doch wärs nicht besser Ihr gönntet Euch eine Nacht und etwa einen Tag Ruhe, um mit frischer Kraft ans Werk zu gehen? —"

„Nein — nein," sagte Marcus Welser abwehrend, „es ist keine Zeit zu verlieren. Wißt Ihr denn, wie viele Tage und Nächte ich noch einzusetzen habe? Wenn mein Muth, mein Vorsatz, dies Haus vor dem Einsturz zu retten, noch fruchten können — Gott allein weiß, ob sie es können — so dürfen wir keinen Tag säumen. Nicht eine Stunde, Wolfgang. Leopold Rehm ordnet aus seinen Büchern ein Verzeichniß sämmtlicher Wechselbriefe, die unsern Namen tragen und von denen er weiß — es werden, fürcht' ich, noch manche aufgewiesen werden, von denen er nicht weiß. Wir müssen alle Gelder zusammenraffen, die uns gehören, und Hülfe suchen, wo wir vermögen. Ihr müßt nach Kempten, Wolfgang, der Fürstabt und sein Capitel sind mir günstig, Ihr müßt nach Burgau zum Markgrafen, so schwer mirs eben wird, ich muß ihn angehen. Und dann, wenn wir den ersten Sturm bestehen, der über uns hereinbricht, wird eine Reise nach Venedig, eine andere nach Sevilla nöthig werden. Hier die Berichte von unsern Häusern sind über ein Jahr alt — was kann indeß nicht geschehen sein, zum Guten vielleicht — zum Schlimmen gewiß! — Reitet morgen in aller Frühe zuerst nach Kempten. Nehmt einen von den Dienern, die Leopold Rehm als zuverlässig nennt, mit Euch. Ich will noch in dieser Nacht an Hans Haslinger in Memmingen schreiben, er schuldet mir persönlich große Summen, ich hab ihn nicht an seine Handschrift gemahnt, jetzt muß es sein, es muß! Und geht noch heute zu Leopold Rehm, er wollte versuchen, mit Herrn Curt von Stetten einen raschen Handel abzuschließen, derselbe hat bis vor Kurzem Lust zu diesem Garten gezeigt — vielleicht gelingt es Euch, zum

Abschluß zu kommen, ehe das Gerücht allzugeschäftig wird.“

„Herr Marcus, auch den Garten wollt Ihr hingeben? Eures Herzens Stolz und Lust?“ fragte Wolfgang erschrocken.

„Auch?“ wiederholte der Stadtpfleger bitter. „Es wird noch manches Auch nachfolgen — und der Himmel füge es, daß wir damit Zeit gewinnen, — Zeit, um dem kaiserlichen Hof und dem königlich spanischen zu berichten. Ich gebe das Letzte dahin, wenn es einen Monat oder mehr überwinden hilft, was kann in solcher Frist nicht alles geschehen, wenn wir alle Kraft einsetzen. Es muß sein, Wolfgang, ich habe mit meinem müssigen thatlosen Grübeln zwischen den Büchern hier vieles an unserm Hause verschuldet.“

Er warf einen wehmüthigen Blick auf seine kostbaren Pergamentrollen, über denen Leopold Rehm die schweren eisenbeschlagenen Bücher seiner Schreibstube und hohe Bündel bestäubter mit Zahlen bedeckter Papiere aufgehäuft hatte. Und wieder lag auf seinen Zügen der müde Ausdruck von vorhin, die Augen schienen halb erloschen und seine Stimme klang um so heiserer und hohler, je mehr er sich mühte, kraftvoll und mit rascher Bestimmtheit zu sprechen. Wolfgang, dessen Züge ebenfalls Uebermüdung zeigten, stand dennoch so stattlich, so fest und kräftig bereit neben der gebrochnen Gestalt im geschnitzten Stuhle, daß erst durch den Gegensatz die ganze Erschöpfung des Stadtpflegers hervortrat. Er wandte sich ab und seine Blicke glitten scheinbar über die Bücherreihen der Bibliothek, er durfte in dieser Stunde nur Eifer, nur Hingebung, nicht Mitleid zeigen.

„Ich gehe zu Leopold Rehm, Herr, ich eile, mich für morgen zu rüsten," sprach er nach einer stummen Pause. „Die Briefe, deren ich bedarf, könnt Ihr mir senden, damit ich Euren Morgenschlummer nicht störe!"

„Er wird kürzer sein als der Eure, Wolfgang! Kommt immer, ehe Ihr aufbrecht, zu mir, ich habe so viel zu bedenken und zu thuen, daß mir jeden Augenblick Euer kräftiger Entschluß, Euer treuer Rath von Nöthen sein kann. Habt Ihr Euren Vater schon gesehn? Und sonst in Augsburg umgeschaut? Ist die Ehre des Hauses Welser schon wacker in den Mäulern der Weber und Färber? Wissen sie schon, warum wir von Zusmarshausen zurückkamen?"

„Herr Matthäus läßt aussprengen, es sei ein Streit zwischen Herrn Melchior Bassenheim und Euch entstanden," erwiederte Wolfgang zögernd. „Ich fürchte, unter den Herren vom Geleit sind einige, die ein Wort davon vernommen haben, aus weß Ursache der Streit stammt. Herr Daniel Pömer sagt Jedermann, der ihn hören will, der alte Caspar Bassenheim habe gewisse Nachricht von großen Verlusten der Welser gehabt und für sein eignes Gut gefürchtet. Nicht Ihr hättet das Verlöbniß aufgehoben, sondern er selbst!"

„Laßt sie sprechen, was sie mögen!" rief der Stadtpfleger. „So lang eins nichts zu Tag kömmt, so lange der Name des Kurfürsten von Köln zwischen Euch und mir bleibt, — so lange trag ich mein Haupt aufrecht. Wenn sie draußen ahnten, wüßten, was hier — hier in unsern Häusern und in den Häuptern meiner Brüder vorgegangen ist, dann — dann wärs Zeit zu verzagen und das Antlitz zu verhüllen."

Die weitre Rede Marcus Welsers verlor sich in ein Gemurmel, sein Haupt sank auf den Rand des Tisches und ruhte einen Augenblick auf den Büchern, aus denen ihm freudlose Unruhe und quälende Furcht für die nächste oder für alle Zukunft quoll. Wolfgang Berg stand schweigend neben ihm und begann endlich wieder, um die peinliche Stille zu unterbrechen:

„Geht zur Ruh, Herr Marcus! Für heut ist gethan, was wir vermochten und der Morgen wird Euch frischer am Werk finden. Ruhet wohl, Herr, ich spreche noch vor, ehe ich zu Roß steige."

Er schickte sich an zu gehen; Marcus Welser schien so tief in träumendes Hinbrüten versunken, daß Wolfgang mit zögernden Schritten bis zur Thür gekommen war, ehe er sich aufrichtete. Dann aber sah er erwachend empor und rief bittend Wolfgangs Namen. Sein Gesicht war von Thränen benetzt — mit leiser Stimme und hinausblickend, als fürchte er, daß eines seiner Worte hinab in den Garten dringen könne, hob er wieder an:

„Noch eins, Wolfgang! Ich wollte es nicht jetzt sagen und doch wärs Thorheit, wenn ich damit zögerte. So wahr Gott lebt, wir wollen Alles thuen, dies Haus zu stützen, und wenn er mir Kraft schenkt, werden wir wohl zum Ziele kommen. Manchmal aber fühl ich hier innen" — er deutete auf seine Schläfe — „einen Druck, und mir ist zu Muth, als könne es nicht lange mehr währen. Wenn es so sein sollte, Wolfgang, wenn wir Leid und Mühen umsonst aufwendeten und es zu Ende ginge mit mir, — könnte ich auch dann auf Euch zählen?"

Wolfgang durchschauerte der ahnende bangende Ton, in dem der Stadtpfleger sprach. Er versuchte eine heitere Miene zu zeigen und entgegnete:

„Welche Gedanken und Reden, Herr Marcus! Ihr seid erschöpft von den Anstrengungen und dem Weh der letzten Tage, ich selbst, der ich jünger und auf rauheren Pfaden zu meinen Jahren gekommen bin, als Ihr, fühl es wohl, daß eine Nacht wie die letzte, dem Menschen nicht wohlthut. Aber zu Ende gehen wird es nicht, Ihr werdet

Kräfte wiederfinden, von denen Ihr längst nicht mehr wißt, daß sie Euch eigen sind."

„Meint Ihr wirklich so?" fragte der Stadtpfleger, weder im Blick noch im Ton seiner Rede schmerzliche Zweifel verbergend. „Unnütze, feige Furcht hat Marcus Welser nie gehegt, und habe ich sonst nicht um meinen Leib Sorge getragen, so werde ich's jetzt weniger denn je thun. Aber doch — ich fühl' etwas in mir, was mich nicht blos der Groll und Gram über meine Brüder und Alles, was uns widerfahren ist, dünkt. Ich frage Euch noch einmal: wenn es bei Gott beschlossen wäre, daß ich nicht zum Ziele kommen sollte, wenn mir die Augen, mit denen ich nach Rettung ausspähe, zu früh zufielen? — würdet Ihr dann Philippinen zur Seite stehn, wie Ihr heute mir zur Seite steht? Nähm' ich den Trost mit in die Gruft, daß sie nicht verlassen, nicht rathlos zurückbliebe — seid Ihr der Mann, der auf alle Gefahr sein Leben für sie einsetzt, auch wenn es anders gefordert wird, als gestern?"

Wolfgang Bergs Antlitz verfinsterte sich bei der Frage des Stadtpflegers. Er schüttelte das Haupt und antwortete dann mit gesenktem Blick:

„Wozu die Frage, Herr? Gott wird verhüten, daß es der Antwort bedarf — wollt Ihr jedoch Antwort, so richtet Eure Rede an das edle Fräulein! Gefahr, wie die von Köln und Bonn her, wird ihr nimmer wieder drohen, das ist, wie bei uns in den Bergen; einen Abgrund, dem der Mensch einmal in Nacht und Nebel nah gekommen ist und in den er hinabgeschaut hat, vermeidet er sicher! Und gäbs eine andre —"

„Ihr weicht mir aus, Wolfgang, Ihr wollt mich nicht verstehen und Ihr müßt es doch!" sagte Marcus Welser vor Erregung zitternd. „Schon in bessern Tagen, als wir jetzt haben, zogen finstre Schatten durch meine Seele und schaute ich in die trübe Zukunft, so bangte mir um Philippinen, wenn ich nicht mehr sei. Schon damals, Wolfgang, träumt' ich, daß Ihr der Mann wäret, dem selbst die Stürme nichts anhaben, — ich sehnte mich, mein Kind an Eurer Seite und in Eurer Hut zu wissen. Gott ist mein Zeuge, ich hätte sie in Eure Arme gelegt, als ich noch glaubte, daß ein Theil von den Schätzen der Welser ihr zufalle; aber dünkt sie Euch minder kostbar, minder begehrenswerth, seit die Schätze dahin sind?"

In Wolfgangs Augen leuchtete ein Feuer, wie es der drängende Frager nie zuvor geschaut. Er rang sichtlich nach Worten und bei der letzten Frage stieg ihm heiße Gluth ins Antlitz! Dann aber bezwang er sich und entgegnete mit gefaßtem Ton, durch den freilich die Leidenschaft hindurchklang:

„Dürft Ihr so fragen, Herr Marcus? Bin ichs, eben ich, den Ihr fragen dürft? Ich habe Euren Traum geträumt, auf meine Weise, und gut, daß ich nicht von dem Euren gewußt, bevor der meine bezwungen lag, sonst wär ich mit Seele und Sinnen verloren gewesen. Seid tausendmal bedankt für die Meinung, die Ihr von mir hegt, sie ist viel zu hoch und zu groß, und doch wollt ich, es wäre nicht Eure, es wäre einer Andern Meinung! Fragt Fräulein Philippine, was geschah, da ich einmal vergaß, wer sie ist und wer ich bin! Oder fragt sie auch nicht, seht wie sie mir zürnt, daß ich, der Knecht, der Diener, noch einmal gewagt habe ihren Weg zu kreuzen und für sie zu wollen, was ich gewollt! Seht, ob sie meine Meinung anders verstanden hat, als daß ich für mich in ihr Leben griff, und ob sie mir nicht klar zeigt, daß ich mich dessen nicht erkühnen dürfte! Ihr tragt unnöthige Sorge, edler Herr, sollte Gott fügen, was er lieber verhüten wolle, so seid gewiß, daß Fräulein Philippine sich bessere Schirmer und Schützer zu finden weiß, als mich!"

Der Stadtpfleger schaute den Reiterführer betroffen an, aus den Augen Wolfgangs blitzte feste Entschlossenheit und Herr Marcus Welser war einige Augenblicke keines Wortes mächtig. Er faßte jedoch seine Hand und fragte zitternd:

„So tief hat Euch der Stolz des Mädchens gekränkt, daß Ihr kein Wort der Werbung an sie richten wollt, selbst wenn sie hülflos, allein und verlassen in der Welt, fremd

17*

unter all ihren Verwandten und Gespielen stünde? So tief, daß Ihr mir den Trost versagen müßt, Euch für alle Fälle neben ihr zu wissen?"

„Dahin wird es nimmer kommen, Herr!" rief Wolfgang. „Was auch geschehe, Philippine Welser wird nimmer allein sein. Und wenn es doch wäre — müßt' ich nicht dann, eben dann stummer bleiben als je zuvor? Soll das Unglück der Herrlichen mein Freiwerber sein? Soll sie glauben, ich hätte auf den Augenblick gelauert, wo ich mich zwischen sie und ihren Stolz drängen kann? Nein, Herr, es kommt nicht zu dem, was Ihr fürchtet. Käme es aber, so wißt Ihr: mein Gut dank' ich den Welsern, mein Blut hab ich für Euer Haus gern gewagt und in Euch allein und dem Fräulein erblick ich nun Euer Haus. Bedarf die edle Jungfrau meines Guts, meines Bluts, es wird ihr nicht fehlen. Mehr aber steht nicht bei mir — und seid gewiß, Herr, Fräulein Philippine wird auch darnach nicht verlangen."

Der Stadtpfleger ließ die Hand des erglühten Mannes nicht fahren. Er schaute Wolfgang Berg eindringlich und innig zugleich an, und sagte ruhig:

„Und wenn sie dennoch mehr begehrt, Wolfgang? Wenn sie selbst kommt und wirbt, wo Du zu stolz bist, zu sprechen, wenn sie vertrauend ihre Hand in diese hier legt, — dann —"

„Dann! dann!“ unterbrach ihn Wolfgang und sein Gesicht erhellte sich wie in plötzlicher Entzückung. „Dann wird nicht ein Tropfen Blut in mir sein, der nicht Glück, nicht Dank, nicht Seligkeit wäre! Dann — dann würde ich vielleicht der Mann, den Ihr in mir sucht, dann hätte ich die Kraft zu wirken, zu tragen, nach der ich jetzt nur ringe!“

Er schwieg, er sah vor sich hin, als erfasse sein Auge hundert Bilder mit einem Blick und jedes erfülle ihn mit Entzücken. Der starke feste Mann erschauerte vor der Fülle des Glücks, die er nur einen Augenblick im wachen Traume schaute. Die Augen Marcus Welsers sahen mit Wohlgefallen und neuer Hoffnung auf ihn, er aber verscheuchte die Bilder und sagte ernst, beinahe traurig:

„Was sprecht Ihr grausam von Dingen, die nicht sind und nie sein können? Was frommt Euch mein eitles Wähnen? Laßt mich ans Werk gehen, Herr, mir wird wohler dabei sein, als beim Träumen! Ich seh Euch morgen noch einmal — ruhet wohl indeß!“

Er schritt hinaus, diesmal von Marcus Welser nicht aufgehalten und zurückgerufen. Der Stadtpfleger schien noch vor Augen zu haben, was der Hinwegeilende von sich gescheucht hatte. Nur Wolfgangs Gutenachtgruß weckte andre Gedanken.

„Noch einmal? —" murmelte der Stadtpfleger und stützte das schmerzende Haupt wieder in seine Hände. „Er kann Recht haben und meine Ruhe länger sein, als diese hier" — er schlug auf Leopold Rehms Bücher — „vergönnen wollen! Wenn Philippine um ihn wirbt, wird er sein, wie ich ihn gewollt und erfleht — und ich bin gewiß, sie wird um ihn werben, selbst wenn ich ihr wenig mehr zusprechen könnte."

Auch er erhob sich, um die letzten Sonnenstrahlen, die in den Garten fielen, zwischen seinen Bäumen und Spalieren zu erblicken. Wie lang würde er sie noch sein nennen, wie oft sein Auge noch auf ihnen ruhn, selbst wenn die dunkle Sorge in seiner Brust, der bange dumpfe Druck, den er fühlte, nichts war, als ein Nachzittern der schweren Erschütterung, die hinter ihm lag? — —

Indeß Herr Marcus seinen Garten betrat, hatte ihn Wolfgang längst verlassen und war durch das Thor, Sanct Annas Gasse hinauf, dem Stadthaus der Welser, in dem er Leopold Rehm vermuthete, zugeeilt. Auf den Straßen herrschte geschäftiges Geräusch, und so tief er in Sinnen war, so schlugen dennoch einzelne Laute desselben in sein Ohr. Er sah im flüchtigsten Vorüberschreiten Gruppen feiernder Bürger, die nach ihm hinblickten, er hörte die Namen Welser und Bassenheim aus jeder

Gruppe ertönen und mehr als einmal mußte er sich zum Weitereilen zwingen, um nicht mehr zu vernehmen, als er jetzt zu hören vermochte. Denn obschon er festen Trittes, mit sichrer stattlicher Haltung dahinschritt, obschon seine Augen schärfer denn je blitzten — so lastete doch ein Gefühl auf ihm, als müsse ihm Jedermann ansehen, wie unheimlich fremd ihm in diesen altbekannten Straßen, zwischen diesen Häusern und all dem Menschengewühl zu Muth sei, wie wirr vor seinem innern Auge die Bilder der letztvergangnen und der künftigen Tage auf- und abschwankten. Das letzte Gespräch mit dem Stadtpfleger hatte in Wolfgangs Seele begrabne Hoffnungen, bezwungne Wünsche erweckt und emporgestürmt! Niemand durfte wissen und ahnen, wie weh ihm war, — aber er selbst lachte bitter auf, als er in einer dunklen Seitengasse sich allein wußte. Wofür eilte er, wofür dachte er morgen und alle kommenden Wochen und Monde ins Land zu reiten, zu wirken, zu ringen, als die Welser auf jener Höhe zu erhalten, auf der Philippine für ihn stets unerreichbar blieb! Und indem er grollend auflachte über den Lauf des Geschicks und sich selbst, vernahm er sich von einer wohlbekannten Stimme angesprochen, die stets theilnehmend herzlich erklang.

Aus dem Thore eines der hohen Giebelhäuser, die dem letzten Abendlichte das Eindringen in die Gasse wehrten, trat Herr Elias Holl, der Stadtbaumeister, und schnitt recht eigentlich dem Eilenden den Weg ab.

„Wohin, Herr Berg! Gottwillkommen in Augsburg — ich wußte nicht, daß Ihr hier seid, und hätte doch denken können, daß Ihr im Geleit des Fräuleins nicht fehlen würdet!“

Wolfgang legte stumm seine Hand in die dargebotne des Baumeisters und wußte im ersten Augenblick keine Erwiederung zu finden. Elias Holl aber fuhr lebhaft fort:

„Das sind schlimme, schlimme Dinge, Herr Wolfgang, und ganz Augsburg ist böser Fama voll! Die edeln Welser hätten sich besser bewahren sollen; schon vor Wochen, als die erste Rede vom Verlöbniß des Fräuleins mit Melchior Bassenheim ging, sagte mir Johann Tecken, der kölnische Handelsmann, der zu Zeiten mein Gastfreund ist, daß bei den Bassenheims nicht Alles stehe, wie es soll. Doch hieß es damals, die kurfürstliche Durchlaucht von Köln nehme Antheil am Glück und Stern des alten Hauses! Wer hätte auch vermuthen mögen, daß die Bassenheim just den Tag des Brautgeleits nutzen würden, ihre Habgier zu zeigen und um Mitgift und Witthum zu hadern? — Und wer hätte gemeint, daß es je in Augsburg geschehn könnte, daß diese Kölner und ihre Genossen die fürstlichen Welser zu lästern und zu beschimpfen wagen? Wenn Ihr hören solltet, was aus Herrn Daniel Pömers

Schreibstube auf den Weinmarkt und in alle Gassen und Zechen klingt — Euch würde das Blut zu Häupten steigen! Sagt mir um Gotteswillen, warum die Herren auch nur eine Stunde den Lügenschwarm ertragen, der um sie herumschwirrt?"

„Wer ist Herr über giftige Zungen und lose Mäuler?" fragte Wolfgang ausweichend. „Die Welser haben Besseres zu thun, als jedem Neugierigen Rede zu stehn, der den Auszug nach Zusmarshausen mit angeschaut. Um das Spectakel sind ja die Gaffer nicht betrogen worden. Was Ihr aber von Herrn Daniel Pömer sagt, nimmt mich eben nicht Wunder, er ist der Handelsfreund des alten Bassenheim und den Welsern längst gram! —"

„Ich weiß es — ich weiß es — Herr Wolfgang!" versetzte Elias Holl zögernd, „doch habe ich die Zeit noch erlebt, wo kein Kaufherr in Augsburg zwischen den Wänden seines Hauses sich zum Feind der Welser bekannt hätte, geschweige denn auf offnem Markt. Wenn Ihr etwas vermögt bei dem edlen Stadtpfleger oder bei Herrn Matthäus, so sorgt, daß neidischer Groll und Bosheit nicht um sich fressen. Sie könnten selbst denen, die hoch stehen, zum schweren Schaden gereichen!" —

Es war zu dunkel zwischen den himmelhohen Häusern, über denen sich nur ein Streif grauen Abendhimmels zeigte, als daß Wolfgang den sorglichen Ausdruck im Antlitz des wackern Künstlers genau wahrgenommen hätte. Er hörte jedoch den schmerzlich bewegten Ton seiner Worte und sagte daher scheidend:

„Habt Dank, Herr Baumeister, für die treue Meinung. Ihr mögt das Rechte treffen, und ich will dem Stadtpfleger berichten, was Ihr mir vertraut! Rechnet jedoch nicht zu viel auf Dinge, die einst waren, und Mittel, die einst halfen, — sondern betet, wenn Ihr dem Hause Welser hold seid, für das Leben und die Kraft des Stadtpflegers, und nur für sie — Herr Elias!"

Damit riß er sich rasch von dem Rathsbaumeister los und war dem nacheilenden Blick des Betroffnen entschwunden. Die kurze Begegnung erfüllte ihn mit noch schwereren Sorgen, als er schon zuvor gehegt. Glich das Haus Welser, glich der Stadtpfleger mit seinem muthigen Entschluß nicht einem Ringenden, um den die Wogen höher und höher steigen, während sein Fuß nach festem Grund sucht? — Und doch hieß Wolfgang die nagende Unruhe, die Furcht vor dem nächsten Tag fast willkommen, vergaß er dabei doch Philippine und sich selbst! Er erreichte das Haus bei St. Leonhard und ihm war, als ob die Blicke Aller, welche in der breiten Straße hin- und herwogten, auf das Thor der Bank gerichtet seien, durch das er in den dämmerigen Flur trat. Hier aber herrschte Stille — aus den gewölbten Räumen, die nach dem Hof zu lagen, scholl eintöniges Geräusch, aus dem Schreibgemach von Leopold Rehm klangen streitende scharfe Stimmen, — Wolfgang unterschied die wohlbekannten Herrn Matthäus Welsers und Daniel Pömers. Er schwankte, ob er eintreten solle; im nächsten Augenblick eilte aus einer der Thüren an der dunkeln Treppe Meister Elfinger. Wie er Wolfgangs ansichtig ward, kehrte er sich rasch ab, nur der laute Gruß des Reiterführers, dem er weder Gruß noch Handschlag bot, hielt ihn auf:

„Ich komme vom Stadtpfleger, Meister Elfinger, und habe ein Botschaft an Leopold Rehm. Ist er drinnen im Gemach?"

„Schaut selbst hinein!" entgegnete Elfinger barsch. „Ihr werdet wohl just so willkommen sein, als Herr Daniel Pömer, der den Weg aus unserm Hause hinaus selbst zur Nacht nicht mehr finden kann."

Wolfgang achtete nicht sonderlich auf die unholden Worte des Hausmeisters. Er wußte zu gut, daß sie der Widerhall dessen waren, was droben die Herren des Hauses über ihn sprachen. Aber er zögerte jetzt auch nicht länger, er dachte des Stadtpflegers, der seinem raschen Entschluß, seinem Eifer so hoch vertraute, und schritt der Thür zu. Im gleichen Augenblick öffnete sich dieselbe von innen, Herr Daniel Pömer, hochrothen Angesichts und den Kopf aus seinen Schultern streckend, so viel er vermochte, trat heraus und schien den Reiterführer nicht einmal zu sehen. Um so durchdringender ruhten andre Augen auf ihm. Herr Andreas Hannewald, der Notar, der jetzt Pömers Schatten war, und Herr Matthäus Welser, die sich eben noch feindselig angeblickt hatten, sahen jetzt ebenso nach Wolfgang, welcher ruhig grüßte, indeß Herr Pömer laut und fast polternd sprach:

„Gute Nacht denn, Herr Matthäus! Ihr habt Recht, morgen ist auch noch ein Tag für Geschäfte und ich werde mit meinen Wechselbriefen kommen!"

„Es scheint, in Eure Hand laufen jetzt die Wechselbriefe, die unsre Unterschrift tragen, aus aller Welt zusammen," antwortete Herr Matthäus Welser, der in den beinah dunkeln Raum zwischen der Thür und Leopold Rehms Schreibtisch zurücktrat.

„Vielleicht, weil alle Welt Vertrauen in mich setzt!" rief Herr Daniel kräftig. „Gute Ruhe, Herr Welser, und morgen am Tag komme ich wiederum hierher. Gehabt Euch wohl, Herr Rehm, morgen werdet Ihr wissen, ob Herr Matthäus oder der edle Herr Stadtpfleger unsre Angelegenheit zu schlichten hat!"

Wolfgang lauschte erschrocken; so herausfordernd höhnisch hatte in diesem Raume sicher Niemand seit zwei Jahrhunderten gesprochen und im schmerzlich zuckenden Antlitz Leopold Rehms zeigte sich die Wirkung. Herr Hannewald murmelte zu Matthäus Welser gewandt begütigende Worte, Daniel Pömer hatte schon das Haus verlassen, sein fester Schritt klang draußen über das Pflaster. Der kaiserliche Notar sprach noch immer zu dem Herrn dieser Räume, der im Augenblick nur finster, nicht stolz dreinsah. Er gönnte dem Reiterführer noch einen zornigen Blick, Herr Hannewald benutzte die Minute geschickt, um seinem Patron nachzueilen. Matthäus Welser aber stand in dem dunkeln Raum wieder dicht vor dem alten Buchhalter.

„Nicht blos Herr Pömer bedarf es zu wissen, wer der Herr dieses Hauses ist," sagte er hart. „Du hast mir und meinem Bruder Paulus dreißig Jahre gehorcht, gefällt es Dir nun, einen Andern als Deinen Herrn zu erkennen, so gieb uns klaren und kurzen Bescheid. Bis dahin aber wirst Du vollziehn, was ich Dir befehle. Die Juwelen aus dem Schrein dort werden in die Hände Frau Barbaras, meines Ehegemahls, zurückgeliefert. Niemand außer ihr hat ein Recht auf den Schmuck. — Meister Elfinger reist in dieser Nacht nach Wien an den kaiserlichen Hof — die Anordnungen sind getroffen. Ich selbst werde gehn meinem Bruder dem Stadtpfleger zu berichten, was ich verfügt, Du kannst Deinen alten Gliedern den Gang sparen. Herrn Hannewald, wenn er morgen wiederkehrt, sende hinauf in mein Gemach."

Der Patricier verließ die Schreibstube — auf der Schwelle warf er einen Blick in dieselbe zurück, der nicht dem verstörten Alten und nicht Wolfgang Berg galt. Es lag etwas Starres und bitter Schmerzliches zugleich in dem Blicke, er haftete zuletzt auf den leeren Stellen, wo sonst die Bücher lagen, die Leopold Rehm heute in das Gartenhaus Marcus Welsers gebracht. Es war ein Abschiedsblick, aber vergebens hofften die Beiden auf einen milden Laut aus dem Munde des Mannes, der vor ihnen stand. Er wiederholte noch einmal:

„Thue heut noch, was ich Dir befahl, morgen magst Du Dich, wie Dichs gelüstet, zu Herrn Marcus begeben!“ und verschwand, ehe Leopold Rehm ihm antworten konnte. Der alte Buchhalter starrte ihm nach, dann brach er in einen lang unterdrückten Wehruf aus und sank kraftlos an seinem Pulte nieder, während Wolfgang theilnehmend näher trat:

„Es bricht zusammen, rettungslos, haltlos!“ jammerte Leopold Rehm. „Das stolze Haus wird nur wenige Tage noch stehen, die es bewahren und stützen sollten, grollen widereinander und rütteln an den morschen Säulen. Herr Marcus setzt vergebens die letzten Kräfte ein, wenn Herr Matthäus und Paulus nicht mit ihm zusammenstehn. Und sie werden es nicht thun, sie werden ihm nie verzeihn, was gestern geschehn ist und was er diesen Morgen zu ihnen gesprochen hat. Mir ist, als sännen sie auf das Aergste. Sie haben den ganzen Tag alle Juwelen, alles Gold, das im Haus ist, geordnet, gewiß nicht, um es in unsre Cassen zu legen. Elsinger geht nach Wien, er soll einen kaiserlichen Machtspruch erwirken, der die Herren vor ihren Gläubigern schützt und jeden Anspruch an sie vor das Reichskammergericht verweist. Sie werden Herrn Marcus in seinem Bemühn nur kreuzen, nicht beistehn. Und so geht es zu Ende mit uns — Daniel Pömer und all die kleinen Neider der großen Welser werden Macht und Gewalt über uns erhalten, unsre alte Herrlichkeit wird zum Hohn und unser Name zum Spott werden. Ich weiß nicht, was ich gesündigt, daß ich dies erleben mußte — aber hart ists, Wolfgang Berg, und überleben werde ichs nicht."

Wolfgang fand keine Trostworte, er sagte nur mahnend:

„Ihr dürft noch nicht verzagen, Herr Leopold! Der Stadtpfleger hegt Hoffnungen, er ist nicht der Mann sich selbst zu belügen. Ich will morgen für ihn nach Kempten, nach Memmingen reiten, es wird Alles geschehn, was in Menschenkräften steht, um dies Haus zu retten!"

„Es wird nichts fruchten," entgegnete der Buchhalter tonlos. „Herr Matthäus und Paulus wollen nicht, was wir wünschen! —"

„Sie können doch den Untergang ihres Hauses im Groll über den Stadtpfleger nicht begehren!“ fiel Wolfgang ein, der zu argwöhnen begann, daß die wechselvollen Eindrücke der letzten Tage Sinn und Urtheil des Alten geschwächt hätten.

„Vielleicht doch!“ sagte Leopold mit heiserer Stimme und einem Blick, als ob ihm seine eignen Worte Abscheu einflößten. „Was Herr Marcus will, erfordert harte Arbeit, schweißvolle Tage, schlaflose Nächte, das ganze edle Haus mit allen Vettern und Sippen müßte seine Häuser und Gärten, seinen Schmuck und sein Prunkgeräth opfern, — Tag und Nacht gälte es zu sorgen, zu sinnen und der Ausgang bliebe dennoch ungewiß. Ihr könnt nicht nach Venedig und Hispanien zugleich fahren, Herr Matthäus und Paulus müßten es selbst, — Keiner dürfte an sich, Jeder nur an des Hauses Stern und Ehre denken — vielleicht dünkt es ihnen besser, ein paar böse Tage zu überstehen, Namen und Glorie der Welser in den Staub sinken zu sehen, aber von Hab und Gut, von Pracht und Prunk so viel zu retten, als Frau Barbara eingebracht und etwa als Meister Elsinger drüben in Wien und Spinelli, Herrn Matthäus Geheimschreiber, in Venedig bergen mag!“

Wolfgang blieb dem Schmerz und der Verzweiflung des alten Buchhalters gegenüber wortlos, — was hätte er ihm sagen können? Aber die Möglichkeit, auf welche

Leopold Rehm hingedeutet, ergriff ihn tief, er dachte des Stadtpflegers, seiner gebeugten Gestalt, seines trüben Sinnes, die schon jetzt, ohne neues Unheil, beinahe jeglicher Hoffnung spotteten. Er mußte sich zwingen, dem Buchhalter die Befehle Marcus Welsers, die Weisungen, die er für sich selbst empfangen, mitzutheilen. Und indem er es that, empfand er heißen Eifer, so viel an ihm sei das Aeußerste zu thuen; Leopold Rehm lauschte auf, nickte mehr als einmal zufrieden und schien vergessen zu haben, was eben geschehn war. Beide Männer standen im völligen Dunkel, draußen war es indeß Nacht geworden, sie achteten nicht darauf, — sie sahen plötzlich eine Thätigkeit und eine Hoffnung vor sich. Wohl eine Stunde verging in Berathung und Erwägung; als Leopold Rehm endlich die Leuchte über dem Tisch anzündete, sah Jeder das Antlitz des Andern lebhafter geröthet, das Auge heller. Sie verließen zusammen den Raum, der Buchhalter geleitete Wolfgang zur Thür, wieder klangen von Beider Lippen hoffende tröstliche Worte. Mitten in denselben sprach Leopold Rehm gefaßt:

„Thut Euer Bestes, Wolfgang, thut das Aeußerste. Zuletzt seid Ihr nicht völlig ohne Schuld und Ihr hättet nicht nur an Fräulein Philippine und Euch selbst, Ihr hättet auch an uns denken müssen. Was Ihr vom Kurfürsten von Köln wußtet, mußten die Herren vor der Ausfahrt nach Zusmarshausen erfahren, dem edeln Fräulein wäre Eure Treue vielleicht minder in die Augen gefallen, uns aber viel Unheil erspart geblieben!"

„Herr Matthäus hat meine Warnung Wochen zuvor empfangen," entgegnete Wolfgang finster. „Es hat ihm nicht gefallen, ihrer zu achten!" —

„Sie haben gewußt, welche Gefahr dem Fräulein droht, sobald sie sie nach Köln senden, und sie haben das Geld Melchior Bassenheims dennoch genommen?" fragte Leopold Rehm mit einer Stimme, die dem Erlöschen nahe war. „Wenn es bis dahin mit ihnen gekommen ist, so haben wir doch in den Wind gesprochen, Freund Wolfgang, der Stadtpfleger sorgt, Ihr reitet, ich schreibe in den Wind. Wenn es so war, so werden sie auch vorziehn das Haus fallen zu lassen und für sich zu retten, was zu retten ist! Gott schütze Herrn Marcus und das Fräulein!"

Er trat mit heftiger Bewegung in das Haus zurück, Wolfgang hielt ihn nicht zurück. Auch ihn überwältigte die Wucht dieser Stunden, unter welcher der alte Diener des Hauses Welser schier zusammenbrach. — Stumm trat er seinen Weg durch das Gewirr der kleinen stillen Gassen über die Lechbrücken zum Roßmarkt an, — und gedachte auf dem raschen Gange der Nacht, in der er vor wenig Wochen aus der Herberge zum „Eisenhut" nach dem Hause seines Vaters geschritten war, um ihm zu sagen, daß er sich vom Haus der Welser lösen müsse. War er jetzt nicht fester gebunden denn je zuvor, tiefer verstrickt, als er damals ahnen konnte? Was würde das Ende all dieser Tage voll Weh und Wirrniß sein? In der Pein widerstreitender Gedanken, in der Schwüle bangen Erwartens und Zagens erinnerte er sich wiederum des Vorsatzes, mit dem er von seinem Waldhof geschieden war. Er wußte nicht, ob er der Einen, für die Alles geschehn war, Glück oder Unheil gebracht, er sah sie mit finster zurückweisender Miene, mit herben Worten vor sich stehn und zum hundertsten Male seit der verflossnen Nacht schoß ihm der bittre Gedanke durch die Seele: „Ihnen allen hätte es besser gedünkt, wenn ich den Kölner Patricier erschlug und meinen Lohn dafür hinnahm. Auch ihr — — sie hätte ja dann ein Recht, mich zu verabscheuen!“

Die Pforte zu dem kleinen Hause Bartholomäus Bergs war trotz der Nachtzeit nicht verriegelt, Wolfgang trat ein — fast empfangen wie sonst, mit strengem Ernst von dem Vater, mit selbstvergessner Liebe von Frau Katharina seiner Mutter. Nur finstrer, verschlossner, als sonst, saß der alte Landsknechtshauptmann in seinem Stuhle, nur zitternder waren die Arme Frau Katharinens, die den Sohn umschlangen und festhielten. Bartholomäus Berg wies Wolfgang den Platz neben sich an und begann von gleichgültigen Dingen zu sprechen. Er frug, was er sonst

18*

niemals gethan, nach Wolfgangs Haus und Hof, er schien gleichsam nicht zu wissen, von woher der Sohn komme. Aber Wolfgang selbst brach den Bann dieser starren Zurückhaltung:

„Wenn Ihr mir zürnt, Vater, so sprecht, wenn Ihr nicht zürnt, so vergönnt mir ein Wort von dem, was mir das Herz zerreißt und den Sinn erfüllt. Ihr wißt, wie es bei den Welsern steht, wie die kölnische Brautfahrt geendet — wollt Ihr oder muß ich stumm dazu bleiben?"

„Es ist, wie Dein Herz begehrt!" entgegnete finster Bartholomäus Berg. „Die Lästrer, die Neider, die Wichte, werden bald ihren Tag haben und Gott muß wissen, warum er dem Teufel just bei den Welsern freies Spiel läßt! Was aber kümmert Dich das, wenn Du zum Ziele kommst? Du hast Herrn Melchior Bassenheim den Rang abgelaufen!" —

„Es hat mich nicht darnach gelüstet!" rief Wolfgang. „Bei Kurfürst Ferdinand hätte ich so gut und besser Hülfe gefunden, als der Kölner Kaufherr. Wie ich hier stehe habe ich mich mit Leib und Seele Herrn Marcus zu neuem und härterm Dienst gelobt als je zuvor. So lang er eine Hoffnung hat, das Haus Welser zu stützen und wieder aufzurichten, so lang er gebietet, will ich dazu helfen, daß die schöne Philippine unnahbar für meines Gleichen bleibt."

Der Alte sah überrascht auf, sagte jedoch zögernd:

„Du verbirgst Arglist dahinter. Wer einmal frevle Wünsche Macht über sich gewinnen ließ, entsagt ihnen nimmer. Du dienst Herrn Marcus gegen die Herren Matthäus und Paulus, weil Du von dem Gelehrten, dem Träumer hoffst, daß er thuen wird, was er nie thuen darf —"

„Nein und wiederum nein!" rief Wolfgang, seiner selbst kaum mehr mächtig. „Ich habe soeben dem Stadtpfleger gelobt, daß ich nie die Augen zu Philippine Welser erheben, nie nach ihrer Hand trachten will, — wenn sie nicht selbst mich zum Gemahl fordert! — Dünkt Euch das genug des Verzichts, wollt Ihr, wenn ich Euch Gleiches schwöre, auch jetzt noch sagen, ich hegte eitle Hoffnungen!"

Frau Katharina hatte stumm dem harten Zwist zwischen Gatten und Sohn gelauscht, sie verhüllte ihr Gesicht vor den finster drohenden Blicken des Ersten, sie zog Wolfgang an sich:

„Laß ab von ihnen — laß ab! Und wenn sie selbst Macht und Ansehn und Güter verloren hätten, es bleibt ihnen dennoch genug, Dich zu verderben."

Bartholomäus aber achtete nicht auf seine Frau, die hartnäckig an einer quälenden Furcht festhielt, seit sie den ersten Einblick in Wolfgangs vermessne Wünsche gewonnen. Der Alte sah vor sich nieder, als bedächte er Wolfgangs Worte. Doch ihr Sinn schien ihm nicht zu behagen, er schwieg hartnäckig und der Ausdruck seiner Züge ward nicht milder.

Der Sohn versuchte noch einmal, ihn auf den Gegenstand zu lenken, der ihm jetzt vor allem am Herzen lag: es blieb vergebens. Wolfgang sah deutlich, welch grimmer Schmerz um das Haus, dem er sein Leben hindurch gedient, dessen Glanz und Ruhm der Stolz und die Begeistrung seines harten Daseins gewesen war, den Vater erfüllte, er ertrug darum schweigend die herbe Weise, in der ihm begegnet ward. Frau Katharina trennte zuletzt die stummen Männer mit der Aufforderung zur Ruhe und selbst Wolfgang besann sich, daß er schon mehr als eine Nacht die Augen kaum geschlossen hatte.

Das Lager, das ihm die Mutter bereit hielt, seit sie am Morgen durch seine unerwartete Ankunft bestürzt worden war, wies er zurück und bat im Wohngemach, in den Stuhl des Vaters gestreckt, die Nacht verbringen zu dürfen:

„Ich muß früh hinaus, habe mein Roß zu beschicken und bevor ich nach Kempten aufbreche, Herrn Marcus noch in seinem Gartenhaus zu sprechen. Laßt mich hier, ich finde genug Ruhe, auch ohne Bett!"

Bartholomäus Berg widersprach nicht, Frau Katharina schaute bedauernd auf den Sohn, in dessen Zügen Ermattung und Erregung, die keine Ruhe verhieß, kämpften. Doch ehrte sie seinen Willen und bald fand sich Wolfgang in dem dunkeln Gemach allein. Er schloß die müden Augen und ließ die Erlebnisse des Tages im Halbtraum an sich vorübergleiten. Und so oft er die Eine erblickte, die er über Alles liebte und der er heute ferner stand als je zuvor, so oft fuhr er auf und fragte sich: „Warum hält mich Herr Marcus Welser zu solcher Qual zurück, warum muß ich bleiben und meine todte Hoffnung begraben helfen?“ — Dann erwachte eine Stimme in ihm, dann standen Bilder vor seinen Augen, an denen er erkannte, daß seine Hoffnung eben nicht erstorben war. Und zuletzt erwies sich der matte Leib mächtiger, als die erregte Seele. Wolfgang schlief ein, schlief fest, indeß draußen auf dem Platz der Brunnen eintönig rauschte und vor dem Hause die Schritte des Wächters klangen. Er hatte die Läden nicht geschlossen, damit das erste Frühlicht ihn erwecken möge. Aber längst war die Nacht der Dämmrung gewichen, durch die halboffnen Fenster stahl sich bereits ein Sonnenstrahl und zitterte auf dem Estrich des Gemachs — Wolfgangs Schlummer war, Dank seinen guten, hoffnungsreichen Träumen, aus einem zuckend unruhigen ein tiefer, fester geworden. Frau Katharina trat beim ersten Morgengrauen ein, als sie aber den stattlichen Sohn mit gelösten Gliedern, ein freudiges Lächeln um die Lippen ruhen sah, zog sie sich leise zurück. Und noch schien es nicht, daß Wolfgang Berg sobald erwachen solle, selbst die schallenden hastigen Schritte, die dem kleinen Hause nahe kamen, vernahm er nicht. Erst als eine harte Hand donnernd an die Pforte schlug, — eine laute Stimme seinen Namen rief, sprang er empor und vernahm fast gleichzeitig die angstvollen Worte:

„Thut auf, Herr Berg! Zögert nicht — der edle Stadtpfleger! —"

„Ich komme! Was ists mit ihm?" fragte Wolfgang ohne Besinnen und rasch sein Schwert am Gürtel befestigend. Frau Katharina war zur Thür geeilt, — sie sah und ahnte in allem Unheil! — draußen stand athemlos einer der Diener des Welser'schen Hauses. Wolfgang sprang schon durch den Flur auf die Schwelle — was die Stimme des Dieners noch nicht verkündet hatte, sprach sein verstörtes Gesicht.

„Was ists mit Herrn Marcus?" wiederholte Wolfgang neben den Diener tretend und bereit mit ihm zu gehen.

„Wir wissen es nicht, es geht zu Ende mit ihm! Die Herren Matthäus und Paulus waren noch am Abend zum Garten gekommen und viele Stunden in seinem Gemach!" sagte der Mann, dessen Augen Thränen entstürzten. „Plötzlich entstand großes Getümmel im Haus, man weckte Alle, die im Schlummer lagen, Doctor Rembold ward gerufen und schlug dem gestrengen Herrn die Ader. Eine Stunde ward es besser mit ihm — er hat nach Euch verlangt. Als ich jedoch wegeilte, Euch zu rufen, lag er wieder stumm und schier für todt in seinem Gemach."

Während der Diener dies stammelte, durchschritt Wolfgang neben ihm in fliegender Eile die Straßen. Keiner von Beiden achtete auf die Volkshaufen, die sich sammelten und ihnen unter Geschwirr und Geflüster nachblickten, — Wolfgangs dunkle Augen waren gleichsam schon dort, wohin seine Füße strebten. Er stieß seine Fragen so ungestüm hervor, daß der Diener sie mehr errieth, als vernahm:

„Was spricht Doctor Rembold? Und wer ist bei dem armen Herrn? — seine Brüder?"

„Nein, Doctor Rembold selbst und das edle Fräulein sind um ihn. Kommt, kommt, Herr Wolfgang, die Zeit verstreicht und viel Zeit ist überall nicht mehr. Herr Matthäus weilt im Nebenzimmer, er zeigt ein schlimmes Gesicht und scheint mehr Zorn als Schmerz zu hegen. Herr Paulus ist mit dem Morgen nach seinem Hause zurück, er zwang Leopold Rehm, welcher mit Büchern und Briefen zum Stadtpfleger kam, ihn dorthin zu begleiten!"

Der Diener vermochte kaum den gewaltigen Schritten des Mannes, den er antrieb, zu folgen, — aus seiner wirren Rede gewann Wolfgang Berg einen Einblick in die Wirrniß, die im Hause des sterbenden Stadtpflegers herrschen mußte. Noch klammerte er sich an eine schwache Hoffnung, die Diener in ihrem Schreck, ihrer Bestürzung möchten Schlimmeres sehen, als geschah. Doch wie ein Schauer überkam ihn die Erinnerung an Marcus Welsers Aussehn am gestrigen Abend, an den gepreßten, schwermüthig ahnungsvollen Ton, in dem der Stadtpfleger zu ihm gesprochen. Und mit dem ersten Schritt in den Garten sank seine dürftige Hoffnung dahin. Der grüne, sonst so still umfriedete Raum, der noch gestern gelegen, wie ihn Wolfgang seit seinen Jugendtagen gekannt, bot diesen Morgen ein seltsames Bild. Der alte Lombarde, dessen Stolz der Garten war, stand händeringend vor den Rasenflächen, auf denen sich eine Menge von Boten, von Dienern und Neugierigen drängte, deren in jedem Augenblick mehr durch die offne Pforte hereinquollen. Bis zu den Glashäusern hinab waren Blumen und Büsche niedergetreten, die kostbaren Gewächse in Kübeln, die Ambrogio der deutschen Sommersonne vertraut, da und dort umgestürzt. Auf der Freitreppe vor dem Hause wogte es ab und zu, mit Wolfgang zugleich sprangen vier und fünf andre Männer die Stufen empor und drangen in den Flur ein. Drinnen aber stand der Reiterführer, der mit so heißer Hast nach dem Gemach des Stadtpflegers strebte, plötzlich wie gelähmt. Aus der Innenthür des Gartensaals trat Herr Matthäus, einem Priester in schimmernder Stola Raum gebend. Wolfgang wußte, was derselbe hier sollte, auch Herr Matthäus Welser ließ ihn nicht in Zweifel darüber. Denn kaum war der Bruder des Hausherrn Wolfgang Bergs ansichtig geworden, als er ihm zuraunte:

„Wollt Ihr Euch gedulden, bis der Priester meinem Bruder Marcus die Sterbesacramente gereicht hat? Oder dünken Euch auch heut die geheimen Geschäfte, die Ihr mit ihm führt, wichtiger, als alles Andre?"

„Wenn Ihr in dieser Stunde noch Muth habt zu spotten, Herr Welser," versetzte Wolfgang erbleichend, „so habe ich nicht den Frevelmuth, Euch zu antworten, wie sich ziemte."

Matthäus Welser murmelte unverständliche Worte und stieg hinter dem Priester die Treppe empor. Mehrere Rathsherren und der alte Rector des Gymnasiums von St. Anna, Freunde des Stadtpflegers, folgten ihm auf dem Fuße. Wolfgang, tief getroffen, erschüttert von Allem, was er sah, und seiner selbst kaum mächtig, zögerte. Aber der Diener, der ihn hierher gerufen und dicht neben ihm geblieben war, drängte ihn vorwärts, er schloß sich den Uebrigen an und gelangte mit ihnen bis an das Zimmer, in dem der todtkranke Stadtpfleger lag. Seine Diener waren vor den offnen Thüren desselben versammelt und empfingen knieend den Priester. Nur Herr Matthäus Welser trat mit diesem in das Gemach, die Andern blieben vor der Schwelle zurück, Wolfgang kniete mit ihnen nieder. Aber in seiner Seele ward es bei der heiligen Handlung nicht still. Es stürmte und wogte wild in ihm, zu entsetzlich war der Gegensatz des Traums, aus dem ihn der Diener erweckt, und dieser Wirklichkeit! Eben noch hatte er den Stadtpfleger im Traum in voller Kraft, siegreich am Ziel seines Ringens für die Ehre seines Hauses und Namens erblickt und hier sah er ihn auf dem Lager dahingestreckt, von dem er nicht wieder erstehen sollte, mit geschlossnen Augen, fast bewußtlos die Sterbesacramente empfangend. Eben hatte er sich an der Seite Philippinens neben ihm erblickt, und hier kniete er unter den Dienern vor der Schwelle des Gemachs, während drinnen am Bett Philippine von Doctor Rembold, dem Arzte, gestützt, im stummen flehentlichen Gebet lag. Wolfgang Berg erblickte das schöne Mädchen nicht zum ersten Mal im Angesicht des Todes, aber wie anders war der Ausdruck ihrer Mienen damals gewesen, als er sie in Meister Jacobs Gemach belauscht, wie anders heut! Der tiefe Schmerz, in dem sie dort weilte, hatte etwas unheimlich Starres, keine Thräne löste sich von ihrem Auge, nur die zuckenden Wimpern verriethen, daß dies Auge nicht so starr, so steinern sei, als jeder Zug des Gesichts, als die ganze schlanke Gestalt, die im dunkeln Gewand zu Häupten des Bettes kniete. Vor Wolfgangs Augen flirrte es, er sah Alles, was drinnen im Zimmer vorging, wie durch einen farbigen Nebel und dann doch wieder so klar, so deutlich, daß er bis ins Innerste erschauerte. Jetzt war die heilige Handlung vorüber, der Priester schickte sich an, das Gemach zu verlassen, die Männer vor der Schwelle sprachen ein letztes Gebet und erhoben sich.

Da wars Wolfgang, als höre er seinen Namen, als vernehme er die Stimme des Stadtpflegers. Das Haupt des Sterbenden war von den Kissen erhoben, halb zur Thür, halb zur Stelle gewendet, von der Philippine thränenlos zu ihm emporschaute. Und wiederum erklang Wolfgangs Name, er trat entschlossen über die Schwelle, mit so finsterm Blick Herr Matthäus, der seitwärts vom Bett am Fenster lehnte, ihn auch zurückzuscheuchen suchte. Ueber das Antlitz Marcus Welsers flog ein freudiger Schein, als sich Wolfgang mit zögernden, unhörbaren Schritten näherte. Er schien sprechen zu wollen, vermochte es jedoch nicht. Da erhob er mit letzter Kraft sein Haupt noch höher, beugte sich aus dem Lager heraus zu der knieenden Philippine und machte ihr ein Zeichen, das Wolfgang nicht völlig erblickte, von dem aber die Jungfrau aus ihrer starren Betäubung erweckt ward. Und noch einmal wiederholte der Sterbende seine Geberde, wiederum sah er nach Wolfgang hin, wiederum leuchtete sein müdes Auge mit hellem Schein — dann sank sein Haupt in den Arm des schönen Mädchens, die sich rasch erhoben hatte. Er schloß die Augen, um sie nicht wieder zu öffnen, die Küsse, die Thränen, mit denen Philippine sich zu ihm niederbeugte, trafen eines Todten Antlitz. Wolfgang aber trat an das Lager des Stadtpflegers, als derselbe seinen letzten Seufzer schon verhaucht hatte. Und wie sich jetzt das Haupt des Mädchens vom Kissen des Geschiedenen erhob, wie der erste Blick, den Philippine ins Leben zurückthat, dem trauervollen Blick Wolfgangs begegnete, da wars ihm, als sei eine Hülle von ihren Zügen genommen, da traf ihn ein Strahl der blauen Augen, der in die bitter schmerzliche Stunde einen Augenblick seliger Hoffnung brachte. Nur einen Augenblick — im nächsten schon sank Philippine wieder schluchzend über dem geliebten Todten zusammen, im nächsten trat Herr Matthäus hinzu. Wolfgang wich zurück, er fühlte, daß er kein Recht mehr habe, hier zu verweilen. Ehe er noch die Schwelle überschritt, drangen die Diener und Alle, welche in den Nebengemächern verweilt hatten, herein, ein lautes Getümmel, ein wirres Durcheinander von Gestalten, ein Geschwirr von klagenden Stimmen, erfüllte das Sterbegemach und tönte dann in den stillen Raum hinüber, wo Wolfgang unter den Büchern und Schriftrollen des Todten stand, gleichsam erst jetzt zur Wirklichkeit erwachend. Der

Diener, der ihn vorhin gerufen, war ihm auch jetzt gefolgt, sein Gesicht zeigte aufrichtige Bekümmerniß und ernste Sorge.

„Was wird geschehn?“ fragte er bangend den Reiterführer, der mit sich rang, seine Gedanken zu sammeln und innerlich die Fassung zu gewinnen, die er nach außen zeigte.

„Wie ists geschehn?“ entgegnete Wolfgang gepreßt. „Wie hat es geschehen können — was wißt Ihr davon?“

„Die Herren Matthäus und Paulus kamen gestern noch am späten Abend hierher,“ sagte der Diener scheu um sich blickend, als ob er fürchte, von andern Ohren, als denen Wolfgangs, gehört zu werden. „Hier auf dem Bord lagen die großen Bücher, die Herr Leopold Rehm gestern dem verblichnen Herrn gebracht, über die Bücher war der Streit. Wir liefen alle zusammen, es drang manch ein Wort zu uns heraus.“

„Ihr horchtet an den Thüren?“ warf Wolfgang bitter dazwischen.

„Wir waren in Furcht um den edlen Stadtpfleger, um uns selbst,“ gestand der Diener. „Es klangen uns stets schlimmre Dinge zu Ohren und unsre Sorge wuchs täglich. Bei der Dienerschaft drinnen war Baptist, der Hausmeister Herrn Daniel Pömers, längst der Zuträger, doch auch Einem und dem Andern von uns ward bange für seinen

Dienst und das reiche Gnadenbrod im Alter. Daß es nichts Gutes war, was die Herren so eilig heimgeführt, hörten wir in jeder Schenke und sahens auf jedem Antlitz, Eurem, Leopold Rehms, des edlen Fräuleins zumal. Wir merkten das Kommen und Gehen, das Rathen und Reden. Gestern Abend, wie Herr Matthäus und Paulus hier eintraten und noch nicht viel zu Herrn Marcus gesprochen haben konnten, that der Stadtpfleger einen wilden Ruf, fast einen Hülferuf, so daß wir Alle hinzustürzten. Die Thür hier zum Gemach war fest verriegelt, die Herren sprachen und stritten wie zuvor — wir aber lauschten und lauschten und standen noch zur Hand, als eine Stunde später Herr Matthäus aufschrie und Herr Paulus nach uns rief, weil der edle Stadtpfleger vom Schlag getroffen dort in den Stuhl gesunken war!" —

Der Diener deutete scheu auf den großen geschnitzten Stuhl Marcus Welsers, Wolfgangs Augen erfüllten sich mit Thränen, indem sie der weisenden Hand folgten. Jener aber fuhr in flüsterndem, von verhaltener Entrüstung bewegtem Tone fort:

„Wir wissen, von wem es kam! — Schaut mich nicht so entsetzt an, Herr Berg — sie haben den Herrn nicht erschlagen, wir waren nahe, sie hättens wagen sollen, Hand an ihn zu legen! — Aber sie sind zu ihm getreten und haben von ihm begehrt, daß er heute mit ihnen nach dem

Rathhause gehen und vor dem Rathe die Bücher, die dort lagen, aufschlagen solle, sie haben ihm, da er sich weigerte, gedroht, daß sie ohne ihn den Weg thun würden. Und als sie der edle Stadtpfleger hart anließ und bei dem Blute des Erlösers und dem Gedächtniß ihres Vaters beschwor, ihm das nicht, nur das nicht anzuthun, mit ihm eins zu sein und festzustehn, eher das Letzte dreinzugeben, als die Ehre und den alten Ruhm des Hauses, da lachten sie ihm hell und höhnisch in sein gramvolles Antlitz hinein und Herr Matthäus that einen schlimmen Schwur, daß er lieber Schmach aus silbernen als Ruhm aus zinnernen Bechern trinken wolle! So drängten sie auf den edlen Stadtpfleger ein und wir hörten ihn stöhnend in seinem Zimmer hin- und herschreiten, so daß mehr als Einer von uns ungerufen zu ihm eindringen wollte. Hätten wirs nur gewagt, Herr Berg, — vielleicht hätte es helfen können! Aber wir zagten doch, eben jetzt den schwergekränkten Herrn zu erzürnen, und zauderten und flüsterten und raunten unschlüssig drunten im Gartensaal, bis wir plötzlich ein Dröhnen wie von schwerem Fall und die Rufe der andern Herren vernahmen. Als wir dann nach einander hinaufstürmten, wars zu spät, Herr Marcus lag bleich, für todt am Boden, und selbst als er die Augen wieder aufschlug, gab er nur stammelnde Worte von sich. O der Schmach! O der Schmach! — hab ich zweimal deutlich vernommen, dann rief er nach Fräulein Philippine, und dann, als Doctor Rembold längst bei ihm war und er nach stundenlanger stummer Ruhe wieder auffuhr, nach Euch! — Wir aber wissen, von wem der Schlag kam! — Gott wird es richten!"

Wolfgang wagte nicht, dem schmerzlich grollenden Manne zu widersprechen. In ihm selbst war ein wilder, zürnender Gram, ein Weh, das aufschrie gegen die dunkeln Fügungen Gottes und die Bitterkeit dieser Stunde! Und mitten in seinem Schmerz besann er sich, wo er sei und wer fortan hier zu gebieten habe. Er fühlte, daß er alsbald das Haus verlassen müsse und war in der That kaum die Treppe hinabgeschritten, als er zum zweitenmal an diesem Morgen mit Herrn Matthäus zusammentraf. Der Patricier ließ ihm fast höhnisch den Vortritt und fragte dabei:

„Wann gedenkt Ihr zu reiten? Ihr wollt doch zurück zum Walde?"

„Noch heute, Herr, wenn Ihrs vergönnt!" entgegnete Wolfgang ruhig, indem er sich kurz verneigte. „Meiner Dienste bedarf hier Niemand mehr!" —

Er stockte mitten in seinen Worten, denn der Wunsch für Glück und Gedeihn des Hauses in dieser Stunde hätte ja einem Spott geglichen und erstarb ihm auf den Lippen. Wie stolz auch Herr Matthäus sich aufrecht hielt, wie kalt und kühl seine Rede erklang, Wolfgang nahm wohl wahr, daß der Rathsherr mühsam nach Athem rang, daß sein Antlitz aschfarben, sein Blick glasig und halb verlöschend war. Er hätte hinzuspringen mögen ihn zu stützen, der verhaßte Mann neben ihm schritt in diesem Augenblicke einen schwereren Pfad, als er selbst! Schon kam er der Gartenpforte nahe, als er hinter sich einen leichten flüchtigen Tritt vernahm. Er fühlte sich seltsam durchschauert, obschon er nicht um sich sah, wußte er, wessen Fuß über den farbigen Kies des Wegs eilte, und erbebte doch, als ihm die Stimme Philippine Welsers ins Ohr klang. Er stand still, er wandte sich zurück, er sah erwartend in das schöne, vom tiefsten Schmerz überhauchte Gesicht. Die weinenden Augen niedergeschlagen, mit leiser Stimme, als ob sie sich mühsam die Worte abränge, sagte die Jungfrau:

„Reitet noch nicht, Wolfgang Berg, wenn Ihr mir, um meines Ohms willen, noch einmal hülfreich sein wollt! Verzieht noch einen Tag oder zwei mit Eurer Heimkehr und laßt mich wissen, wo ich Euch zu finden vermag. Weigert mirs nicht, Wolfgang, es ist sicher der letzte Dienst, den ich von Euch begehre!“

Ueber Wolfgangs Antlitz flog kein freudiger Schein, ernst sah er auf die schöne Bittende und ernst, wenn auch ohne Zögern, antwortete er:

„Ich stehe zu Eurem Befehl, Herrin! Zwar hoffe ich nicht, daß Ihr meiner in Wahrheit bedürft — doch werde ich im Haus meines Vaters Eurer Weisung harren, so lange Ihr es wünscht!“

Er hatte herber gesprochen, als er selbst gewollt; erst als er hinaus vor den Garten, zurück in die Straßen gelangte, ward er sich dessen bewußt. Sie hatte es gewollt, selbst jetzt, wo sich den blassen Lippen ein Wort an ihn entrang, hatte sie um des Oheims, nicht um ihrer selbst willen gebeten. Selbst jetzt sah sie in ihm nur den Günstling des todten Stadtpflegers, sie wollte nichts Anderes sehen, sie wollte ihm fremd bleiben, wie sie es in jener Stunde in den Gärten Marcus Welsers geworden war. Hoffnungslos schritt er durch das unruhige Getümmel der Straßen und vernahm heute nichts von den lauten Reden, die in den Menschenmassen auf und abschwirrten, obschon der Name Welser wiederum hundertfach aus ihnen hervorklang. — —

Die Mittagszeit des Tages, an dem Herr Marcus Welser die Augen geschlossen, nahte heran. Die Sommersonne brannte heiß über den Dächern, auf den Gassen der Stadt; es kam die Stunde, in der sonst die Läden sich halb schlossen, die Schaaren der Geschäftigen sich zum Mahl und zur Mittagsrast in die Häuser verloren. Heute aber geschah von Allem das Gegentheil: je höher die

Sonne stieg, je heißer sie auf das Pflaster brannte, um so dichter drängten sich die Massen von allen Straßen her dem Weinmarkt und dem Perlachberg zu. Wolfgang, der nach stundenlanger rastloser Wanderung den Weg zum Hause Bartholomäus Bergs eingeschlagen hatte, sah mit Staunen den ganzen Raum der Hauptstraße mit dem wogenden Volke erfüllt. Von der Weißmalergasse bis an das Rathhaus standen die Menschenreihen am geschlossensten und dichtesten — aber auch jenseit des Rathhauses, weit hinauf, bis zu den Weinstadeln, drängte sich Kopf an Kopf, das Gemurmel und Geschwirr von tausend Stimmen ward fast zum Getös. So weit Wolfgang umherspähte, war nirgends eine Ursache zum Auflauf zu erblicken — am Portal des Rathhauses lehnten einige Stadtknechte, da und dort gab die Menge ehrerbietig einem der Herren des Raths Raum, der zur Sitzung eilte — die Augen Aller aber, auch derer, die viel zu fern standen, nur den Dachgiebel zu erblicken, waren dem Welserschen Hause zugekehrt. Die Menge schien in ungeduldiger gespannter Erwartung, immer eifriger reckten sich Köpfe und Hälse, immer lärmender ward das Gesumme — bis ein lauter Aufschrei: „da sind sie, da kommen sie," weithin erscholl, bis aus dem Thore der Welserschen Bank die Herren Matthäus und Paulus Welser, Beide im schwarzsammetnen Trauergewand, hervortraten. Einige Diener, zwischen ihnen Leopold Rehm, der mehrere Bücher trug, folgten den Beiden auf dem Fuße. Und eine plötzliche Todtenstille lagerte sich über der erwartenden Masse, während sie den kurzen Weg zum Rathhaus dahinschritten. Kein Laut, kein Flüstern drang durch die dichtgedrängten Reihen, gespannte Neugier, flüchtige Theilnahme lag auf allen Gesichtern. Wolfgang Berg sah mit einem Blick, daß all die Hunderte, welche den beiden Welsern entgegensahen und nachstarrten, von nichts wußten, als vom Tode des Stadtoberhauptes. Sie glaubten die Brüder auf dem Wege zur Rathssitzung, um den Hintritt Marcus Welsers feierlich zu verkünden. Die schlimmen Gerüchte, welche in den Tagen zuvor die Reichsstadt erfüllt und durchschwirrt hatten, schienen vergessen, verstummt; nur Eins wußten sie, daß das Haus Welser sein Haupt verloren habe. Wolfgang allein schien im Augenblick zu wissen, was der Gang der beiden Kaufherren zum Rathhause bedeute — ihm hatte es Leopold Rehms Antlitz, hatte es der schwankende Gang und die Bücherlast auf den zitternden Armen des Alten gesagt. Es war der Leichenzug des Welserschen Glanzes und Ruhms, der den Stufen des Rathhauses entgegenschritt, Herr Matthäus und Paulus machten wahr, was sie dem Todten draußen im Garten gedroht hatten: sie gingen, die geheimen Bücher ihres Hauses vor dem Rathe niederzulegen. Ehrfurchtsvoll, unterwürfig wie sonst, gaben die Schaaren der niedern Bürger, des Volkes Raum, grüßend entblößten sich die Häupter der Zuschauenden; Wolfgang fragte sich trauernd, ob es auch geschehn werde, wenn die Herren vom Rathhaus wieder herabschritten? Und so bitter er den beiden Patriciern grollte, in diesem Augenblick empfand er tiefe Theilnahme, schmerzliches Mitleid für sie. Von ihnen, die eben in das Rathhaus eintraten, wandte sich sein Auge nach der Fensterreihe des Welserschen Wohnhauses zurück. Er glaubte auf- und abgehende Gestalten hinter den Fenstern zu erkennen, im Erker zeigten sich lauschende Köpfe; Wolfgang errieth, daß die Familie versammelt sei und die Rückkehr der beiden Kaufherren erwarte. War Philippine unter ihnen, und wie sah sie der nächsten Stunde entgegen? — wußte sie, warum Herr Matthäus und Paulus mit so schwerfälligem, zögerndem Schritt die Treppe des Rathhauses emporstiegen, warum der alte Buchhalter ihnen die Bücher nachtrug und diese vor dem Eintritt in den Flur beinahe unter die wogende Masse fallen ließ, in welcher plötzlich wieder Leben und Bewegung erwachte?

Gleich gedämmten Wogen schlossen sich von rechts und links die Massen zusammen und drängten den Stufen des Rathhauses näher und näher. Das Geräusch, das beim Anblick der beiden Welser verstummt war, erklang lauter als zuvor, und die einzelnen Rufe und Reden, die Wolfgangs Ohr trafen, verriethen ihm, daß in den Reihen der Neugierigen wie mit einem Schlage ein andrer Geist wach ward. Hohnworte, freche Scherze über den Hochmuth, der zu Fall komme, Stachelreden und unheimliche Gerüchte vom Unheil der Welser, kreuzten und stritten sich mit den Klagen um den Stadtpfleger, mit theilnehmenden Zurufen an seine stolzen Brüder. Wolfgang sah, daß sich vom Weinmarkt Herr Daniel Pömer, zur Rechten Herrn Andreas Hannewald, zur Linken einen andern kaiserlichen Notar, kräftig, mit Scheltworten und Stößen durch die Menge hindurchdrängte und dem Eingang des Rathhauses zustrebte. Wo er hintrat, wo sein breites Antlitz aus der Menge hervorschaute, da wurden auch sicher die höhnischen Stimmen wach, die Wolfgang um so tiefer verletzten, je besser er wußte, daß sie die Wahrheit sprachen. Immer schwirrender, brausender erklangen die Laute, immer wilder, erregter zeigte sich das Volk; der Reiterführer aber sah manchen stattlichen Bürger, manchen schmalbrüstigen Weber, manchen alten Landsknecht unter den Umstehenden blaß werden, sich still entfernen oder laut toben, als der Ruf: „Bankbruch der Welser! Sie sind zu Grund gerichtet — sie kündens dem Rath!“ in seiner Nähe erscholl. Wolfgang fühlte plötzlich den alten Geist in sich erwachen, er hätte am liebsten die Schreier und Hetzer gewaltsam verstummen gemacht, er empfand einen wilden Drang, den feisten Kaufherrn dort auf der Rathhausstufe, der Argwohn und Erbitterung hinter sich säete, zu ergreifen und dahin zurückzuschleudern, woher er gekommen war. Herr Daniel Pömer stand eine Minute still, Athem schöpfend, den Schweiß trocknend und mit zornfunkelnden Augen um sich schauend. Dann wandte er sich an die beiden Notare und sprach so laut, daß es Hunderte auf dem Platze vernehmen mußten:

„Kommt, kommt, ihr Herren, wir haben keine Zeit zu verlieren! Ists wahr, daß die Welser zum Schelmen an mir und ihren tausend Gläubigern werden müssen, bricht der Krug, der so lange schon einen Riß gehabt, so soll ihnen dies Stündlein saurer werden, als sie sich geträumt! Haltet Eure Papiere bereit, ihr Herren! Ists an dem, was man hier redet, so haben wir auch ein Wörtlein dreinzusprechen und die Rathsbank soll noch heute zwei leere Sitze zeigen!“

Er verschwand mit seinen Notaren im Flur; offnen Mundes, mit erschrocknen Blicken starrten ihm Alle vor dem Rathhaus nach, die ihn zum erstenmal sprechen hörten; wild und in lautes brüllendes Getös ausbrechend, wälzten sich vom Weinmarkt her die Volkshaufen heran, zwischen denen Herr Pömer hindurchgeschritten war. Eine grimmige Bestürzung schien bei Allen erwacht, die Rufe, die Klagen und Drohungen schollen wirr und lärmend:

„Bankbruch der Welser! Die stolzen Herren sind gemeine Gantirer! Und noch prunken sie daher, als wären sie die Männer von ehedem! Zum Schelmen werden sie an mir — an Euch — an unsern Kindern! Wollen wirs dulden? Herr Pömer hat Recht — Stadtpfleger und Rath dürfen ihnen nicht beistehn, die sich noch im Fall hoch und gewaltig dünken! Die Welser bankbrüchig! Habt Ihrs vernommen, was Herr Pömer sprach? Was stehn wir hier unten, — frisch voran und in die Rathsstube! — Sie sollen uns Rede stehn — wir begehren unser Geld! Sie sollen Recht thun oder Recht leiden!“

So gellte es am Rathhausthor durcheinander. Die Stadtknechte schienen rathlos, sie griffen zu den Partisanen; es war seit Jahren nicht erhört, daß eine Sitzung des Raths durch wüsten Auflauf gestört ward, und eben heut am Todestag des Stadtpflegers drängte und tobte das Volk wie nie! Doch schienen sie Befehl zu haben nicht einzuschreiten, sie standen müssig und lauschten dem wilden Getümmel, das von Minute zu Minute wuchs. Plötzlich schauten alle Augen zum obern Stock des Rathhauses empor; an einem der Fenster war die hohe Gestalt eines greisen Rathsherrn erschienen, der kopfschüttelnd und mißbilligend auf die Straße herabsah und mehr als einmal das Zeichen, daß er zu reden gedenke, wiederholen mußte. Hundert Mützen und Hüte flogen in die Luft, Hunderte von

Händen wehrten dem Sonnenstrahl, der ihnen blendend in die aufschauenden Gesichter fiel, — dann ward es still, und die trockne, aber laute Stimme Herrn David Langenmantels klang herab:

„Stadtpfleger und Rath fordern Ruhe von euch, ihr Männer! Herr Matthäus und Paulus Welser sind vor dem Rathe erschienen und haben angezeigt, daß die Welsergesellschaft in schwerer Bedrängniß sei und fernere Zahlungen nicht vermöge! Der Rath wird erwägen, was Noth thut — ihr aber gebt Ruhe und seid gewiß, daß Jedem, den eine Schuld trifft, sein Recht wird!"

Tiefe Stille folgte der Ansprache des Patriciers, der vom Fenster in den Rathssaal zurücktrat; betroffen, fast bestürzt, schauten die Männer bei den strengen und dennoch zweideutigen Worten drein. Im nächsten Augenblick klang eine andre Stimme von der Stufe des Rathhauses, aus der Mitte der bewaffneten Knechte. Sie schien einem der Stadtschreiber zu gehören und hallte kreischend durch die Stille:

„Geht nach Haus, ihr Bürger, und traut dem Wort, das euch Herr Langenmantel gab! Die Welser werdet ihr nicht zu ihrem Herd zurückkehren sehn, Herr Daniel Pömer ist droben und hat Papiere zu Tag gebracht, die dem hochedeln Rath die schmerzliche Pflicht auflegen, die Herren

Matthäus und Paulus als Falliten im engen Gewahrsam zu behalten!"

Da war es, als ob ein Schauer durch die Massen ginge, ein Schatten über jedes Antlitz flöge, als ob der Athem der versammelten Hunderte stocke. In dieser Minute erblaßten nicht nur die Wenigen, welche ihre Ersparnisse dem stolzen Hause vertraut, ihr Glück auf sein Glück gebaut hatten — jeder Bürger von Augsburg stand erschrocken, ergriffen, daß das Aeußerste, das Schlimmste, was dunkle Gerüchte prophezeit, zur Wahrheit geworden war. Vor wenigen Tagen noch, als die prächtige Brautfahrt angetreten ward, hatte Jeder, der hier unten stand, die Welser noch einmal um ihre fürstlichen Ehren, ihren fürstlichen Glanz beneidet, hatte Jeder mit lautem Stolz sich ihren Mitbürger genannt, und nun wars Jedem, als ob die Herrlichkeit der Welser gleichsam vor seinen Augen versinke. Das allgemeine Schweigen ward augenblicklich wieder von tausend Stimmen unterbrochen, doch klangen jetzt all diese Stimmen gedämpfter, die dichtesten Haufen löften sich und die Neugierigen, welche noch immer an der Pforte des Rathhauses zurückblieben, zeigten ernste Mienen, kein Hohnwort, keine Scherzrede durfte mehr laut werden.

Wolfgang nahm die Wandlung nicht wahr. Als der Stadtschreiber, den Niemand anders gesendet haben konnte wie Daniel Pömer, der unversöhnliche Feind der Welser, seine Botschaft dem Volke zurief, — rang er sich aus der gedrängten Menge hervor und schlug im eilenden Lauf den Weg zum Welserschen Hause ein. Er sah die Gestalten im Erker unruhig hervor- und zurücktreten, in tiefster Bewegung suchte er Philippine unter ihnen zu erspähen. Aber nur ein Frauenantlitz ward sichtbar, die strengen Züge Frau Barbaras, der Gemahlin Matthäus Welsers, erschienen für einen Augenblick — sie waren sichtlich mehr von Ungeduld und Unmuth als von Sorge und Schmerz belebt. — Zwei bis drei Mal schritt Wolfgang vor dem Hause auf und ab, er besann sich, daß Philippine im Garten des Stadtpflegers verweilen werde und bezwang sein Verlangen, sich dorthin zu wenden:

„Sie bedarf keines Beistands, keiner Theilnahme, selbst in dieser Stunde nicht,“ sagte er sich. „Begehrt sie einen Dienst, so wird sie mich rufen lassen, — warum warte ich nicht still des Rufes?“

Indem er sich entfernte, sah er noch immer nach dem stattlichen Patricierhause zurück. Wie es hell im Mittagssonnenschein prangte, hätte Niemand errathen, daß in diesem Augenblick das Licht nur auf Giebel und Dächer, nicht in die Herzen seiner Bewohner fiel. Wie es still und friedlich lag, hätte Niemand einen Sturm in seinen Gemächern vermuthet, aus den Pforten und Thorhallen drang in dieser Stunde kein Laut hervor — und selbst im großen Wohngemach Frau Barbaras war es auf Minuten so still, als sei kein Lebender in dem Raume, während auf den geschnitzten Stühlen dem Erker zunächst, am großen Tisch in der Mitte des Gemachs, auf den Polstern rechts und links vor der Thür, wohl zwanzig Männer und Frauen — Angehörige des Welserschen Geschlechts — versammelt waren. So oft vom Rathhaus her das Getöse des Volks schütternd durch die Fenster hallte, so oft eine plötzliche Stille eintrat, zeigten all diese zwanzig Gesichter, die sonst das Gepräge sicheren Stolzes, behaglichen Wohllebens trugen, eine peinliche Erregung und Erwartung. Sie hatten Herrn David Langenmantel am Fenster des Rathhauses erscheinen sehen, doch seine Worte nicht vernommen, keiner der Diener, die sie ausgesandt, kehrte zurück. Die Thür zum Gemach hatte sich eben geräuschlos aufgethan, ohne daß die Umsitzenden auch nur aufblickten, Doctor Ulrich Welser, einer der Vettern, der im Erker stand, sprach laut von dorther:

„Sorgt Euch nicht zu sehr — sie kehren ungefährdet nach Haus, es wäre nie erhört, daß man Glieder des geheimen Raths antastete! Daniel Pömer mag sich wohl vorsehn mit seiner Zunge und seinen Schriften, wenn heute sein Tag ist, kann morgen der unsre kommen.“

„Mich dünkt es genug, daß der seine heut ist!“ rief

Frau Barbaras Vater zornig. „Wenn es anders fällt, als Ihr denkt, so wasche ich meine Hände in Unschuld. Wir haben Herrn Matthäus nicht diesen Weg hinabgesandt,“ — er deutete auf die Straße, die zum Rathhaus führte, — „er ging ihn allein und muß ihn allein zurückfinden.“

Das Gemurmel der Zustimmung erstickte bei der Mehrzahl der Anwesenden in einem plötzlichen verwunderten Aufschrei. Mit einmal nahmen sie Philippine, ihre schöne Nichte und Base, wahr, die soeben unbemerkt ins Gemach getreten war und jetzt mit blassem Angesichte, mit tiefen Ringen um die Augen, die schlanke Gestalt in unscheinbare Trauergewänder gehüllt, in ihrer Mitte stand. Frau Barbaras matte Augen blitzten bei dem Anblick des schönen Mädchens vor Zorn und Entrüstung, mit kalten, feindseligen Blicken schauten alle Anwesenden auf sie hin: Philippine aber, die von Alledem nichts zu bemerken schien, sagte mit zitternder Stimme:

„Seid Ihr hier zum Todtengebet für Ohm Marcus beisammen? Er liegt einsam draußen in seinem Gartenhaus, nur der Pater Cyrill und seine Diener sind um ihn. Ich habe den ganzen Morgen Eures Kommens geharrt —“

Eine minutenlange verlegne Pause entstand, dann aber zürnte Frau Barbara, von ihrem Groll überwältigt:

„Höhnst Du uns noch, ungerathne Dirne?! Ist Dirs nicht genug, daß Du Deine Oehme, die Deine Jugend behütet, dazu getrieben hast, den schweren Gang zum Rathhaus zu thun und sich und ihr Haus als bankbrüchig zu nennen? Warum bleibst Du nicht draußen bei dem Todten, der Dir mehr gilt als die Lebendigen?“

Philippine war bleich genug — doch schien in diesem Augenblick der letzte Tropfen ihres Bluts zum Herzen zurückzutreten, sie wankte, so daß Vetter Ulrich vom Erker herbeisprang, sie zu stützen. Im Kreise umsehend, als wolle sie die Bestätigung von Frau Barbaras Worten auf den Gesichtern ihrer Verwandten lesen, sagte sie hastig:

„Sie habens gethan, — doch gethan, nachdem der bloße Vorsatz dazu Ohm Marcus den Tod gebracht?! Und Ihr, Ihr habt es dulden können, daß der Pöbel auf den Gassen die Welser Schelme und Betrüger schilt, daß an unsern Händen Andrer Schweiß und Blut kleben soll — Ihr habt nicht lieber das Letzte dahingegeben, Euer Gold und Silber zur Münze geschickt, Eure Häuser und Gärten verkauft, — Ohm Severin, Vetter Ulrich, wie habt Ihrs vermocht?“

Sie sah zitternd und zürnend in die Augen der Gefragten, die sich unmuthig, wie von einem trotzigen Kinde, von ihr wegwandten. Nur Frau Barbara stand ihr gegenüber, mit scharfem Ton sagte sie:

„An Dir wärs gewesen, Philippine, Deinem Hause diesen Tag zu ersparen, Du hättest es vermocht, wenn Du nicht hochmüthig Dein Glück mit Füßen von Dir gestoßen hättest! Stolze, die doch nicht zu stolz ist für den Reitersknecht!“

Philippine richtete ihr gesenktes Haupt hoch auf, sie erglühte, ihr Auge schimmerte plötzlich in einem seltsamen Glanze. Sie sah noch einmal wie hülfesuchend umher, keiner von all ihren Vettern trat Frau Barbara entgegen. Ihre Stimme zitterte nicht mehr, als sie laut fragte:

„Seid Ihr der Meinung, Frau Barbara, daß ich Herrn Melchior Bassenheim nach Köln — oder Bonn hätte folgen sollen, den Hof Kurfürst Ferdinands zu — schmücken?“

„Besser wärs gewesen, als daß Du als Bettlerin nackt und bloß stündest,“ zürnte die erbitterte Frau. „Wer hat auch gesagt, daß Seine Gnaden von Köln Deiner begehrt, als der freche Bube, der Wolfgang Berg, dem Schwäher Marcus wie ein blöder Narr vertraute und vor dessen Tücke ich selbst meinen Ehewirth umsonst gewarnt habe.“

„Schilt mir den Wolfgang nicht, Base Barbara!“ rief das Mädchen mit zuckenden Lippen. „Wenn er nicht war, so mag der allmächtige Gott wissen, wohin es jetzt mit mir gekommen wäre! — Doch wie könnt Ihr Zwist suchen und Groll hegen in dieser Stunde? Denkt Ihr nicht daran, wie Ohm Matthäus und Ohm Paulus dort drüben zu Sinn sein mag? Daß Ihrs ertragt, daß Ihr hier steht, sie nicht vor den Rath geleitet habt, wie wollt Ihrs verantworten! Noch ists vielleicht Zeit, noch könnt Ihr, wenn Ihr Alle gelobt, mit all Eurem Gut für das Haus einzustehn, den Namen der Welser retten."

Die Worte des Mädchens verhallten in dem schweigsamen Kreise. Kalt, halb spöttisch, halb befremdet sahen die Männer, unverhohlen feindselig die anwesenden ältern Frauen auf Philippine. Nur der hagre weißbärtige Mann, den sie vorhin Ohm Severin angeredet, blickte ihr starr ins Antlitz und sagte:

„Du bist von der Thorheit des Stadtpflegers ergriffen. Hegst Du Sorge um Dich, so laß Dichs nicht zu viel kümmern. Willst Du zu mir ins Haus kommen, so brauchst Du nur ein Wörtlein zu sagen!"

„In meinem Haus ist mindest keine Statt für Dich," fuhr wieder Frau Barbara auf. „Laßt die hochmüthige Dirne, Herr Severin, sie trägt allein die Schuld am Unglück meines Mannes und Schwähers — ihre Hoff[illegible] ihr Trotz würden Euch zu früh zur Grub[illegible]

Ehe Philippine, die mit wachsende[illegible]zweiflung in dem Kreise stand und sich nur mühsam aufrecht hielt, eine Antwort zu geben vermochte, wurde stark und vernehmlich an die Thür gepocht. Von drunten hallten die Schritte vorübereilender Volksmassen, ein Blick durch den Erker hätte gezeigt, daß der Platz am Perlachberg leer zu werden begann. Aber alle Anwesenden sahen zur geöffneten Thür, durch welche Herr Leopold Rehm, einem Todten ähnlicher, denn einem Lebendigen, in das Gemach blickte. Von zwanzig Lippen scholl ihm die Frage, „was giebt es, Leopold, wie steht es drüben?“ entgegen. Der Alte grüßte steif und mit sichtlicher Anstrengung die Verwandten seiner Herren.

„Wie es steht da drüben?“ wiederholte er mit heisrer Stimme. „Herr Rembold, der Stadtpfleger, und die Rathsherren haben eben auf Andringen Daniel Pömers und seiner Genossen verfügt, daß Herr Matthäus und Paulus in Haft genommen und im strengsten Gewahrsam gehalten werden! Der Ruhm des Hauses Welser ist in den Koth gefallen, als ich vorhin die Bücher über die Straße trug — die Schmach meiner Herren ist in den Mäulern aller Zechbrüder und wandert mit jedem Handwerksgesellen aus den Thoren; wie solls nun stehen?! Hätten Herr Matthäus und Paulus damit nicht warten können, bis Herr Marcus zur Erde bestattet war? Jetzt werfen sie ihm mit der Scholle Erde ihre Flüche über verlornes Gut ins Grab nach und doch weiß der barmherzige Gott, daß er unschuldig war, daß er lieber selbst den Bettelstab ergriffen, als Andre mit ihm getröstet hätte! Wir wissen es, Fräulein Philippine, und wollens bewahren, auch wenn sonst Keiner, Keiner mehr auf dieser Welt daran denkt!"

Der alte Buchhalter weinte wie ein Kind und hatte seine letzten Worte an Philippine allein gerichtet, während es rings von scheltenden, zürnenden Stimmen schwirrte. Männer und Frauen hatten sich von ihren Stühlen und Polstern erhoben und schmähten den Rath, der es wage ein Glied ihres Hauses anzutasten, sie drohten mit dem Kaiserhof und verbargen hinter all den heftigen Worten nur mühsam ihre Bestürzung. Frau Barbara war vorhin, als ihr Leopold Rehm die Haft ihres Hausherrn ankündigte, ein wenig erbleicht, jetzt kehrte die Röthe auf ihr Gesicht zurück und aller steifen Würde vergessend, schalt sie mit funkelnden Augen bald die Welt, bald ihre schöne Nichte, die, vom Arm des alten Rehm gestützt, nur dessen Rede vernahm und Frau Barbaras Scheltworte nicht hörte. Der Buchhalter aber schien sich plötzlich zu bezwingen und gefaßter als zuvor rief er:

„Noch eins, ihr Herren, noch eins, Frau Barbara! Der Rath von Augsburg will Herrn Matthäus und Paulus im Gewahrsam ihrer eignen Häuser lassen, wenn Ihr mit all Eurem Hab und Gut Bürgschaft für die Waisen- und Krankengelder der Stadt, die in unsern Cassen lagen, leisten und für die Kosten des Gewahrsams haften wollt. Herr Rembold, der Stadtpfleger, läßt Euch entbieten, daß Ihr um des Namens der Welser willen nicht zögern möchtet. Der Rath würde sonst gezwungen sein, die Herren im gemeinen Schuldthurm zur Haft zu legen. Den Gläubigern darf nicht eines Hellers Werth entzogen werden, so Ihrs aber tragen wollt, hofft Herr Rembold aus alter Freundschaft, die hohe Gunst durchzusetzen."

Eine verlegne Pause folgte den langsamen Worten Leopold Rehms. Betroffen sahen die Männer einander an, kein freudiger Schein leuchtete aus ihren Augen, mehr als einer von ihnen lächelte höhnisch und hämisch. Der alte Buchhalter und die Jungfrau neben ihm blickten nach Frau Barbara und ihrem Vater, der hastig mit seiner Tochter flüsterte. Frau Barbara nickte wieder und wieder, dann rief sie gellend:

„Mag der Rath thun, was er vor Kaiser und Reich zu verantworten gedenkt. Herr Matthäus hat Meister Elfinger nach Wien gesandt, wir müssen abwarten, welche Botschaft er von dort zurückbringt! Will Herr Rembold, da er mich zur Wittib macht und meinen Ehewirth verstrickt, auch noch Hand an den kargen Rest meines Guts legen?"

„Sollen wir für die Thorheit unsrer Vettern zur Armuth herabkommen," riefen Herr Severin und zwei, drei andre Männer dazwischen, die an der herzlosen Weise Frau Barbaras Muth gewannen.

„So ists Eure Meinung, daß Herr Matthäus und Paulus im Thurm in Banden bleiben sollen?“ fragte Leopold Rehm, dessen schmerzlich klagender Ton sich unmerklich zum scharfen, zürnenden umwandelte. Sein Blick ruhte forschend auf den Zügen aller der stolzen Sippen seiner Herren, die laut und lärmend durcheinandersprachen und mit jedem Augenblick einiger wurden, ihren gefangnen Vettern den begehrten Beistand zu versagen. Weder er noch Philippine, auf deren Gesicht sich tiefste Bestürzung malte, sprachen ein Wort, bis Herr Severin, der von Einem zum Andern geschritten war, kräftig ausrief:

„Folgt meinem Rath und laßt dem Pöbel Zeit zum Lärmen, den Herren vom Rath Zeit zum Besinnen! Nicht vier Tage gehen ins Land und Vetter Matthäus und Paulus sind frei, ohne daß Ihr einen Gulden auf die Straße werft, der nur Blutsaugern wie Pömer und den gierigen Notaren zu Gut käme. Laßt Euch nichts abdringen, Frau Barbara, es ist schlimm genug, daß es so weit kam, aber weiter darfs nicht gehen, haltet fest, was Euch gehört und nennt, was in diesem Haus noch vorhanden ist, Euer!“

„Die da verschuldet haben, was heute geschehn ist, mögen es tragen!“ sagte Frau Barbara, einen neuen erbitterten Blick auf Philippine schießend. „Ihr habt Recht, Herr Severin, dies Haus ist jetzt mein und es soll fürder Niemand unter meinem Dach verweilen, der Schuld am Unglück meines Herrn hat.“

„Faßt Euch in Ruhe, Base Barbara!“ fiel Philippine der Zürnenden ins Wort. „Eurer Erinnerung bedarfs nicht und wenn Ihr nichts thun wollt für meinen Ohm, Ihr Alle nichts für die Männer, die Ihr noch gestern die Häupter des Hauses und den Stolz Eures Geschlechts genannt habt, so will ich thuen was ich vermag. Meine karge Habe ist verloren, doch ich werde thuen, was noch übrig ist. Ohm Matthäus, Ohm Paulus sind gefangen und verstrickt, ich kann sie nicht lösen, ich will zu ihnen, will vernehmen, was sie bedürfen und begehren, will ihnen zusprechen, und jeden Dienst leisten, der in meiner Kraft steht. Euch Alle kümmert es nicht, daß die glanzgewöhnten wohllebenden Männer im kahlen Thurmgemach den Abend schauen sollen, Euch läßt es kalt und gleichmüthig, daß die Schuldknechte ihrer Dürftigkeit spotten werden! Laßt mich — laßt mich, Freund Leopold, ich muß doch von hier hinweg, ich will hin zu ihnen, will sehen, ob sie meiner bedürfen.“

Da erwachten die Verwandten ringsum, in Frau

Barbaras Antlitz zeigte sich beleidigter Stolz. „Deiner bedürfen?“ rief sie, „meinst Du, daß wir nicht vermögen und thun, was Du vermagst? Mein Herr begehrt wahrlich zuletzt Dein Antlitz zu schauen, Ohm Paulus wird gesinnt sein wie er! Was thut zunächst noth, Herr Leopold Rehm, was soll geschehn, dessen sich Philippine vermißt und was wir nicht besser als sie vollbrächten?“

Aber der Buchhalter vernahm die Frage nur halb, er war Philippine, die hinauseilte, über die Schwelle gefolgt und hatte sie am Aufgang der Treppe ereilt.

„Was wollt Ihr thun, Fräulein Philippine?“ frug er, sie sanft zurückhaltend. „Ihr dürft nicht zu den Herren.“

„Du hast gehört, was sie drinnen sprachen,“ versetzte das Mädchen erregt. „Sie versagen ihnen jeden Beistand, selbst den Tropfen, der die trockne Lippe netzt!“

„Sie werden sich eines Bessern besinnen,“ fiel ihr Rehm ins Wort. „Vielmehr, es wird für sie gesorgt werden; Alles, was Ihr vermöchtet, edles Fräulein, soll geschehn, ohne daß der Saum Eures Gewands vom Staub des Schuldthurms befleckt wird.“

„Es sind meine Ohme, Leopold,“ — sagte Philippine, den Alten, der plötzlich so harte Worte sprach, erstaunt anblickend.

„Ich weiß, was ich rede, Fräulein Philippine!“ entgegnete der Buchhalter. „Die Herren sind gefangen, der

Himmel weiß wie lang es währen mag, bis sie sich lösen. Ihnen ists darum zu thun, von ihrem Gut und Glanz so viel zu retten, als sich retten läßt! Sie hören nicht auf zu rechnen, zu planen, dessen seid gewiß. Und wenn Ihr nicht zum andern Mal erfahren wollt, was Ihr schon einmal erfuhrt, wenn Ihr Euch nicht abermal einem Mann dahingeben lassen wollt, den Euer Herz verschmäht, edles Fräulein, so setzt Euern Fuß nicht zu den Herren! Sie würden nicht fassen, was Euch treibt, sie würden meinen, daß Ihr Euch unter ihre Gewalt zurückbegäbt —"

„Und wenn es so ist, Leopold," sagte die Jungfrau, „was räthst Du mir? Hier darf ich nicht bleiben. Du hörtest —"

„Hier dürft Ihr nicht bleiben!" wiederholte der Alte zustimmend. „Ich habe durch die reiche Hand, die Gunst Eures seligen Großohms ein Eigenthum erworben, ein Haus beim Maienbad. Wenn Euch mein Haus nicht zu gering dünkt, Fräulein —"

„Gewiß, gewiß nicht, Leopold!" fiel sie ihm ins Wort und blickte ihn so innig an, daß das gramvolle Gesicht des Alten sich auf einen Augenblick erhellte. „Doch wenn es käme, wie Du sagst, so darf ich auch da nicht bleiben! Nicht hier, nicht in Augsburg!"

Sie hielt zögernd inne, sie wollte es nicht aussprechen, daß ihr Leopold Rehm, der gebrochne Greis, kein Schutz sein könne, so tief sie von seiner Treue und Theilnahme ergriffen war. Doch je länger sie den alten Buchhalter ansah, um so gewisser ward ihr Entschluß. Mit fliegender Röthe auf den Wangen, sagte sie leis:

„Ich muß weg von hier, weit von diesem Haus, weit von Allen da drinnen. Willst Du mich, wenn es Abend wird, zum Hause Wolfgang Bergs und dann zum Garten meines armen Ohms Marcus zurückführen? Ich muß, ich will Wolfgang um ritterliches Geleit nach Venedig ansprechen — im Hause meiner Freundin Laura Peralti find' ich wohl eine Zuflucht, und wenn dort nicht, im Sanct Clarenkloster. Willst Du mich führen, Leopold?"

„Nach Venedig wollt Ihr!" murmelte der Alte und ein Lächeln stahl sich zwischen die Sorgenfalten seiner Mienen. „Zur Dame Peralti, zum Sanct Clarenkloster! Weit hinweg von Allen, die Euch lieb sein sollten und nicht sein können?! Ihr habt Recht, Fräulein, es mag so das Beste sein und Wolfgang Berg ist sicher der beste Mann zu Eurem Geleit! Meinen alten Augen wird es weh thun, wenn sie Euch nicht mehr schauen sollen, Fräulein Philippine — aber Ihr habt dennoch Recht und ich will Euch führen! Werden die Vettern Euch die Reise ins Wälschland verstatten?"

„Die Vettern?" sagte das schöne Mädchen mit trübem Lächeln. „Und warum nicht, sie trachten nicht darnach, mich zu halten, und die es thun, muß ich ja fliehn, Leopold. Ich will zu ihnen, will ihnen sagen, daß ich nach Venedig zu gehn gedenke, Du wirst hören, ob sie mich hindern!"

Sie stützte sich auf den Arm Leopold Rehms und betrat noch einmal das Zimmer Frau Barbaras. Nur Ohm Severin hatte ihr vorhin flüchtig, mit einem Ausdruck kargen Bedauerns, nachgeblickt. Keiner von allen Verwandten, die streitend und scheltend im Gemach umhersaßen, schien sie jetzt wahrzunehmen. Rasch und im Tone festen Entschlusses sprach Philippine:

„Leopold Rehm eilt mir nach und sagt mir, daß Ohm Matthäus und Paulus meiner nicht bedürfen, daß ich nicht zu thun vermag, was sie allein von Euch begehren, Frau Barbára. Und da Ihr mir den Schutz Eures Hauses weigert und unter dem Dache des theuren Todten nur wenige Tage noch Raum für mich ist, denk ich zu meiner Freundin Laura Peralti nach Venedig zu reisen, die mich noch vor kurzem dringend zu sich gefordert hat."

Mit schweigender Verwunderung hörten die Männer die Worte des Mädchens, einige sahen erstaunt auf die schlanke Gestalt, die jetzt mit wiedergewonnener Fassung und mit erhobenem Haupt vor ihnen stand. Keine Stimme widersprach, keine Hand streckte sich aus, die Scheidende zu halten, zurückzuziehn in den Kreis, in den sie nicht wieder getreten war. Frau Barbara aber, höhnisch wie zuvor, sagte:

„Der Weg nach Venedig ist weit, Du suchst vielleicht halben Wegs oder noch früher eine Ruhstatt. Und wenn nicht, so sieh wohl zu, ob die Dame Peralti Dich heute noch so willkommen heißt, wie sie gestern gethan hätte!“

Was in diesem Augenblick in der Seele der schönen Jungfrau vorging, errieth Niemand als Leopold Rehm. Er sah die blauen Augen mit raschen prüfenden Blicken sich von Einem zum Andern wenden, er sah einen zuckenden Schmerz in ihren Mienen, den sie stolz bekämpfte. Sie Alle wußten, daß sich Philippine von ihnen schied, sie ließen es kalt geschehen, sie dachten in diesem Augenblick an nichts, als daß ihnen Allen die schöne Jungfrau eine lästige Pflicht auferlege, selbst Herr Severin schlug die Augen nieder und wiederholte seine Worte von vorhin nicht! Sie ahnten Alle, wohin Philippine ging, wem sie sich vertrauen würde; sie schienen gleichgültig und widersetzten sich nicht! Leopold Rehm blickte noch einmal halb flehend, halb vorwurfsvoll in die Runde, Philippine aber hatte sich schon heftig abgewandt und zog ihn mit sich hinweg, während Frau Barbaras unedle Worte ihr noch nachklangen:

„Komm, komm, Leopold!“ flüsterte sie auf der Schwelle. „Ich sehe, daß mit Ohm Marcus das Haus Welser selbst dahingeschieden ist, mir brennt der Boden unter den Füßen. Drüben im Gemach Meister Jacobs, wo ich einst Abschied von dem süßen kleinen Engel nahm, dessen Liebe mir Ohm Matthäus und Base Barbara nicht gönnten, werd ich still harren können, bis die Dämmerung kommt! Weine mit mir, Leopold, aber preise Gott, daß Ohm Marcus diese Stunde nicht mehr geschaut hat!" —

Das brausende Getümmel, das am Tage die Gassen von Augsburg erfüllt hatte, war verklungen, verhallt, die Dämmerung brach herein und fand die Reichsstadt kaum mehr bewegt, als an andern Abenden. Wohl zitterte die Erschütterung des Tages in allen Gemüthern nach, aber wie sonst hielten die Bürger ihre Abendrast und eifriger klang von Hausthür zu Hausthür die Rede, nur in anderm Tone schwirrte der Name Welser durch alle Gespräche, als es jemals geschehn war. In den stillen Gassen, die nach dem Roßmarkt hinabführten, hatte Niemand Acht auf die beiden halbverhüllten Gestalten, die mit Einbruch der Dunkelheit nach dem Platze und dem kleinen Hause Bartholomäus Bergs hinschritten. Der Sommerabend war mild und schien die Bewohner des Hauses auf die Schwelle des Flurs gelockt zu haben. Bartholomäus Berg, der alte Reiter, saß in schmerzlichem Schweigen; der Tag, den er lang gefürchtet und stets geläugnet, war doch gekommen, mit dem Fall des Hauses Welser schien auch sein Trotz und Groll gefallen zu sein, fast mild klangen die einzelnen Worte, die er an sein Weib und seinen Sohn richtete. Frau Katharina hatte Wolfgangs Hand erfaßt, der sich unruhig von Zeit zu Zeit erhob und sinnend wenige Schritte auf- und abging. So sah er Leopold Rehm, der Philippine geleitete, sah sie selbst erst — als Beide dicht vor ihm standen. Bartholomäus Berg starrte zweifelnd, den eigenen Augen nicht trauend, Frau Katharina zaghaft auf die Gruppe. Wolfgang hatte sich tief verneigt, sein Auge wich dem des schönen Mädchens aus. Aber so scheu und zitternd dieselbe den Weg hierher zurückgelegt hatte, jetzt sprach sie ohne Zagen und Zögern mit schmerzlich bewegter Stimme:

„Ich komme, den letzten Dienst zu begehren, den Ihr mir verheißen habt, Wolfgang! Ich muß Augsburg verlassen, ich will nach Venedig und habe nur Anna, meine alte Dienerin, mit mir zu nehmen. Wollt Ihr mich ritterlich geleiten, wie Ihrs in bessern Tagen gethan? — wollt Ihrs auch heut, obschon ich Euch den Dienst nicht zu lohnen vermag?“

„Ich wills, was auch Eure Meinung dabei sein mag!“ erwiederte Wolfgang funkelnden Auges, mit bewegter Stimme, wie verloren im Anschauen der schönen Gestalt, deren Antlitz vom Schleier halb verhüllt war, und ergriffen vom geheimen Schmerz, der durch diese Worte des

Mädchens zitterte. „Ihr mögt befehlen, wann Ihr die Fahrt anzutreten gedenkt!"

„Kommt morgen nach dem Garten meines Ohms, Leopold Rehm mag Euch zu mir führen," entgegnete Philippine. „Seine Treue und die Eure sind das Letzte, was mir von allem Gut und Glanz unsers Hauses geblieben ist! Ihr werdet mir rathen, wie ich mich zur Fahrt rüsten muß, ich wähle die Straße über Bregenz und Chur ins Wälschland!"

Sie hatte den Arm Leopold Rehms wieder erfaßt, aber ihre Hand ruhte einen Augenblick in der zitternden Hand Wolfgangs. Bartholomäus Berg hatte sich erhoben, er wankte näher und indem er sich niederbeugte und, ohne daß Philippine es zu hindern wußte, ihre Hand küßte, sagte er wie mit brechender Stimme:

„Gottes Segen über Euch, edles Fräulein, vergeßt es nicht, daß Ihr aus dem Hause der Welser stammt."

Hohe Gluth schlug in ihrem Antlitz empor. „Nimmer werde ich vergessen, daß Marcus Welser mein Ohm war," sagte sie ausweichend, — sie fühlte gleichsam den brennenden Blick, mit dem Wolfgang ihrer Antwort lauschte. „Gehabt Euch wohl für heute und laßt mich mit Leopold Rehm meinen Weg zu meinem theuren Todten allein suchen!"

Ehrfurchtsvoll gehorchend blieb Wolfgang, der sich erhoben hatte, sie zu geleiten, vor dem niedern Hause zurück, Philippine verschwand mit dem Alten, der sie hierher geführt; bald entzogen sie die Schatten der Nacht den nachfliegenden heißen Blicken Wolfgangs. Bartholomäus Berg sprach dumpf vor sich hin:

„Er hält sein Wort — und sie, sie kommt hierher und wirbt um ihn! Wenn der jüngste Tag nicht nah ist, werden die Todten vom Haus Welser ohne Posaunen in ihren Gräbern erwachen! — Und ich darf ihm nicht fluchen; stand sie nicht vor ihm, als habe sie auf dieser Welt keine Zuflucht mehr außer ihm und blickte er nicht darein, wie Einer, der sie zu schirmen vermag?“

Wolfgang hörte die Worte des Vaters nicht, er sah träumerisch vor sich hin, nach der Stelle, auf welcher sie eben verweilt hatte. Da beugte sich Katharina zu ihm und flüsterte ihm ins Ohr:

„Laß ab, Wolfgang, laß ab. Sie sind auch jetzt noch mächtig; sie werden aus den Eisen heraus Dich erreichen und verderben, wenn Du die Hand nach der Tochter ihres Hauses auszustrecken wagst.“

„Sie haben keinen Theil mehr an ihr, Mutter!“ rief Wolfgang. „Sie haben die Herrliche von sich gestoßen, sie können mich nicht verderben, wärs auch nur um ihretwillen. Und wenn es den sichern Tod brächte, wenn ich mein Grab zwischen hier und dem See fände, ich wollte sie geleiten. Aber zagt nicht, Mutter, was vorhin an mich herantrat, mich mit ihrem Odem anhauchte, das war Leben und nimmermehr Tod! Ich will sie geleiten, was auch ihre Meinung sein mag — Gott wird nicht wollen, daß ich diese Stunde falsch gedeutet habe!" — —

Vier Tage waren seit dem Junimittag vergangen, an dem das prächtige Augsburg den Tod Marcus Welsers, seines gelehrten und berühmten Stadtpflegers, und den Fall des großen Handelshauses der Welser zugleich vernommen. Ein milder Sommerabend lag mit all seinem Glanz und Duft über dem Gelände am Bodensee, die niedergehende Sonne warf ihren letzten vollen Schimmer auf die Berge um Bregenz und blitzte im Bett des Rheins und zwischen den dichten Laubkronen der Ulmen, unter denen Philippine und Wolfgang zur St. Gebhardshöhe emporstiegen. Sie waren vor wenigen Stunden aus dem Schiff getreten, die alte Dienerin, die ihnen folgte, hatte verwundert die Forderung ihrer Herrin vernommen, in der Kirche, die mit ihren altersgrauen Wänden vom Gebhardsberg herabblickte, für Herrn Marcus zu beten. Aber der Begleiter, der in ritterlicher Haltung neben der Jungfrau schritt, hatte ohne Einwand dem Wunsche Philippinens Folge geleistet. Stumm war er seit Tagen, und der Glücksschein, der von seinem Antlitz leuchtete, als er ihre trauernde Herrin am Garten Marcus Welsers in den Sattel ihres Rosses gehoben und Leopold Rehm, der dabei stand, mit einem letzten Blick in die Blüthenpracht des Gartens, die Hand gedrückt hatte, — der Glücksschein und der helle, fast freudige Klang seiner Stimme am ersten Reisetage, sie waren verflogen. Von Stunde zu Stunde, je trauriger Philippine ward, je öfter das Wort Venedig oder der Name ihrer Freundin dort über ihre Lippen glitt, verfinsterten sich Stirn und Blick Herrn Wolfgangs, von Stunde zu Stunde hatte er sich mehr und mehr hinter dem Fräulein zurück statt neben ihr gehalten. Auch jetzt, wo er an ihrer Seite war, hatte er sein Gesicht von ihr gewandt. Sie blickte hinab auf die Wälder, die rauschenden Wasser, den schimmernden See, dessen Ufer die Abendnebel säumten. Er aber hielt das Haupt gesenkt, er sah auf das Moos des Weges, als fürchte er, die dunkle Gluth, die in seinem Auge verborgen lag, könne hervorschlagen und die holde Gestalt neben ihm erfassen. Schweigend harrte er ihrer Anrede; das schöne Mädchen aber schien umsonst nach einem Wort der Ansprache zu suchen, denn so oft sie nach ihrem Begleiter hinsah und die Lippen sich öffneten, so oft auch wandte sie sich rasch zurück und rief der nachgehenden Dienerin ermunternd zu. Sie kamen der

Höhe mit ihrer Kirche näher und näher, Philippinens blasses Gesicht war rosig überhaucht, sie athmete so schwer, so tief, daß Wolfgang Berg zuletzt doch aus seinem stummen Hinbrüten auffuhr und fragte:

„Soll Euch mein Arm stützen, edles Fräulein? Ist der Pfad zu steil, die Kirche St. Gebhards zu hoch und sollen wir umkehren?"

„Wir müssen denselben Weg hinab?" fragte Philippine statt der Antwort zurück. „Wir müssen in Bregenz zu Nacht bleiben?"

„Ihr sagt es!" versetzte Wolfgang. „Zwischen Bregenz und Chur werdet Ihr keine Herberge finden, wie drunten zum Grafen von Montfort! Und da wir morgen mit dem Frühsten aufbrechen —"

„Eilt es so mächtig, Wolfgang?" unterbrach sie ihn mit einem Klang ihrer Stimme, der ihn völlig aufsehen ließ. „Ist Eure Zeit so karg gemessen, müßt Ihr mit den Stunden rechnen, die die Fahrt nach Venedig währt?"

„Ich könnte auch das sagen, Herrin," entgegnete Wolfgang. „Sie warten meiner dort unten im Thal, Ihr kennt ja den Hof. Doch bin ich zu Eurem Dienst, so lang Ihr befehlt und bis Ihr am Ziel; nur bedenkt, daß eines Menschen Kraft gemessen ist, und ich weiß nicht, ob die meine bis Venedig ausreicht."

Er sprach die letzten Worte halb unterdrückt, aber was sie nicht deutlich vernahm, las sie in seinen Zügen. Wie der Sonnenstrahl ihr goldnes Haar umschimmerte, wie ihr Auge von Wolfgang hinweg auf die Weite zu ihren Füßen sah und dann doch wieder zu ihm zurück irrte, ihre Hand, die sich leicht auf Wolfgangs Arm stützte, zitterte, entsank ihm der trotzige Muth, mit dem er sich seit zwei Tagen gewappnet. Ueberwältigt und wieder nach Fassung ringend, sprach er halblaut, doch ungestüm:

„Ich vermags nicht zu tragen bis Venedig! Gebt mich meines Wortes los, Fräulein Philippine, ich war und ich blieb ein Thor! In Chur will ich sorgen, daß Euch ein besser Geleit zu Theil wird.“

„Und muß ich bis Chur, muß ich bis Venedig?“ fragte die Jungfrau ihn fest anblickend, während ihr Antlitz wie in Abendgluth getaucht schien und die Worte auf ihren Lippen sich drängten. „Ohm Marcus gab mir noch in seinen letzten Stunden Hoffnung, daß ein andres Dach, als das Laura Peralti's, mich schirmen werde!“

„Ein andres? — Mein Dach? Mein Haus?“ jauchzte Wolfgang auf, die schöne Gestalt in seine Arme ziehend. „Ist's so Dein Wille — mein Haus, Philippine?“

„Wenn Du vergessen kannst, womit ich Dich in eitler Thorheit gekränkt, wenn Du zu glauben vermagst, daß diese Stunde gekommen wäre auch ohne den letzten furchtbaren Tag im Hause Welser —"

„Ich vergaß Alles, ich glaube nur eins: mein Glück, meine Seligkeit, mein süßes, unermessnes Glück!" stammelte Wolfgang, Philippine, die sich ihm entziehen wollte, fest in seinen Armen haltend.

Nicht der Abendschein wars, der jetzt ihr Antlitz röthete, die Gluth der Hingebung und der süßesten Scham schlug in hellen Flammen empor, während sie sich Wolfgang leis zu entwinden suchte. Die alte Dienerin, die den Beiden näher gekommen war, hielt sich still im Schatten der dichterstehenden Bäume, aus dem Wolfgang und Philippine hervortraten. Droben aber, auf den Stufen zur Gebhardskirche, zeigte sich die Gestalt eines greisen Priesters, der den Kommenden entgegenblickte. Philippine ward seiner ansichtig, ihr Beben lenkte auch Wolfgangs Auge auf ihn:

„Ich sandte von Lindau einen Boten an ihn vorauf!" flüsterte sie. „Er sollte eine Messe für den Todten lesen und — und mir das Recht geben unter Deinem Dache zu weilen, wenn unser Weg sich von hier an nicht mehr schiede, wie Ohm Marcus mir verheißen!"

Wolfgang legte stumm seine Hand in die des schönen Mädchens neben sich. Die Gewißheit des Glücks gab ihm seine Ruhe zurück, mit festem Schritt, mit einem Leuchten im Blick, das aus Philippinens Augen in die seinen zu strahlen schien, stieg er die Stufen zur Kirche empor — die alte Dienerin folgte. Immer fester, inniger schmiegte sie sich im Emporsteigen an seine Schulter, sein Traum war erfüllt und an ihm war es, von dieser Stunde an den Traum Marcus Welsers zur Wahrheit zu machen.

FSC
www.fsc.org
MIX
Papier aus verantwortungsvollen Quellen
Paper from responsible sources
FSC® C141904

Druck:
Customized Business Services GmbH
im Auftrag der KNV-Gruppe
Ferdinand-Jühlke-Str. 7
99095 Erfurt